Moïrane
de Diane Lacombe
est le huit cent soixante et onzième ouvrage
publié chez
VLB ÉDITEUR.

La collection « Roman »
est dirigée par Jean-Yves Soucy.

Si vous désirez envoyer un courriel à Diane Lacombe, écrivez-lui à l'adresse suivante : *dianelacombe@vl.videotron.ca*
Vous pouvez également le faire sur le site internet consacré à sa production littéraire : *www.edvlb.com/dianelacombe*

VLB éditeur bénéficie du soutien de la Société de développement des entreprises culturelles du Québec (SODEC) pour son programme d'édition.

Gouvernement du Québec – Programme de crédit d'impôt pour l'édition de livres – Gestion SODEC.

Nous reconnaissons l'aide financière du gouvernement du Canada par l'entremise du Programme d'aide au développement de l'industrie de l'édition (PADIÉ) pour nos activités d'édition.

Nous remercions le Conseil des Arts du Canada de l'aide accordée à notre programme de publication.

MOÏRANE

DE LA MÊME AUTEURE

La châtelaine de Mallaig, Montréal, VLB éditeur, coll. «Roman», 2002.

Sorcha de Mallaig, Montréal, VLB éditeur, coll. «Roman», 2004.

L'Hermine de Mallaig, Montréal, VLB éditeur, coll. «Roman», 2005.

Gunni le Gauche, Montréal, VLB éditeur, coll. «Roman», 2006.

Nouvelles de Mallaig, Montréal, VLB éditeur, coll. «Roman», 2007.

Diane Lacombe

MOÏRANE

roman

vlb éditeur
Une compagnie de Quebecor Media

VLB ÉDITEUR
Groupe Ville-Marie Littérature inc.
Une compagnie de Quebecor Media
1010, rue de La Gauchetière Est
Montréal (Québec) H2L 2N5
Tél.: 514 523-1182
Téléc.: 514 282-7530
Courriel: vml@sogides.com

Maquette de la couverture: Ann-Sophie Caouette
En couverture: J. H. Thompson, *Portrait of Charlotte Brontë* (1816-1855), huile sur canevas
© Brontë Parsonage Museum, Haworth, Yorkshire (Angleterre) / The Bridgeman Art Library International
Cartographie: Julie Benoit

Catalogage avant publication de Bibliothèque et Archives nationales du Québec
et Bibliothèque et Archives Canada
Lacombe, Diane, 1953-
    Moïrane
    (Roman)
    ISBN 978-2-89649-039-4
    I. Titre.
PS8573.A277M64 2008   C843'.6   C2008-941821-2
PS9573.A277M64 2008

DISTRIBUTEURS EXCLUSIFS:

• Pour le Québec, le Canada
  et les États-Unis:
  LES MESSAGERIES ADP*
  2315, rue de la Province
  Longueuil (Québec) J4G 1G4
  Tél.: 450 640-1237
  Téléc.: 450 674-6237
  *filiale du Groupe Sogides inc.,
    filiale du Groupe Livre Quebecor Media inc.

• Pour la France et la Belgique:
  Librairie du Québec / DNM
  30, rue Gay-Lussac
  75005 Paris
  Tél.: 01 43 54 49 02
  Téléc.: 01 43 54 39 15
  Courriel: direction@librairieduquebec.fr
  Site Internet: www.librairieduquebec.fr

• Pour la Suisse:
  TRANSAT SA
  C. P. 3625, 1211 Genève 3
  Tél.: 022 342 77 40
  Téléc.: 022 343 46 46
  Courriel: transat-diff@slatkine.com

Pour en savoir davantage sur nos publications,
visitez notre site: www.edvlb.com
Autres sites à visiter: www.edhexagone.com • www.edtypo.com
www.edjour.com • www.edhomme.com • www.edutilis.com

© VLB ÉDITEUR et Diane Lacombe, 2008
Dépôt légal: 4e trimestre 2008
Bibliothèque et Archives nationales du Québec, 2008
Bibliothèque et Archives Canada
Tous droits réservés pour tous pays
ISBN 978-2-89649-039-4

À Claire, mon aînée dans la fratrie,
ma complice dans l'écrit ; et à Catherine, ma filleule,
et un peu ma fille ; celles qui sont comme le phare
et l'oasis pour leurs proches, aussi droites que le peuplier
et aussi accueillantes que le saule, je dédie ce récit
qui raconte le grand désir de maternité
d'une femme qui leur ressemble.

Avant-propos

J'ai découvert, au hasard de mes recherches sur la société viking, un livre qui m'a captivée et qui peint la toile de fond au récit de Moïrane. *Les hauturiers. Ils précédèrent les Vikings en Amérique*[1] se présente comme un *essai fiction* et c'est bien de cela qu'il s'agit, avec ce mélange astucieux d'imagination et de recherches historiques et archéologiques grâce auquel l'auteur canadien Farley Mowat nous révèle l'existence d'un ancien peuple chrétien qu'il appelle les *Albains*.

Autour de l'an 500, chassés par les Vikings des hautes terres d'Écosse où ils élevaient leurs troupeaux, des chrétiens celtes se seraient enfuis vers les îles Orcades, Shetland et Féroé, à bord de leurs bateaux de peaux. Trois siècles plus tard, inquiétés par les mêmes envahisseurs, ils auraient déplacé leurs fermes sur l'île de *Tilli* (Islande) et lorsque celle-ci tomba sous occupation scandinave, vers l'an 850, ils se seraient rembarqués avec leurs animaux pour *Crona* (Groënland). Ils y auraient prospéré jusqu'à l'arrivée du banni d'Islande, le fameux Érik le Rouge, en 985. À compter de cette nouvelle invasion

---

1. Farley Mowat, *Les hauturiers. Ils précédèrent les Vikings en Amérique*, Montréal, XYZ, 2000. Titre original : *The Farfarers : Before the Norse*, Toronto, Key Porter Books, 1998.

viking, la petite poignée de fermiers chrétiens aurait exploré les côtes du Nouveau Continent à l'ouest, de la terre de Baffin, au nord, vers le Labrador, au sud, pour atteindre l'île d'*Alba* (Terre-Neuve), sur laquelle ils se seraient finalement installés, d'où leur nom d'*Albains*. En 1025, un marchand islandais naviguant dans l'Atlantique Nord aurait vu son navire déporté sur cette île, où une tribu chrétienne l'aurait accueilli et tenu au secret sur son identité. Puis, le silence se referme sur cette communauté de l'église celtique dont l'exode aurait duré cinq cents ans, depuis son départ d'Écosse jusqu'à son arrivée en Amérique du Nord. Les tours de pierres sèches que ces hommes érigeaient comme balises et les bases de maisons en forme de bateaux seraient maintenant les seuls témoins de leur invraisemblable épopée.

Les *Albains*... ceux qui précèdent les Vikings en Amérique, voilà le filon inventif auquel je me suis accrochée pour lancer mes personnages dans une expédition au *Vinland*. Le livre de Farley Mowat est non seulement un ouvrage extrêmement bien documenté, mais il propose une interprétation des sagas islandaises et groënlandaises, rares écrits historiques sur l'époque viking, qui ne manque pas d'originalité et qui soulève la question embarrassante de la découverte de l'Islande et du Groënland (et de l'Amérique du Nord), exploit que l'histoire de l'humanité attribue classiquement aux Scandinaves.

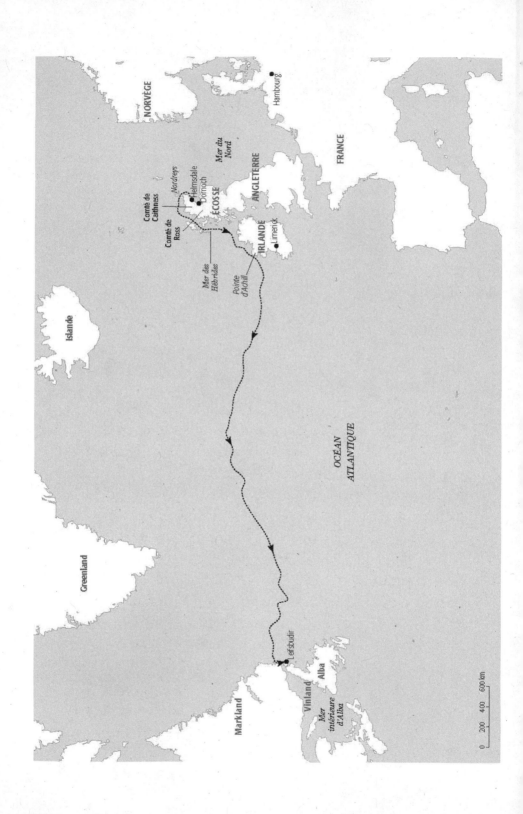

Chapitre premier

L'infÉconde

Ce jour-là, je me levai maussade. La découverte mensuelle du sang entre mes cuisses m'était pénible depuis un an. En effet, après l'intégration à notre vie de Pelot avec sa compagne Elsie, je me sentais de moins en moins la maîtresse des lieux et de plus en plus amère. Le climat de Helmsdale était devenu malsain.

Assise à mon métier à tisser, sous l'éclairage pâlot de la fenêtre, je ne pus réprimer un mouvement d'impatience. Je tirai un peu trop fort sur le fil de lin : il se tendit et se rompit, m'obligeant à remonter une lisière complète de mon ouvrage. Je maugréai à voix assez haute pour qu'Elsie m'entende à l'autre bout de la salle. Elle souleva la tenture qui fermait son lit et lança une remarque ironique sur mon humeur. Puis, pour ajouter à mon exaspération, elle s'avança dans la pièce, le bliaud* retroussé, en finissant de nouer l'insolent lacet rouge autour de son ventre proéminent. Cette pratique normande*

---

* Les mots suivis d'un astérisque sont définis dans le lexique à la fin du roman.

devant favoriser une grossesse réussie m'était d'autant plus exécrable qu'elle relevait de croyances païennes. Je détournai les yeux et, de rage contenue, je pinçai les lèvres.

Alors qu'à Helmsdale toutes les femmes en âge de l'être étaient mères, moi, à trente ans, je n'avais pas encore été fécondée. Cette situation me torturait. Non seulement mon rang d'épouse de chef exigeait que j'engendre, mais le partage du fort avec nos hommes d'armes, Roderik et Cinead, leurs enfants et leurs prolifiques épouses, Frida et Ingrid, mettait quotidiennement en évidence mon inca-pacité à procréer. Je crois que la vitesse avec laquelle Elsie avait conçu, dans le premier mois de son union avec Pelot, m'était aussi intolérable que son penchant à adopter les manies superstitieuses des Norvégiennes de notre com-munauté, et ce, en dépit de la foi chrétienne dans laquelle la jeune femme avait été élevée.

« Dis-moi, Elsie, au moment d'entrer en couches, vas-tu te vêtir de la chemise de Pelot pour protéger ton nouveau-né et enfiler ses braies pour ne pas te vider de ton sang, comme l'impie que tu es ? dis-je, avec fiel.

— Je vais accoucher comme je veux, dans la tenue qui me plaira, Moïrane. Je ne vois pas ce que cela peut te faire. D'ailleurs, que connais-tu à l'enfantement ? » répondit-elle, sur un ton provocant. Chaque fois qu'Elsie me défiait du haut de sa grandeur imposante et de sa blondeur rayonnante, je pestais intérieurement contre ma petite taille et mes cheveux bruns, qui me donnaient un air sombre. Mortifiée, je renonçai à lui répondre et me tus en ruminant le déclin de mon autorité morale sur la colonie de Helmsdale depuis la mort de notre vieil abbé, au début de l'année.

Dès après le décès du prêtre, les ignobles croyances vikings* étaient revenues en force dans nos familles. Malgré mes efforts pour contrer un retour au paganisme, même appuyées par les trois Écossaises ferventes chrétiennes du groupe, dont la veuve Devorguilla, mère d'Elsie, mes exhortations au respect de notre foi n'endiguaient pas l'attrait que les coutumes normandes semblaient exercer, quasi irrésistiblement, sur nos gens. Les amulettes de Thor* étaient réapparues aux cous des enfants, les inscriptions runiques* refleurissaient sur le bois des alcôves de chaque couple et les bouquets de neuf fleurs séchaient sous la paillasse des deux nubiles du clan, désireuses de voir en rêve leur futur époux. À ces fétichismes s'ajoutaient des actes plus graves qui frisaient l'idolâtrie et qui m'indignaient, telle l'évocation des insupportables dieux normands à la naissance des enfants, au départ d'une expédition commerciale ou simplement au moment de trinquer à la mémoire des ancêtres. Si, dans ma lutte contre l'infamie généralisée, j'avais pu bénéficier du soutien de Gunni, dont l'ascendant aurait suffi à empêcher les comportements irréligieux de certains membres de la communauté, j'aurais mieux enduré la situation d'isolement dans laquelle ma foi me confinait. Mais hélas, la mort de son père avait refroidi la ferveur chrétienne de mon mari, laquelle m'avait d'ailleurs toujours semblé fragile.

Maintenant, je me désolais de le voir cesser de prier, même quand je lui demandais de m'accompagner dans mes dévotions. Gunni demeurait distrait et indifférent, davantage tourné vers l'extérieur du clan que vers l'intérieur. Sans qu'il m'ait jamais fait de reproche au sujet de mon infertilité, je le devinais tourmenté par la question.

La direction de la colonie, dont les assises étaient désormais bien établies, n'était plus un défi pour lui et, par conséquent, elle semblait avoir perdu de l'intérêt à ses yeux. En ces mauvaises journées où tout m'irritait, je soupçonnais que les anciens rêves de voyage de Gunni referaient immanquablement surface pour venir le hanter et peut-être me le ravir.

La fonte des neiges grossissait les eaux rocailleuses de la rivière Helmsdale qui coulait au milieu d'une vallée fertile bien abritée des vents dominants de la mer du Nord. Au murmure continu des flots se joignaient le son de la brise dans les ajoncs et les cris tridents des oiseaux marins qui peuplaient les rochers de la côte. Une odeur de marais spongieux flottait en permanence autour des murs d'enceinte en pierres sèches qui encerclaient le site et elle se mêlait aux effluves dégagés par les algues amoncelées sur la grève quand le vent soufflait plein est, comme ce jour-là.

Depuis le parapet accroché au pourtour du toit, Gunni emplit ses poumons d'air en scrutant l'horizon immobile de la mer. Il prisait ce moment de quiétude matinale où il montait en vigie au sommet du fort, seul avec l'immensité de la mer, que sa position en altitude lui donnait l'impression de dominer. À l'abri des regards inquisiteurs ou soucieux des membres de la famille, le chef du clan allait réfléchir quotidiennement sur le destin qui l'avait bellement mené par les chemins tortueux de la vie et il cherchait à deviner ce que l'avenir insondable et mystérieux lui réservait, à trente-deux ans. Entraient dans ses réflexions la colonie de Helmsdale, de plus en plus connue sous le nom de «clan Gunn» parce qu'il en était le dirigeant, et les responsabilités qui en découlaient, tels l'organisation de sa défense, la répartition des travaux essentiels à sa survie, la planification des équipées commerciales pour son approvisionnement et le règlement des inévitables différends qui l'animaient. Cette dernière charge commençait à lui peser et l'inconfort qu'il en éprouvait le portait souvent à fuir Helmsdale par la pensée. C'est ainsi qu'un grand désir d'évasion prenait régulièrement la plus grande part de ses méditations face à l'océan : il tendait l'oreille et le cœur à l'appel des cygnes dont il voulait emprunter la route, c'est-à-dire suivre leur migration vers l'ouest et découvrir tout ce qu'il y avait à voir dans cette portion du monde dont les récits vikings faisaient si grand éloge.

Des cris stridents d'enfants le tirèrent de sa rêverie et il porta son attention sur la cour en contrebas. De la forge s'élevait déjà un filet de fumée, témoignant que le fer de l'enclume allait bientôt résonner ; la porte de la bergerie était grande ouverte, laissant supposer que le troupeau de moutons s'apprêtait à sortir ; trois femmes bavardaient autour du puits, leur seau déposé négligemment à leurs pieds ; et sept garçons et fillettes âgés de cinq ans, petit groupe piailleur et inséparable que Gunni se plaisait à appeler la «première fournée de Helmsdale», se disputaient des éclisses de bois pour s'en fabriquer des épées. En les observant, les yeux gris du chef furent momentanément traversés par une ombre, puis ils contemplèrent l'emplacement muré et ses bâtiments, et alors, ils se teintèrent de satisfaction.

Le site de Helmsdale, sans être vaste, était bien aménagé. Un fortin en pierres le surplombait et faisait office de tour de guet : il comprenait un donjon de trois étages, habitation du chef et de ses gens, une écurie de cinq chevaux et un potager, le tout couvrant un peu moins du tiers de l'enceinte. Le second tiers était occupé par une longue maison en bois et tourbe dotée de trois fosses à feux et par trois bonnes huttes en tourbe, avec leurs jardins. Ces habitations étaient disposées dans une large place dallée de pierres plates au milieu desquelles étaient érigés un four, un puits et une forge. Confinés au fond de la cour, une bergerie et un entrepôt complétaient ces installations qui, ensemble, englobaient un peu plus du dernier tiers de la superficie emmurée. Sur le pourtour extérieur de l'enceinte se dressaient un fumoir, des hangars pour les agrès de pêche, pour le séchage du poisson et pour la réparation des knörrs*. De là, un sentier menait à une plage de gravillons qui bordait la baie dans laquelle se jetait la rivière Helmsdale.

Dans ce lieu protégé vivaient les trente-sept membres du clan Gunn. Ils étaient répartis en sept familles mi-norvégiennes mi-écossaises, en raison des origines des fondateurs de la colonie en 1020, soit cinq Norvégiens de Leirvik et trois Écossais du comté de Caithness qui avaient pour femmes cinq Norvégiennes des Nordreys* et trois Écossaises du comté de Ross. Peu après, Gunni et Moïrane s'étaient joints au groupe et en avaient pris la tête au décès de son chef. Au total, la communauté comptait maintenant douze hommes et dix femmes, un jeune homme et deux jeunes filles ; cinq garçons, quatre fillettes et trois nourrissons.

Bien campés dans leur vallée, les habitants de Helmsdale jouissaient de l'autonomie propre aux colonies isolées.

Dans la partie nordique de l'Écosse, les rares clans qui exploitaient un fief se trouvaient très éloignés des places fortes où s'exerçait le pouvoir des rois, des jarls* et des évêques et, par conséquent, ils étaient ignorés par ces derniers. Nul thing* ne leur imposait de loi, nulle levée d'impôt ou de dîme ne les accablait et comme leur domaine retiré était peu convoité par autrui, aucun forban ne venait jamais les inquiéter. En effet, ceux qui se rendaient à Helmsdale, par voie de terre ou de mer, se présentaient en amis : certains y faisaient escale pour commercer, d'autres venaient en visite depuis Dornoch, lieu où résidait la parentèle de Moïrane. La bonne réputation des gens de Helmsdale et le système de défense de leur site tenaient à distance les marauds qui parcouraient les côtes écossaises en quête de rapines. Après quelques années fructueuses à profiter ainsi de la paix de Dieu, toute colonie bien organisée, grande ou petite, pouvait atteindre à la prospérité : c'est ce à quoi était parvenu le clan Gunn à Helmsdale, en ce printemps de l'an de Grâce 1026.

Ma journée de travail ne se termina pas sur une note plus gaie qu'elle n'avait commencé. L'arrivée impromptue de l'Islandais Gudlaugson et de ses huit hommes d'équipage, au milieu de l'après-midi, m'avait reléguée toute seule à mes marmites, car les trois autres femmes de la maison s'étaient éclipsées : Ingrid, l'épouse de Cinead, était partie avec ses deux fillettes aider sa sœur qui relevait de couches ; prétextant souffrir de ses chevilles enflées, Elsie était allée voir sa mère à la longue maison ; et Frida était montée à bord du knörr islandais avec ses garçons pour le leur faire visiter et s'y était astucieusement attardée le reste de la journée. J'avais eu beau protester contre l'accroissement de tâche que le souper des visiteurs m'occasionnait, personne ne s'en était soucié.

Gunni, comme à son habitude, avait conduit les Islandais au deuxième étage, lequel était entièrement réservé à l'hospitalité. Il est vrai que la pièce faisait une belle impression avec son large foyer, sa grande table, ses nombreux bancs et, surtout, avec cette énorme chaise sculptée par Gunni, marque distinctive de son statut de chef. Là-haut, les rires et les voix tonitruantes couvrirent rapidement le raclement de mes chaudrons au-dessus du brasier. Pas une seule fois Gunni ne descendit pour quérir la bière que les hommes ingurgitaient allégrement et c'est moi qui, entre deux coups de cuillères au ragoût, fis la navette depuis le tonneau à la cave jusqu'aux brocs des buveurs.

Exténuée, je n'eus d'aide qu'à la tombée du jour, quand Frida et Ingrid réintégrèrent le fortin avec les enfants. Elsie rentra plus tard, ramenant de la longue maison trois ventres de plus à combler : son frère Lorne, Grim le Casqué et Herulf. Ces trois-là s'invitaient chaque fois que le chef recevait, quelle que soit l'importance de la délégation étrangère. Je les accueillis avec une mine exaspérée, ce qui me valut de nouveaux sarcasmes de la part d'Elsie.

Quand vint enfin le moment de m'asseoir et de manger avec l'assemblée, j'étais dans un tel état de frustration que je ne parvins pas à accrocher un sourire sur mon visage. Tout m'horripilait chez Gudlaugson et ses hommes, des gars non dégrossis d'à peine vingt ans, sauf deux qui avaient les tempes grisonnantes. La langue norroise* qu'ils employaient me hérissait; le clinquant de leurs parures de cou et leurs moustaches grotesquement longues me rebutaient; leurs mains gercées et noircies par le goudron des rames et l'odeur fétide de laine imbibée de sueur que dégageait leur vêture* me révulsaient presque. Heureusement, l'animation entre les convives m'exempta de faire la conversation, comme normalement mon statut d'hôtesse l'aurait requis. Conscient des civilités qu'il lui incombait de démontrer, Gudlaugson m'adressa la parole pour me complimenter sur la cuisson des viandes, sur la fraîcheur de la bière, sur la douceur des fromages, sur la variété des poissons et sur l'élégance de nos récipients de stéatite* au riche décor ciselé. Sur ce dernier point, l'Islandais n'ignorait pas qui était le véritable destinataire de l'éloge, mais il tentait de m'amadouer en me l'attribuant.

Cet homme de haute stature, doté d'une membrure* idéale pour guerroyer et naviguer, ressemblait à l'image même de l'indomptable Viking. Je ne sais pas si ses activités pouvaient le classer dans cette catégorie de navigateurs, mais il avait noué de bons liens d'amitié avec Gunni, lequel l'estimait beaucoup. Gudlaugson appréciait particulièrement le talent de graveur de mon mari et il lui avait déjà commandé la confection de divers ouvrages, tels des pommeaux d'épée et des coupes. Gunni avait alors utilisé de belles pièces d'ivoire de morse fournies par l'Islandais qui en faisait un commerce très lucratif avec la Norvège, l'Angleterre et même la France. D'ailleurs, durant la veillée, il fut beaucoup question, entre les hommes, de ce matériau très prisé qu'étaient les dents des mastodontes marins.

C'est ce que m'apprit Gunni en me rejoignant dans notre alcôve, au milieu de la nuit, alors que je m'étais réveillée pour le questionner sur le but de la visite de l'Islandais. « Qu'a-t-il à troquer, cette fois ? demandai-je. Je ne l'ai vu rien offrir à table et Frida dit que ses cales sont presque vides. C'est curieux, non ? Pas de fret dans un navire notoirement reconnu comme l'un des meilleurs knörrs marchands sur la mer du Nord…

— Gudlaugson est en route vers l'Irlande où il veut monter une expédition pour le Vinland*, répondit Gunni en se glissant sous les couvertures.

— Le Vinland ! répétai-je avec étonnement. C'est au bout du monde ! Qu'irait-il fabriquer sur un territoire que les Greenlandais* ont délaissé depuis dix ans ?

— La chasse au morse.

— Mais enfin, Gunni, pourquoi aller aussi loin ? Des morses, il y en a partout : en Écosse, en Irlande, dans les Nordreys et même en Islande…

— Il paraît que non, argua Gunni. Dans la dernière année, la capture des morses sur les côtes environnantes n'a pas été assez importante pour permettre le commerce de leurs dents sur le marché européen. Jusqu'aux eaux greenlandaises qui en seraient maintenant dépourvues. Gudlaugson affirme que les bêtes ont fini par se déplacer massivement vers l'ouest pour éviter la traque et que c'est désormais le Vinland qui les abrite.

— Avoue que c'est cher payer que d'aller quérir l'ivoire aussi loin en s'exposant aux périls de la mer et des pirates…

— Tu oublies, Moïrane, que la rareté d'un objet en fait précisément grimper le prix. Ne crois pas que la demande des prélats et des rois ait baissé pour le matériau juste parce que les marchands en offrent de moins en moins. Que non! Au dire de Gudlaugson, il y a une véritable fortune à faire pour ceux qui ont la témérité d'aller cueillir l'ivoire là où il abonde...», conclut Gunni avec inspiration.

Sur ce, il me prit dans ses bras et se lova dans mon dos en soupirant. Au moment de sombrer dans le sommeil, il ajouta faiblement à mon oreille, comme un chuchotement au milieu d'un rêve: «Dans tout le monde chrétien, les grands seigneurs appellent "or blanc" les dents de morse et la corne torsadée des licornes de mer...» Je fis semblant de n'avoir rien entendu. Comme le trafic de Gudlaugson m'indifférait, je chassai de mon esprit la conversation avec Gunni et tombai profondément endormie, tout enveloppée par la chaleur apaisante de nos corps enlacés, et maintenant réconciliée avec mon éprouvante journée.

Je m'aperçus, dès le lendemain matin, que le sujet des dents de morse n'était pas clos. Gudlaugson et Gunni reprirent leur conversation de la veille avec verve, en compagnie de Roderik, Cinead, Pelot et l'équipage islandais. Attirés par l'air doux, ils s'étaient tous assis dehors sur des socles, devant l'entrée du fortin. Le soleil bas faisait miroiter la chevelure rousse de Gunni, les casques des Islandais et les épées dans leurs baudriers*. Tout en vaquant à mes occupations en compagnie d'Ingrid, de Frida et d'Elsie, j'écoutais les échanges entre les hommes d'une oreille distraite. Je compris qu'ils parlaient surtout des techniques pour capturer le morse et que les huit membres d'équipage étaient des chasseurs plus que des navigateurs. Je déduisis qu'ils ne faisaient pas partie de l'escorte régulière de Gudlaugson en saisissant que les marins habituels de ce dernier avaient refusé de participer à l'expédition au Vinland. La situation obligeait le capitaine à recruter des hommes en dehors de son réseau de connaissances, ce qui expliquait apparemment son voyage en Irlande.

C'est à ce moment des échanges qu'intervint Gunni pour poser, à voix basse, une question que je n'entendis pas et qui piqua aussitôt ma curiosité. M'approchant de la porte restée ouverte, je glissai un œil sur le groupe. Mon mari me faisait dos, les coudes appuyés sur les genoux dans une attitude expectative, son corps se tendant vers Gudlaugson assis en face de lui. Je perçus immédiatement l'importance de la réponse que Gunni attendait de Gudlaugson. « C'est assez délicat à expliquer, Gunni, dit ce dernier, sur un ton de confidence. Je souhaite refaire le périple que j'ai réussi l'an dernier, c'est-à-dire traverser l'océan à partir de l'Irlande, mais mes hommes d'alors ont tous décliné le contrat. Ils ont fait valoir des objections que je respecte, même si elles me contrarient.

— Si c'est pour naviguer durant des semaines sans le repère des côtes, je les comprends, fit Gunni.

— Il y a de ça dans leur refus, reprit Gudlaugson en hochant la tête, mais mon choix pour un départ d'Irlande repose sur une autre raison. Comme je ne dispose pas des fonds nécessaires pour monter l'expédition seul, il me faut un commanditaire puissant, et ce commanditaire, je pense bien pouvoir le trouver chez les Irlandais en la personne d'un évêque... »

En disant cela, l'Islandais leva les yeux, m'aperçut et se tut. Gunni se retourna, croisa mon regard, puis revint à Gudlaugson. Le capitaine se leva, fit un petit signe de tête à Gunni pour l'inviter à le suivre et tout le groupe partit, comme animé d'un même mouvement. Je vis les hommes sortir tranquillement de l'enceinte, talonnés par les enfants qui se bousculaient, puis je retraitai à l'intérieur de la salle, en proie à un étrange sentiment. Pourquoi avais-je l'impression que Gudlaugson cherchait à me cacher quelque chose ? Mon air dut inquiéter Frida, qui m'interrogea sur le départ subit des Islandais avec mon mari. Je haussai les épaules et repris mon ouvrage sans répondre, bien résolue à interroger Gunni plus tard, afin qu'il m'éclaire sur l'expédition islandaise présentée avec tant de réserves par son organisateur.

Tandis que les bambins se pourchassaient sur le pont du navire, où on les avait fait grimper, et que l'équipage islandais, tout en les ayant à l'œil, échangeait avec les hommes du clan Gunn, Gudlaugson avait pris à part le chef de Helmsdale. Les deux amis firent quelques pas sur la plage pour s'entretenir privément. L'intérêt de Gunni pour l'ivoire n'avait pas échappé à l'Islandais, qui misait beaucoup sur cet attrait afin d'inciter le graveur à accepter un projet d'association. «Je t'offre autant de parts que tu me fournis d'hommes, Gunni. Plus on aura de bras, plus vite on atteindra l'île d'Alba* et plus efficace sera la chasse aux morses. Dans ce genre d'opération, nul besoin d'excellents marins ou de chasseurs expérimentés : tout n'est qu'une question de muscles. Quinze hommes solides qui savent ramer, manier la hache et qui ne rechignent pas à passer un hiver loin de leur foyer : c'est tout ce qu'il faut pour remplir une cale d'or blanc ! »

Afin de se faire plus convaincant, Gudlaugson étreignit le bras de son ami d'une main tout en tripotant ses colliers de l'autre. Il le dominait en hauteur, mais non par la largeur des épaules, que Gunni avait fort développées. Celui-ci fixa la mer hérissée par l'écume pointue des vagues et émit un grognement, que l'Islandais interpréta comme un encouragement. « Avoue que tu brûles de palper cet ivoire immaculé, de le façonner, d'en extirper les plus belles figures dont ton ciseau est capable et d'en faire ta félicité, insista Gudlaugson. Allons, Gunni, je suis sûr que l'aventure te tente, ainsi qu'à plusieurs de tes hommes : dans le clan Gunn, vous jouissez tous de la vigueur adéquate pour plonger dans une telle équipée, en plus du cran nécessaire. Qu'est-ce qui te fait hésiter ?

– Qu'entends-tu exactement par « cran » ? Fais-tu allusion à celui dont ont usé les Greenlandais quand ils ont pourfendu les Skrealings*, ou bien penses-tu au courage des marins qui se sont risqués à voyager hors de la vue des côtes sous tes ordres ? Ce même cran dont ils manquent aujourd'hui pour te suivre, répliqua Gunni.

– Peut-être, en effet, ces hommes manquent-ils de cran, mais pas moi, car ni la mer, ni les Skrealings ne m'effraient. Je dompte parfaitement la première et connais suffisamment la nature des seconds pour t'en parler franchement. La traversée, l'itinéraire, le cap : je maîtrise déjà tout cela… Un bon dix-huit jours de navigation, plein ouest, sur mon excellent navire ; le minimum de cargo, c'est-à-dire l'eau, les provisions et le matériel de traversée et de chasse ; mais rien d'autre afin de laisser le maximum de place à la cargaison d'or blanc au retour.

Puis, une fois rendus au Vinland, nous tombons dans l'abondance : du bois plus qu'il n'en faut, du gibier, du saumon, du blé sauvage et même des vignes. J'ai repéré l'emplacement de Leifsbudir*, et ce sera facile de remettre en état les habitations et peut-être même la forge. Cet ancien campement greenlandais est situé au cœur du pays des morses. Quant aux Skrealings, je sais d'expérience qu'ils n'attaquent pas les premiers et qu'il y a moyen de les apprivoiser. Mieux encore, ils chassent le morse eux aussi, mais ils le font moins pour les dents que pour le reste... Je pense donc que nos intérêts pour la bête sont merveilleusement complémentaires et qu'en faisant preuve d'un peu d'astuce, nous pourrions obtenir leur collaboration et unir nos haches à leurs harpons...

— En un seul hiver, dis-tu ?

— Un seul », affirma Gudlaugson.

Le sourire aux lèvres, le chef et le capitaine rejoignirent le groupe d'hommes qui s'était grossi entre-temps des autres membres du clan Gunn. Ensemble, dans une joyeuse cacophonie, ils discutèrent de l'expédition au Vinland, confortablement assis au fond du knörr. Au mi-temps du jour, Moïrane, Frida, Elsie et Ingrid eurent vent du projet par le jeune fils de Roderik qui avait épié les hommes et qui rapporta la nouvelle au fortin, en claironnant à tue-tête : « Père s'embarque avec les Islandais ! Père s'en va chasser les *orblancs* !

— Que racontes-tu, petit chenapan ? fit la mère en interceptant l'enfant.

— Messire Gudlaugson emmène avec lui tous ceux qui veulent le suivre : il y a père, Cinead, Pelot, Grim, Herulf, Lorne, Tòmag, et même le chef a levé la main, répondit l'enfant, d'une voix essoufflée.

– Qu'est cela ? » s'étrangla Moïrane, en dévisageant ses trois compagnes, d'un air ahuri. Frida libéra le bambin, qui sortit de la pièce du même pied précipité qu'il y était entré. « Je crois que mon fils a compris tout de travers, commença-t-elle. Le plaisantin raconte constamment des fables… Cette histoire est parfaitement déraisonnable et nous serions sottes de nous en alarmer.

– J'aimerais être aussi sereine que toi, Frida, dit Ingrid.

– Moi aussi, ajouta Elsie. Quoi qu'il en soit, nous allons en avoir le cœur net très bientôt, quand nos hommes vont passer à table…

– …et aux aveux », coupa sèchement Moïrane.

Le repas du soir fut particulièrement houleux et les Islandais, en leur qualité d'invités, en conçurent quelque malaise. Gudlaugson n'avait pas imaginé le mur de protestations que l'annonce allait soulever chez les épouses, pas plus qu'il n'avait soupçonné le pouvoir qu'elles détenaient sur leurs maris. Ainsi, les femmes du clan Gunn se mêlaient âprement des affaires des hommes et cette ingérence pouvait même aller jusqu'à leur interdire de participer à une expédition, chose qui aurait été tout à fait inadmissible dans un foyer islandais.

Dépité, le capitaine choisit de se retirer sur son knörr pour passer une veillée tranquille avec son équipage, laissant à Gunni le soin de régler l'affaire avec ses gens. Ce dernier rejoignit les Islandais bien tard dans la soirée, après avoir consulté tout le clan. D'un air contrit, il annonça sa décision : « Mon ami, dit Gunni à Gudlaugson, je suis désolé de t'annoncer cela : je ne te suivrai pas. Seulement un homme à Helmsdale sera de ton équipage pour la chasse d'hiver au Vinland : Lorne. Il est autorisé à partir parce qu'il n'est pas marié.

– J'espère que tu plaisantes, fit Gudlaugson.

– Je ne plaisante pas : c'est comme ça.

– Grand dommage ! Tu manques une chance fabuleuse de t'enrichir en succombant au refus des femmes… une chance qui ne se représentera pas, j'en ai bien peur.

– C'est dit, Gudlaugson, ne m'en parle plus », siffla Gunni avant de s'en retourner au fortin d'un pas raide. Décontenancés, les Islandais observèrent le chef du clan Gunn gagner l'enceinte de Helmsdale, toute baignée, à cette heure-là, par la lumière brumeuse de la lune, puis ils s'interrogèrent du regard. « Les gars, il serait préférable de dormir à bord, cette nuit », fit simplement Gudlaugson. Ses hommes hochèrent la tête et s'activèrent silencieusement à préparer leur couche dans l'obscurité de l'entrepont. Quelques minutes plus tard, leurs ronflements montaient en chœur vers les étoiles, en se mêlant au clapotis des vagues qui venaient mourir dans la baie.

« Tu m'en veux, je le vois bien », finis-je par dire au bout d'un moment. Couché sur le dos, les yeux grand ouverts, Gunni ne m'avait pas adressé la parole depuis qu'il s'était mis au lit, dès après sa très brève visite au knörr des Islandais. Je le sentais furieux et cela m'alarmait. Se retournant brusquement sur le côté, il m'opposa son dos et son silence. Alors, les larmes me montèrent aux yeux. Gunni refusait le dialogue pour la première fois de notre vie commune et je m'accablai de la faute de ce désaccord momentané.

Le visage caché derrière mes mains pour comprimer mes sanglots, je m'appliquai à réfléchir le plus posément possible : je repris les arguments dont j'avais usé pour m'opposer au projet de Gunni et je les réexaminai un à un, sous l'éclairage nouveau de la peine qui me submergeait. Avais-je le droit de priver mon mari de l'inattendue bonne fortune qui s'offrait à lui ? L'absence de six mois de son chef était-elle si catastrophique pour la colonie de Helmsdale et tellement insupportable pour son épouse ? Les dangers à sillonner le milieu de l'océan s'avéraient-ils aussi terribles que je le croyais ? Et surtout, le mode d'opération de Gudlaugson au Vinland était-il celui d'un pirate ou celui d'un homme honnête ? Qui serait la véritable proie dans cette expédition : les morses ou les Skrealings ? Cette dernière question me torturait en me présentant l'image de Gunni redevenu un Viking au contact des Islandais ; un pilleur de ressources plutôt qu'un commerçant ; un manieur d'épée contre ses semblables plutôt qu'un chasseur de gibier ; et surtout, un adorateur de Thor plutôt qu'un fervent chrétien. À l'évocation de cette sombre perspective, je me signai, puis je m'absorbai dans mes dévotions en murmurant les prières du bout des lèvres. C'est ainsi que je finis par m'endormir.

Au petit matin, je m'éveillai aux sons étouffés des étreintes auxquelles se livraient les trois autres couples dans la salle commune. L'alcôve voisine à la nôtre, séparée par des toiles, logeait Pelot et Elsie ; en face de nous, de l'autre côté de la fosse à feu, un large emplacement délimité par des cloisons basses était réservé aux deux familles de la maisonnée, réparties de part et d'autre d'une toile suspendue aux solives du plafond. Si les dormeurs étaient ainsi tous isolés visuellement, ils ne l'étaient guère sur le plan sonore. Les grognements caractéristiques de Roderik quand il besognait Frida ; les couinements particuliers d'Ingrid soumise aux assauts de Cinead ; et le ahanement compulsif de Pelot, témoignaient sans équivoque de leurs ébats matinaux. Je me retournai délicatement afin de ne pas réveiller Gunni, mais je me rendis compte que cette précaution était inutile, en croisant son regard gris. « On dirait que tes amies ont trouvé une façon de se faire pardonner, fit-il en s'étirant.

— Qui te dit qu'elles ont besoin de l'être ? Pourquoi ne serait-ce pas leurs hommes qui les cajolent pour s'excuser de leur goujaterie d'hier soir ? répliquai-je, tous remords envolés.

— Hier, nous n'avons pas été goujats, mais par contre, vous, les femmes, avez été peu compréhensives et toi, particulièrement acariâtre. Qu'est-ce qui t'arrive, Moïrane ? Il y a des jours où je ne te reconnais plus, tellement ton humeur est massacrante ! » Son ton sincère et compatissant me remua, et, à mon grand désarroi, j'éclatai en sanglots. J'aurais voulu répondre que j'étais désespérée par mon incapacité à lui donner une descendance ; que la peur de le perdre m'étreignait du matin au soir ; que le soutien d'un prêtre pour ramener la foi dans le clan faisait cruellement défaut à la paix de mon âme ; que, que, que… Mais le chagrin bloquait les aveux au fond de ma gorge. Gunni m'enlaça en soupirant et attendit que l'orage passe. Puis, entre deux hoquets, nous entendîmes Elsie commenter ironiquement mes pleurs, ce qui fit réagir Gunni. « Pelot, fais taire ta femme : son gros ventre ne l'autorise pas à manquer de respect à la maîtresse de maison ! » cria-t-il en frappant la paroi de toile.

Un bougonnement de Pelot, suivi d'un gloussement d'Elsie, fit écho à l'injonction de Gunni et le silence retomba dans leur alcôve, de même qu'à l'autre bout de la pièce, dans les lits de Cinead et de Roderik.

Satisfait du résultat obtenu, Gunni resserra son étreinte. « Je suis acariâtre parce que je suis malheureuse », parvins-je finalement à bredouiller. Mon mari ne souffla mot. J'essuyai furtivement mon visage et dressai la tête pour le regarder. « Je suis malheureuse de ne pas te rendre heureux », ajoutai-je en luttant contre un nouvel afflux de larmes. Gunni hocha la tête en fermant les yeux et je perçus une légère contraction de ses joues sous sa barbe courte : il se retenait de sourire. « C'est moi qui te demande pardon, ajoutai-je tout bas. Malencontreusement, je suis souillée en ce moment… encore une fois. Tu n'auras aucun plaisir à me prendre, ce matin.

— Enfin ! Le voilà qui se montre, le vrai responsable de ton tourment… Que puis-je y faire, dis-moi ? Comment un homme peut-il consoler sa compagne de cette épreuve ?

— Je sais très bien qu'il n'y a absolument rien à faire, avançai-je. Dans sa sagesse infinie, Dieu décide de ces choses…

— Vraiment ? Si tel est le cas, cherchons la raison pour laquelle Il choisit de nous priver d'une postérité. Raconte-moi, Moïrane, en quoi nous faisons défaut à Christ pour nous mériter cela. »

Mille et un petits manquements me vinrent à l'esprit, tantôt de mon fait, tantôt de celui de Gunni, mais rien, ce me semble, n'encourait une aussi triste punition que celle que nous subissions depuis six années de mariage. Désolée, je ne sus rien dire. Doucement, je me pressai contre son torse chaud et humide, mouvement qu'il accueillit amoureusement : sa bouche chercha la mienne qu'il baisa, me signifiant ainsi qu'il n'attendait pas de réponse de ma part et qu'il ne me gardait pas rancune pour la discussion de la veille. Le nœud qui opprimait mon cœur se dénoua soudain et je me livrai à Gunni comme un chat qui fond sur une assiette de crème.

Plus tard, le babillage des jeunes enfants qui sortent des couvertures, le trottinement de leurs petons sur le plancher, le geignement du bébé de Frida réclamant la tétée et le tambourinage d'un jet d'urine au fond d'un seau, tous ces bruits qui extirpent habituellement les adultes de leur lit, se produisirent avec leur ineffable ponctualité, mais Gunni et moi n'en tînmes nul compte. Lorsque nous nous décidâmes enfin à ouvrir la tenture de notre alcôve, Gunni lissait sa moustache d'un air comblé et, au travers de ma tignasse tout ébouriffée, j'affichais mon sourire le plus radieux.

Tous les habitants de Helmsdale assistèrent à l'appareillage du knörr des Islandais à bord duquel était monté Lorne, seul représentant du clan. Le jeune homme d'à peine dix-neuf ans, qui n'avait jamais pris la mer pour un voyage de cette envergure, essayait de contenir son émotion devant les hommes d'équipage et devant les membres de sa famille venus saluer son départ sur la grève. Si les premiers ne lui prêtaient guère d'attention en s'affairant aux manœuvres, les seconds l'abreuvaient d'encouragements comme s'il allait accomplir un exploit.

La veuve Devorguilla se tenait en retrait du groupe agglutiné sur les cailloux mouillés et elle fixait son fils avec un visage impassible. Un tremblement du menton presque imperceptible trahissait cependant le trouble de cette femme forte qui avait fondé la colonie de Helmsdale avec le défunt Biarni l'Ours et avait conservé une grande autorité sur ses habitants. Sa taille corpulente, son air auguste et sa voix tonnante imposaient naturellement le respect, et son intelligence vive, son esprit d'organisation et sa droiture suscitaient chez tous la considération due aux gens d'expérience. Avec Grim le Casqué, Devorguilla était la plus âgée du village ; de là lui venait d'être la femme la plus consultée par la gent féminine. Comme la candidature de Lorne avait été proposée par elle, personne n'avait osé y faire obstacle, pas même Moïrane. Aujourd'hui, le clan voyait partir pour la première fois un de ses hommes et le moment revêtait une importance pleine de gravité.

Quand les préparatifs pour l'appareillage furent complétés et que Gudlaugson donna le signal de départ, Gunni, Herulf, Roderik, Tòmag, Grim et Cinead s'arc-boutèrent de part et d'autre de l'étrave pour pousser le navire. Ensemble, scandant leurs gestes par des cris, ils soulevèrent la pince et avancèrent jusqu'à ce que la coque glisse librement dans l'eau. À cet instant précis, Lorne, qui s'était penché sur le plat-bord pour suivre l'opération de près, croisa le regard de Grim le Casqué et surprit son geste d'adieu : un mouvement discret de la main qui ressemblait à un signe de croix. Il lui répondit de la même manière en lançant : « Je reviendrai, Grim ; veillez sur mère jusque-là !.. » L'homme hocha la tête, puis, il se retourna en direction de Devorguilla qui les observait.

Un pli mécontent barrait le front de la femme, qui s'empressa d'apostropher Grim à son retour dans le groupe. «Je t'ai vu, Grim le Casqué, fit-elle, sourdement. Tu as échangé avec Lorne le signe de Thor. N'as-tu pas honte?

— C'était fait sans malice, répondit Grim.

— Peut-être, mais ce n'est pas chrétien. Lorne est encore jeune et je ne veux pas qu'il adopte des croyances qui soient indignes de la mémoire de son père, lequel n'était pas un Normand, comme tu le sais.

— C'est vrai, mais Biarni l'Ours, ton défunt époux, qui a aimé Lorne comme son propre fils, était Normand, lui. Quand il a agonisé, il m'a confié l'éducation de Lorne en le recommandant à la protection de Thor. Tu ne peux ignorer cela, Devorguilla. Sache que jamais je ne ferai défaut aux dernières volontés de mon frère de sang, et toi, sa veuve, tu devrais en faire autant.

— Moi, Devorguilla, veuve de Biarni l'Ours, fondatrice et gardienne de la colonie de Helmsdale, je suis une chrétienne et mes enfants sont élevés dans la foi de Christ. Nous ne reconnaissons et n'adorons qu'un seul Dieu. Si Biarni a appelé d'autres divinités sur son lit de mort, il a néanmoins demandé et reçu une sépulture chrétienne, n'est-ce pas? Alors, pour honorer son nom, j'agirai toujours et uniquement selon les préceptes de Christ. Qu'il en soit ainsi pour Lorne, tout comme pour Elsie, et n'interviens pas là-dedans, Grim le Casqué.

— Occupe-toi de ta conscience et je m'occuperai de la mienne», rétorqua Grim avec le sourire, en mettant le moins de provocation possible dans sa voix. L'homme estimait beaucoup le rôle que Devorguilla jouait à Helmsdale et nourrir une animosité contre elle était bien la dernière chose qu'il souhaitait. Non loin d'eux se tenait

Gunni, qui avait saisi suffisamment la nature de leur échange pour s'en inquiéter. «Mon cher Grim, dit-il sur un ton taquin, ne serais-tu pas un peu jaloux de Lorne? Avoue donc que tu aurais aimé que Devorguilla suggère ton nom pour entrer dans l'équipage de Gudlaugson plutôt que celui de son fils.

— Ha! Je crois que Grim est bien plus jaloux de l'Islandais, siffla Devorguilla. Il n'apprécie pas qu'un autre que lui-même initie Lorne aux mâles activités, et voir mon fils devenir un homme en dehors de sa gouverne l'insupporte.

— Il se peut bien que tu dises vrai, Devorguilla, répondit tranquillement Grim. Il n'y a pas de déshonneur à cela. Lorne est un brave gaillard et j'aurais éprouvé une grande fierté à être son mentor…

— De toute façon, coupa Gunni en élevant le ton, je n'aurais jamais permis l'enrôlement de Grim le Casqué dans une expédition à laquelle j'aurais moi-même participé.» Tous les yeux abandonnèrent le spectacle du knörr qui s'éloignait dans la baie pour converger vers le chef avec étonnement. Posant une main sur l'épaule de Grim, Gunni ajouta avec emphase: «En effet, mes amis, qui mieux que lui peut diriger le clan en mon absence?» Indécis, les habitants de Helmsdale se dévisagèrent durant une longue minute en cherchant quelle interprétation donner à cette déclaration inopinée. Quelques femmes épièrent la réaction de Moïrane, qui, contre toute attente, annonça que Devorguilla la remplacerait comme maîtresse de la colonie, advenant l'absence de son chef: «... car j'accompagnerai mon mari où qu'il aille, quels que soient le but ou la durée du voyage.»

Chapitre II

La garante

Quelques mois après le départ du jeune Lorne sur le knörr des Islandais, trois événements survinrent à Helmsdale qui bouleversèrent le clan Gunn. Au milieu de l'été, une violente tempête ravagea l'unique champ cultivé en détruisant tout espoir de récolte pour cette année-là ; puis, des loups assaillirent le troupeau laitier et saignèrent les meilleures bêtes ; et enfin, aux derniers jours du mois d'août, Elsie accoucha d'un enfant mort-né.

Ces malheurs affectèrent le chef Gunni et son épouse Moïrane à des degrés différents. Le dégât à la culture et la ponction dans le bétail préoccupèrent davantage Gunni que la perte du treizième rejeton de la communauté, alors que ce malheur plongea Moïrane dans une affliction plus grande, même, que celle éprouvée par les deux jeunes parents lésés de leur première progéniture. Toujours prompte à réagir avec excès aux incidents, Moïrane s'effondra devant cette calamité avec d'autant plus d'élan qu'elle croyait l'avoir attirée à force de ressentiment contre la grossesse d'Elsie. Il fallut toute la patience et la maturité de Devorguilla pour que la femme du chef sorte de son abattement stérile et retrouve son allant de maîtresse de Helmsdale.

Comme à leur habitude, les hommes répondirent à l'adversité en s'investissant dans l'action. Afin de prévenir d'autres attaques contre le bétail, ils s'adonnèrent à une chasse aux loups qui dura une semaine, au bout de laquelle ils revinrent bredouilles : vraisemblablement, les prédateurs avaient quitté la vallée. Cependant, par précaution, le bouvier convint de resserrer le troupeau autour de l'enceinte chaque soir, permettant ainsi aux chiens d'exercer une surveillance accrue. En ce qui avait trait aux céréales saccagées, la saison était trop avancée pour y remédier par de nouvelles semailles, et le clan dut envisager un approvisionnement en grains dans le comté de Ross, marché coûteux, mais accessible.

Gunni accusa le coup de ces épreuves avec anxiété. Comme il suffisait de bien peu pour briser l'équilibre entre consommation et production au sein d'une petite colonie comme la sienne, le chef avait toutes les raisons du monde d'appréhender l'arrivée de la morte-saison. Sourd aux lamentations féminines qui remplissaient le fortin du matin au soir, Gunni s'esquiva le plus possible, parcourant la lande à cheval pour ne rentrer que le soir tombé. Ce faisant, il jonglait avec des idées qu'il ne parvenait pas à matérialiser en solutions pour contrer la pénurie de denrées qui allait infailliblement sévir. S'il lui arrivait parfois de partager ses inquiétudes avec l'un ou l'autre de ses hommes, le plus souvent, il se les réservait pour lui seul. Son humeur s'assombrit et la fuite dans ses rêveries libératrices ne lui fut plus d'aucun secours.

Dans la deuxième semaine de septembre, alors que le chef du clan Gunn pénétrait dans l'enceinte avec Pelot et Roderik après une longue chevauchée, il songea à la visite de son ami Islandais. « Si Gudlaugson se présentait de nouveau à Helmsdale pour recruter, se dit-il, j'embarquerais sans hésiter et je soustrairais, avec la mienne, cinq autres bouches à nourrir durant le prochain hiver : j'entraînerais Roderik, Pelot, Tòmag, Cinead et Herulf dans l'aventure. Je reviendrais chargé d'or blanc, et avec le profit que j'en tirerais, la colonie serait à l'abri des mauvais coups du sort pour quelques années. Puisse Odin* m'exaucer ! »

Quel ne fut pas l'étonnement de Gunni de voir, le lendemain, pendant une vigie prolongée jusqu'à l'heure du zénith sur la galerie du fortin, la grande voile rayée blanc et rouge du knörr de Gudlaugson poindre au fond de la baie. Ses mains se crispèrent sur la rambarde et son cœur bondit dans sa poitrine : les dieux avaient entendu son appel.

Une pluie fine tombait depuis le lever, ce qui n'avait pas empêché Elsie et Ingrid d'aller à la cueillette des derniers petits fruits avec les enfants. Elles m'avaient invitée à me joindre au groupe, mais j'avais refusé, désireuse de profiter du rare moment de paix qu'offrait le fortin quand il se vidait de sa marmaille. Je m'installai au métier à tisser en écoutant la jolie voix de Frida fredonner derrière la cloison qui fermait son lit. Cette habitude de chanter quand elle nourrissait son bébé me ravissait au point où, parfois, cela me tirait quelques larmes d'émotion.

Ce jourd'hui, cependant, j'étais bien décidée à tenir la promesse faite à Devorguilla de ne plus pleurer.

J'examinai mon ouvrage à la faible lueur de la lampe posée dans l'encoignure de la fenêtre. La laize presque achevée descendait jusqu'à la lisse, qui était à son plus bas. Je m'aperçus qu'un des poids qui divisaient les fils de chaîne n'était pas du bon côté du bâton d'envergure et je le hissai pour le remettre en place en tirant sur la couette de fils qui pendait dans l'obscurité. C'est alors que mes doigts rencontrèrent quelque chose de mou au lieu de l'anneau d'argile qui servait de poids. Je ramenai vivement l'objet dans la lumière et découvris, avec dédain, un mulot étranglé dans l'écheveau. Me munissant de la lampe, j'éclairai le pied du métier pour étudier cette étrangeté : le poids avait délibérément été remplacé par l'animal et la queue de celui-ci était soigneusement entortillée autour d'une boule de tissu rouge. Intriguée tout autant que dégoûtée, je détachai la queue et libérai la pelote qui s'avéra être, une fois déroulée, le ruban de grossesse d'Elsie. Je ne pus retenir un cri et Frida cessa de chanter, puis, après le moment de silence qui suivit, elle passa la tête hors de la cloison de sa couche. « Que se passe-t-il, Moïrane ? Je t'ai entendue crier…

— Oh ! ce n'est rien, fis-je. Un mulot s'est bêtement pris dans les fils, derrière le métier. Ça m'a surprise, c'est tout.

— Fais voir », dit Frida avec curiosité. Elle sortit de l'alcôve et me rejoignit si prestement, avec son bébé sur l'épaule, que je n'eus pas le temps de dissimuler le ruban rouge. Je vis les yeux de Frida passer du mulot enchevêtré dans la couette de fils à mes pieds au ruban incriminant tenu entre mes doigts tremblants et, enfin, se fixer sur mon visage. «Que fabriques-tu avec la cordelette d'Elsie, demanda-t-elle?

— Je l'ai ramassée, répondis-je en me détournant. Elle l'a probablement laissé tomber par hasard…

— Sous ton métier?

— Heu… oui.

— Comme c'est curieux! Un mulot installé à la place d'un poids et un ruban dans un endroit où l'on ne peut l'y avoir échappé. Je crois, ma chère Moïrane, que tu es victime d'une plaisanterie. Je ne m'étonne plus maintenant qu'Elsie et Ingrid soient parties à la cueillette par ce temps maussade: elles savaient que tu allais faire une crise et elles l'ont évitée.

— Rassure-toi, Frida, il n'y aura ni pleur ni alarme, dis-je d'une voix posée en la défiant du regard. S'il s'agit bien d'une plaisanterie, je ne m'en émouvrai point; si c'est autre chose, je réglerai ça avec l'intéressée. »

Frida me toisa une minute pour jauger ma contenance, puis elle s'en retourna à son alcôve en faisant sautiller son nourrisson contre son épaule. Je suspendis le ruban rouge à la tête de mon métier et je me mis en quête de l'anneau d'argile, que je retrouvai dans le panier de tresses de laine. Après avoir dépris le cadavre du mulot, que j'allai déposer sur la couche de Pelot et d'Elsie, je réinstallai le poids et poursuivis mon tissage silencieusement. Les battements de mon cœur s'apaisèrent peu à peu, au rythme précis et répétitif de mes mains. Frida ne m'adressa plus la parole et ne reprit pas son chant. Quand les cueilleuses rentrèrent avec les enfants, vers la fin de l'avant-midi, j'avais terminé mon ouvrage et j'attachais les derniers nœuds. Elsie se départit de sa cape, puis elle vint se pencher au-dessus de moi pour contempler la finition de mon ouvrage. Levant brièvement les yeux, elle aperçut son ruban sur le montant supérieur du métier, et un sourire se dessina sur ses lèvres. «Tu arrives à temps, lui dis-je. Je me demandais si le petit tour que tu m'as joué ne visait pas à ce que j'incorpore ta cordelette de grossesse au bas de la laize que j'ai tissée. Cela serait du plus bel effet… Dommage qu'elle ne soit pas assez longue pour la couper en deux et en garnir l'autre extrémité.

– Bah, si ce genre de décoration te plaît, demande à Ingrid de te donner sa cordelette! N'est-ce pas, Ingrid? Avec tes quatre enfants, tu n'en as pas besoin pour mener à terme une grossesse: tu n'as plus rien à prouver à ce sujet. Moïrane, elle, doit trouver une autre utilisation au ruban rouge, comme galon de bordure, par exemple», répondit Elsie narquoisement.

Le regard que les trois femmes me glissèrent en dit long sur une complicité que je notai, sans la relever. Tranquillement, je les dévisageai sans ciller. Elsie et Frida se tournèrent vers Ingrid, en attente de sa réponse. La pauvre se troubla, car elle n'osait pas renforcir les propos de la femme de Pelot. Lui épargnant l'inconfort d'une réplique, je pris la parole. «Mes amies, dis-je, le malheur survenu à Elsie prouve éloquemment l'inefficacité du ruban de grossesse. Ne devrions-nous pas en tirer une leçon et nous en remettre à notre foi en revenant à nos pratiques religieuses? Je vous le suggère, tout simplement. C'est à chacune de sonder son cœur et d'agir selon ce qu'il commande.» Puis, m'adressant précisément à Elsie, j'ajoutai: «Puisque tu sembles me laisser l'usage de ton ruban, j'accepte volontiers d'en border un côté de mon ouvrage. Je vais peut-être ainsi lancer une mode qui sera suivie par nous toutes, femmes chrétiennes de la colonie de Helmsdale.»

Seuls les yeux d'Elsie exprimèrent de l'irritation à mes paroles. Ingrid et Frida les accueillirent avec magnanimité en hochant la tête sans faire de commentaires.

Les femmes allaient retourner à leurs activités, l'une préparer les petits fruits, l'autre rassembler les enfants pour le repas et la troisième cuire la soupe, quand nous entendîmes des pas pressés dans l'escalier. Gunni et Roderik, dont j'avais oublié la présence au dernier étage depuis le début de l'avant-midi, descendirent en trombe. Ils passèrent en coup de vent dans la salle sans nous jeter un regard et se précipitèrent dehors. L'instant d'après, j'entendis la voix impérieuse de Gunni héler ses hommes d'armes et Grim le Casqué. Sans hésiter, je sortis sur le seuil de la porte. « Que se passe-t-il encore ? » me dis-je. Puis, relevant mes jupes pour courir plus commodément, je m'élançai sur leurs talons.

Sous une pluie drue, le groupe compact formé par Gunni, ses hommes et Grim le Casqué, auquel s'étaient joints Herulf et son fils Neil, passa les portes de l'enceinte et dévala le sentier menant à la plage. Évitant au mieux les flaques d'eau, je leur emboîtai le pas et les rattrapai sur les galets. Là, les mains en visière, ils tentaient d'apercevoir une voile au fond de la baie. Légèrement en retrait, j'épiai leur réaction à cette apparition. « C'est la voile de Gudlaugson, clama Gunni. Pourquoi n'est-il pas sur la route du Vinland et pourquoi revient-il ici ? Ça, nous allons bientôt le savoir et je parie mon bouclier que ce sera une bonne nouvelle pour nous…

— Qu'est-ce à dire ? fit Pelot.

— Gudlaugson peut avoir reporté son expédition à plus tard et il nous ramène Lorne avant de s'en retourner en Islande, suggéra Grim.

— Mais il peut aussi bien avoir une autre proposition à nous faire, avança Gunni, et cette fois, j'aurai de sérieuses raisons de l'accepter : notre situation est précaire à Helmsdale depuis les tourments que nous avons connus et une chasse d'hiver au Vinland réglerait bien des problèmes.

— Il serait étonnant que Gudlaugson n'ait pas trouvé en Irlande ce qu'il cherchait, reprit Grim, et soit obligé de revenir sur ses pas pour recruter. Tu prends tes désirs pour des réalités, mon cher Gunni.

— Tu as peut-être raison, convint celui-ci. Mais si les dieux s'en mêlent, comme je pense qu'ils le feront, ils pourraient bien nous ménager une grosse surprise…

— À quels dieux fais-tu allusion, messire le chef du clan Gunn ? » intervins-je.

Gunni se retourna d'un bloc et me surprit à quelques pas derrière lui. L'eau de pluie dégoulinait des mèches de cheveux plaquées sur son front et des pointes de sa moustache. Il passa sa langue pour laper les gouttes et me sourit avec l'air d'un enfant pris en défaut. « Que fais-tu là, ma chérie ? Tu vas te tremper, dit-il.

— Pas plus que toi et tes hommes, répliquai-je. Quelle jolie température pour parler d'oracles ! Dis-moi, Gunni, le dieu responsable de la pluie : c'est Thor ou un autre ? Et pour faire revenir ton ami islandais à Helmsdale, as-tu invoqué Odin ? »

Gudlaugson sauta du knörr le premier, suivi immédiatement par Comgan, un homme dans la trentaine, de petite taille, au visage sans barbe, aux traits énergiques et intelligents, portant la tonsure et la bure des moines évangélistes irlandais. Lorne et le reste de l'équipage, qui ne comptait aucun marin additionnel à celui qui avait fait escale à Helmsdale au printemps précédent, complétèrent les manœuvres d'accostage et descendirent à leur tour. L'orage écourta les salutations entre les habitants de Helmsdale et les arrivants. Pataugeant dans les flaques du sentier, tous se pressèrent jusqu'au fortin, à la suite du chef Gunni qui ouvrait la marche.

À l'intérieur régna bientôt une joyeuse pagaille. Les enfants surexcités se bousculaient en piaillant, les femmes de la maison s'agitaient autour de leurs chaudrons en s'apostrophant, et l'hôte devait élever le ton pour s'entretenir avec ses invités, qui s'étaient agglutinés autour des feux pour se sécher. De minute en minute, l'arrivée des membres du clan Gunn, accourus de partout dans l'enceinte, ajoutait au chaos ambiant qui devint assourdissant. Malgré son envie de participer aux conversations, Moïrane demanda aux hommes de monter à l'étage, ce qu'ils firent en entraînant les enfants avec eux. Un calme relatif retomba dans la salle où les quatre besogneuses purent s'activer plus efficacement afin de préparer de quoi sustenter le double des mangeurs habituels au fortin. Au-dessus de leur tête, les palabres allèrent bon train.

Après avoir appris les mésaventures de la colonie de Helmsdale durant la saison estivale, Gudlaugson entreprit de narrer son voyage en Irlande et d'expliquer l'avancement de son projet d'expédition au Vinland, détails que les membres du clan Gunn s'impatientaient d'entendre. Assis au fond de la pièce, Comgan se contentait d'observer silencieusement ceux-ci, un à un. Il termina son examen par Gunni, qu'il détailla avec concentration. Le chef, captivé par le récit du capitaine islandais, ne prêta aucune attention au moine. La présence de ce dernier sur le knörr islandais n'avait étonné personne, la plupart des équipages écossais et normands ayant coutume d'offrir le passage aux religieux qui œuvraient à l'évangélisation de l'Europe du Nord depuis près de deux cents ans.

«Comme je vous en ai parlé en mai dernier, dit Gudlaugson, mon bailleur de fonds pour l'expédition au Vinland est un évêque qui assume, entre autres choses, le salaire de l'équipage au complet. Il s'agit de George de Limerick, dont frère Comgan est le représentant. Outre les profits tirés de la chasse aux morses, son Éminence poursuit un autre mobile. Il souhaite ravir à l'archevêque de Hambourg la grande île du Vinland : Alba.

— Je ne savais pas qu'elle faisait partie du diocèse de Hambourg, fit Grim le Casqué.

— Dans les faits, tout le territoire du Vinland appartient aux Greenlandais, précisa Gudlaugson. Comme l'Islande et le Greenland sont sous la responsabilité de l'évêque de Hambourg, Alba, ses habitants et ses richesses, relèvent de la même autorité ecclésiastique.» Un long murmure d'étonnement parcourut l'assemblée.

«Mais personne ne vit là-bas, argua Gunni. L'évêque George soutient-il ton expédition dans le but de convertir une poignée de Skrealings?» Les hommes de Helmsdale approuvèrent bruyamment l'intervention de leur chef en chahutant le capitaine. «Il n'y a pas que des Skrealings sur la grande île du Vinland, rétorqua Gudlaugson. Il y a une communauté chrétienne d'origine celtique, que j'ai découverte l'an dernier quand j'y suis allé…

— … quand tu t'y es égaré avec un équipage qui a eu tellement peur qu'il ne veut pas y retourner, pour tout l'or blanc du monde», précisa Gunni avec une pointe d'ironie dans la voix, ce qui fit s'esclaffer Roderik et Tòmag. «Soit, j'y ai accosté par hasard, admit l'Islandais. Néanmoins, une communauté d'une centaine d'âmes est établie là depuis des temps ancestraux qui remontent bien avant l'arrivée de Leif Eiriksson sur l'île. Ces chrétiens isolés sont dirigés par un Islandais qui me semble être le fameux Ari Marson, prétendument capturé par les Skrealings dans un équipage d'Eirik Raudi, en 985, et dont on a perdu la trace depuis.

— Tu fabules, Gudlaugson, coupa Grim le Casqué. Selon mes calculs, ton Marson aurait plus de soixante-dix ans! Vas-tu prétendre que sa famille le recherche encore?

— Elle est bien bonne! pouffèrent Cinead et Pelot en se tapant les cuisses.

— Je n'affirme rien de semblable, fit Gudlaugson, indigné. Je dis simplement qu'il y a un vieillard à Alba qui parle norrois, qui connaît très bien l'Islande, et que lui et ceux de son groupe vivent là-bas selon les principes de la foi chrétienne. J'ajouterais que ce chef a accepté de troquer avec moi et qu'il m'a laissé repartir sans mal, l'an dernier. N'est-ce pas ça le plus important?

— Comment s'appelle cet homme énigmatique, puisqu'il ne s'est pas présenté à toi sous le nom d'Ari Marson? questionna Gunni.

— Oui! Vas-tu nous révéler son nom, à la fin?» tonnèrent en chœur les hommes du clan Gunn, de plus en plus turbulents. «L'Envoyé de Frederik: voilà comment on le désigne à Alba, reprit Gudlaugson. Notez que cette appellation coïncide assez bien avec l'histoire d'Ari Marson, lequel aurait protégé l'évêque norvégien Frederik venu baptiser les païens d'Islande en 980, et qui aurait reçu de lui une croix qu'il portait toujours au cou quand il a été capturé durant l'expédition de son cousin Eirik Raudi au Greenland. Quand on voit l'homme que j'ai rencontré et que l'on comprend ce à quoi il est parvenu après tant d'années passées en exil, on ne s'étonne pas qu'il désire garder l'anonymat devant des compatriotes que le hasard met sur sa route. Mes amis, je vous le dis comme cela me vient : si la fortune m'avait assez souri pour que je devienne chef d'une terre aussi riche que l'Alba, moi aussi je ferais en sorte de ne jamais avoir à la partager avec d'autres, fussent-ils de ma parentèle. Si ce vieil Islandais ne veut pas être reconnu comme Ari Marson, et qu'il met cette condition pour faire bon accueil à mon équipage chez lui, je tairai volontiers mon opinion sur son identité présumée. Le bonhomme se présente comme L'Envoyé de Frederik ? Fort bien : je traiterai donc avec L'Envoyé de Frederik, entre chrétiens que nous sommes. Sans hésitation, je lui confierai l'émissaire de George de Limerick, spécialement mandaté pour soutenir la foi de cette colonie perdue au Vinland. »

Devenu soudainement la cible de tous les regards, Comgan se leva. Il y avait dans son allure, pourtant dépouillée, quelque chose d'imposant et de solennel que l'on retrouve souvent dans l'attitude des hommes superbement armés. Le silence qui enveloppa l'assemblée échauffée fut même respecté par les enfants, visiblement impressionnés par le moine. « Messire Gudlaugson a bien parlé, dit Comgan, d'une voix grave. La mission dont m'a investi l'évêque de Limerick à Alba est à la fois commerciale, diplomatique et religieuse. Elle pourrait fort bien déborder au-delà de la chasse d'hiver, durée d'abord envisagée par le capitaine. Il se peut en effet qu'il faille consacrer plus d'une année pour atteindre les objectifs poursuivis par son éminence George. Enfin, capitaine Gudlaugson et moi avons acquis la conviction que nous devons nous associer à des hommes comme vous, et à leurs épouses, pour mener à bien cette affaire. C'est pourquoi nous sommes venus expressément à Helmsdale solliciter votre collaboration.

— Qu'est-ce que nos femmes ont à voir dans une opération aussi hasardeuse ? lança Gunni.

— J'y arrivais, répondit posément Comgan. La seule façon de parvenir à nos fins, c'est d'aborder Alba comme un groupe de colons, avec femmes, enfants et prêtre, et y établir un campement permanent. Une équipée composée uniquement d'hommes paraîtrait d'ailleurs extrêmement louche aux yeux des Albains et des Skrealings. Nous savons que ces deux groupes ont connu de pénibles expériences avec les Greenlandais et qu'ils se méfient de tous ceux qui ressemblent de près ou de loin à des Vikings. Ils sont prêts à prendre les armes contre quiconque ferait figure d'envahisseur, ce qui compromettrait nos espoirs de réussite, vous en conviendrez tous. » Cette fois, des signes d'approbation accueillirent les propos du moine et des lueurs d'intérêt s'allumèrent dans les yeux des plus aventureux. Encouragé, Comgan choisit délibérément de s'adresser au chef de la colonie pour continuer son raisonnement. « Mais vous avez raison, messire Gunni : le voyage au Vinland est certainement risqué, malgré l'assurance affichée par le capitaine Gudlaugson. Les périls appréhendés expliquent pourquoi nous n'avons pas réussi à rassembler en Irlande l'équipage mixte souhaité et que nous faisons appel au clan Gunn. » Des moues dubitatives et des regards ahuris s'échangèrent durant la minute qui s'ensuivit, puis Comgan reprit son explication sans se départir de son calme : « Votre ami Gudlaugson a cru comprendre, lors de sa visite chez vous au printemps dernier, que vos épouses prenaient une grande part aux décisions du clan et que seuls les hommes célibataires du village pouvaient s'embarquer dans une expédition d'envergure. Aussi, je pense que ma requête doit être déposée à vos dames d'abord. Si, braves sires, vous consentez à relever l'intrépide défi de jeter les assises d'un poste permanent au Vinland avec vos familles, je solliciterai donc votre permission de m'entretenir avec vos épouses. »

L'empressement que Gunni mit pour placer le moine à côté de moi, au bout de la grande table, m'intrigua, mais je me rabattis sur mon penchant pour la religion comme interprétation plausible à son geste. En fait, je prisai la conversation avec le frère Comgan au-delà de toute attente. L'homme était érudit, sagace et, surtout, très aimable. Je dirais même : agréable, tant d'esprit que de physionomie. Ses yeux bleu ciel, son nez fin et droit, sa bouche bien dessinée, garnie de dents blanches, son visage imberbe, les boucles blondes autour de sa tonsure, la délicatesse de ses doigts, la propreté de ses ongles et même l'odeur fraîche de sa bure, m'attirèrent immédiatement.

Il y avait dans son regard pénétrant quelque chose qui m'envoûtait, et je devais faire des efforts pour ne pas le dévisager constamment et reporter mon attention au service de temps à autre. Les quelques instants où je pus examiner l'assemblée me confirmèrent que le repas se déroulait à la perfection et que ma réputation d'hôtesse n'aurait pas à en souffrir. Les enfants se tenaient tranquilles, le nourrisson dormait, les échanges entre les hommes et les femmes dénotaient de la gaieté et les marins islandais étaient très détendus, jouissant d'une ambiance nettement plus harmonieuse que celle qui avait teinté leur dernière visite à Helmsdale. Mon sourire de maîtresse de maison, cette fois, n'eut rien de factice : j'étais tombée sous le charme du frère Comgan.

À la fin du repas, je me pris à espérer que le moine demeure à Helmsdale pour remplacer notre prêtre défunt et je m'enhardis à le lui suggérer quand nous abordâmes le sujet de ses prochains déplacements. Nous avions tiré notre banc près de la fenêtre, avec les femmes et les enfants, en laissant l'emplacement autour de l'âtre aux hommes. Ainsi, le frère Comgan se retrouvait-il seul au milieu d'un groupe silencieux, tout attentif à ce qu'il avait à dire. Les fillettes d'Ingrid et le garçon de Frida s'installèrent par terre, devant lui, prêts à écouter une histoire. Le frère Comgan leur sourit avec bienveillance avant de me répondre : « Dame Moïrane, cela me plairait fort d'être votre aumônier à Helmsdale, mais vous comprendrez qu'il n'est pas du ressort de l'évêque de Limerick de pourvoir votre colonie sur ce point. Cependant, il se présente une occasion inusitée de faire un bout de chemin ensemble et je souhaite de tout cœur que vous la saisissiez. »

Cette entrée en matière piqua ma curiosité, tout autant que celle de mes trois compagnes. Le moine parla d'abord de sa mission au Vinland avec une telle chaleur que jamais je n'avais rien entendu d'aussi exaltant. La communauté chrétienne perdue là-bas et privée des services d'un prêtre me parut soudain cent fois plus en détresse que celle de Helmsdale, et les efforts de l'évêque de Limerick pour y remédier se nimbèrent d'une auréole de noblesse et de mansuétude incomparable. Lorsque le frère Comgan exprima le désir que des familles du clan Gunn l'accompagnent dans ce périple en soulignant que leur participation était indispensable à la réussite du projet, mes mains devinrent moites et mon cœur se mit à cogner fort : je voulais absolument faire partie de cette expédition inouïe. «Quitter Helmsdale pour quelques années est plus difficile que pour une saison de chasse, et cela va requérir beaucoup de détermination de la part des volontaires, remarquai-je.

— Il paraît que la traversée est particulièrement dangereuse, dit Frida. Cela élimine les familles qui ont les enfants les plus jeunes…

— … ou les femmes qui sont déjà grosses, comme l'épouse de Grim le Casqué et celle de Tòmag, ajouta judicieusement Elsie.

— Nous croyons que quatre épouses et quelques enfants suffiront pour faire office d'un groupe de colons», précisa le frère Comgan. En entendant cela, Elsie, Ingrid, Frida et moi nous dévisageâmes d'un air interrogateur. Se tournant aussitôt vers moi, le moine affirma : «Il va de soi que vous êtes du voyage, Moïrane, puisque messire Gunni en est.

— Mon mari a déjà décidé cela? fis-je.

— Non, évidemment : lui et moi attendions votre assentiment pour aller de l'avant avec ce plan, répondit-il.

Sans vous, Moïrane, l'équipage de capitaine Gudlaugson ne part pas pour le Vinland cet automne, et je me vois contraint de retarder l'exécution de mon mandat à l'année prochaine.

— Eh bien, rassurez-vous, dis-je sur un ton emphatique, vous serez à Alba avant l'hiver, si Dieu le permet, bien entendu. Rien ne me rendra plus heureuse que de contribuer à une mission aussi grande que la vôtre et je serais vraiment honteuse d'être responsable de son report, cher frère Comgan. »

À partir de cette indicible minute où je donnai mon accord, l'enchaînement des décisions se fit à une vitesse incroyable et le voyage se boucla durant la même soirée. Après avoir convoqué le clan en réunion, Gunni exposa succinctement la situation dans laquelle se trouvait la colonie, menacée de pénurie d'une part, et sollicitée pour une participation dans la chasse au Vinland d'autre part. Le frère Comgan expliqua les mobiles de l'évêque de Limerick pour soutenir l'expédition et il détailla sa propre mission auprès de la communauté isolée et des Skrealings. Puis, Gudlaugson émit ses préférences quant à la sélection des membres du clan devant monter à bord et il dressa la liste de l'équipement et des denrées que nous devions fournir pour la traversée et l'établissement du campement. Quand ces précisions eurent été données et que chacun se fut exprimé sur la participation du clan à l'expédition, la nuit était déjà bien entamée.

Assis à mes côtés, Gunni avait peu parlé durant les discussions et il devait maintenant trancher parmi ceux qui s'étaient portés volontaires pour aller au Vinland. Avant de se lever, il saisit ma main et la porta subrepticement à ses lèvres, geste qu'il n'avait pas fait depuis longtemps, puis il prit la parole : « La participation du clan Gunn à l'expédition de Gudlaugson commanditée par l'évêque de Limerick va vider Helmsdale du tiers de ses habitants, et ce, pour quelques années. J'ai besoin de garder ici des piliers solides si nous ne voulons pas que notre colonie en souffre. Aussi, je confie la charge du clan aux deux plus vieux d'entre nous, soit Grim le Casqué et Devorguilla. Parmi mes hommes d'armes, j'ai choisi Roderik pour me remplacer au fortin et Tòmag pour la surveillance de l'enceinte. Doivent également rester ici Ailig à la forge et Mattias, maître bouvier. Pour les seconder dans leurs tâches, je leur laisse Angus et Duncan, qui n'ont pas atteint la taille adulte et, de ce fait, ne peuvent pas s'intégrer à l'équipage. Ainsi donc, les hommes qui partent avec moi seront : Cinead, Pelot, Herulf, Gilroy et évidemment Lorne. Par conséquent, les épouses qui nous accompagneront sont Moïrane, Ingrid, Elsie et Arabel. Malgré le jeune âge de certains, les cinq enfants des couples partants monteront à bord, soit les deux filles de Cinead et les trois garçons de Herulf. »

À cette annonce, les mines des membres du clan se peignirent de jubilation ou de consternation, selon les désirs inavoués. Pour ma part, si j'avais des raisons de me réjouir de la présence de l'aimable épouse d'Herulf dans le contingent féminin, j'en avais davantage de déplorer celle de la primesautière Elsie. L'effort que je mis à conserver un air impassible dut transparaître sur mon visage, car Elsie me fixa un instant avec un œil ironique, puis elle se pressa contre l'épaule de Pelot, avec lequel elle partageait son banc.

Bien qu'un bruit sourd de ronchonnements mâles accueillît la décision du chef, aucune véritable protestation ne s'éleva parmi les membres du clan Gunn. «Je ferai une dernière mise au point, enchaîna alors Gunni. Tous les profits générés par l'expédition seront partagés au retour avec ceux qui demeurent à Helmsdale, selon la coutume norvégienne, et les biens de ceux qui partent seront protégés et entretenus jusqu'à leur retour par les autres, selon la coutume écossaise. J'ai parlé : tout est dit. Maintenant, que Dieu nous vienne en aide !

– Qu'Il garde les uns et ramène les autres sains et saufs à Helmsdale ! renchérit aussitôt Devorguilla, sur un ton ému.

– Qu'Il remplisse notre cale d'or blanc ! ajouta Gudlaugson, avec enthousiasme.

– Qu'il nous prenne dans Sa sainte main afin que Sa croix soit portée sur cette terre lointaine où des âmes chrétiennes glorifient Son nom dans le dénuement et où des âmes païennes attendent d'être touchées par Sa lumière», conclut le frère Comgan, d'une voix solennelle.

Sur ce, les membres du clan et l'équipage islandais se levèrent et se signèrent en baissant le front. Je fis de même et cherchai la main de Gunni que je pressai dans la mienne, le cœur rempli de fierté. Il me coula un regard doux et ardent qui annonçait une nuit mouvementée dans notre alcôve. Elle le fut en effet. Jusqu'aux premières lueurs du jour, chaque caresse que nous nous prodiguâmes, chaque baiser qui comprima nos lèvres, chaque palpitation de nos corps frénétiques, tous ces gestes tendres me semblèrent exprimer, au-delà de notre passion amoureuse, une immense gratitude : celle qu'un couple éprouve quand il a le sentiment d'avoir contribué à son bonheur mutuel. En m'engageant dans le projet d'expédition au Vinland, je savais combler le grand désir de voyage de Gunni, et en acceptant de m'emmener, il répondait au mien de n'être jamais séparée de lui.

Je me rappelle que le lendemain de ce singulier événement, ce devait être le 19 septembre, car trois jours avaient passé depuis la fête de St Ninian, et je me levai avec la certitude que Gunni et moi avions conçu. Je gardai secrète cette pensée en me disant que si, dans un mois, donc autour de la fête de St Regulus, je ne saignais pas, je saurais que mon vœu le plus cher était exaucé. À ce moment-là, nous serions déjà loin en mer et il ne pourrait être question de revenir à Helmsdale afin que j'y termine ma grossesse. Ainsi, le premier enfant du clan Gunn à naître au Vinland serait vraisemblablement le mien. En évoquant cette heureuse hypothèse, les larmes me montèrent aux yeux et, pour contenir ma joie, j'enfouis mon visage dans les draps de lin encore moites de nos ébats nocturnes.

Les préparatifs en vue de l'embarquement du clan Gunn pour le Vinland durèrent à peine cinq jours. Cinq jours d'extrême fébrilité et de grandes émotions qui chavirèrent tout autant ceux qui partaient que ceux qui restaient. Plus sensibles aux humeurs que les adultes, les enfants de la colonie avaient été particulièrement remuants durant cette période. De la « première fournée de Helmsdale », le groupe inséparable des sept bambins âgés de cinq ans, deux s'en allaient à l'aventure au Vinland et ils ne s'étaient pas privés de narguer leurs compagnons de jeux qui n'avaient pas cette chance, malmenant les nerfs déjà aiguisés de toutes les mères de Helmsdale.

La sélection des outils, des ustensiles, du matériel à emporter et leur paquetage dans les coffres, au nombre très limité, avaient donné des maux de tête aux voyageurs. L'aménagement du coin pour le bétail, à bord du knörr, qui n'avait jamais transporté de bêtes, fit perdre patience au capitaine.

La veille de l'embarquement, Gudlaugson admit qu'un seul navire ne suffirait pas à contenir l'équipage entier et tout son fourniment, de sorte que l'on dut réquisitionner l'un des knörrs du clan Gunn. En dépit de sa forme courte et arrondie, qui le rendait plus instable, les hommes réussirent à le charger sans nuire à son équilibre. On convint de le placer sous la gouverne de Herulf, un des meilleurs marins de Helmsdale. Son fret comporterait les animaux, les boîtes de semences et de plants frais, une partie de l'eau potable et tout l'équipement de chasse. Deux marins islandais, plus Lorne, formeraient son équipage et il naviguerait dans le sillage du knörr de Gudlaugson: «Cette façon de voyager risque d'allonger un peu la durée de la traversée, expliqua le capitaine, mais l'inconvénient est compensé par le dégagement de mon navire, qui pourra ainsi loger plus confortablement messire Comgan, les femmes et les enfants.»

Ce 23 septembre 1026, Comgan dit la messe sur la plage. Tout le clan Gunn et les neuf Islandais y assistèrent, mêlés les uns aux autres comme s'il s'agissait des habitants d'une même paroisse. Un vent soutenu décoiffait les femmes et les enfants et battait les capes des hommes. Bien que le soleil fût au rendez-vous, les corps immobiles tremblaient légèrement dans les chemises de lin: était-ce de froid ou de nervosité? Partiellement couverte par le chuintement incessant des vagues, la voix énergique de Comgan s'éleva majestueuse au-dessus du groupe, ému et concentré. Elle allait rester longtemps gravée dans la mémoire de chacun, comme le souvenir le plus poignant de cette journée qui marqua le départ des Écossais de Helmsdale pour la seconde expédition de l'Islandais Gudlaugson au Vinland.

CHAPITRE III

L'ÉLÈVE

Le contournement de l'Écosse par le nord et la descente du passage des îles, dans la mer des Hébrides, n'offrirent aucune difficulté aux deux knörrs, qui se tenaient à courte distance l'un de l'autre. Sous une température assez clémente, ils parcoururent la route depuis Helmsdale jusqu'en Irlande en moins d'une semaine. Les jours de navigation raccourcissaient en cette période de l'année, comptant moins de dix heures d'un soleil à l'autre, soit de la levée d'ancre après prime* à sa jetée autour de vêpres*, à la tombée de la nuit. Entre le départ matinal et l'arrêt du soir, les navires voguaient sans interruption, avec vélocité ou lentement, selon le vent et les courants. Toujours à la vue des côtes pour cette portion du voyage, la flottille fit escale à terre chaque nuit, dans des anses faciles d'accostage, ce qui permit aux femmes et aux enfants de s'accoutumer à la vie en mer en ayant l'occasion de se dégourdir sur le sol durant quelques heures quotidiennes.

Quand les navires atteignirent les falaises abruptes d'Irlande, le temps devint venteux et pluvieux. Pour éviter d'être déporté au large avant d'avoir touché le cap d'Achill, dernier point de ravitaillement en eau potable avant la grande traversée de l'océan, Gudlaugson longea l'île, en pénétrant dans chaque baie. Les enfants qui, jusqu'alors, avaient joui tranquillement du tangage et de la vue des paysages côtiers, devinrent agités et maussades, et, par conséquent, les deux mères chargées de les contenir, plus nerveuses. Dans le knörr écossais, Herulf subit une tension similaire avec le bétail qui meuglait ou bêlait continuellement. Exaspéré, il fut tenté plus d'une fois de frapper les animaux pour les faire taire et songea même à les priver d'eau.

C'est donc avec soulagement que les deux équipages aperçurent la pointe irlandaise d'Achill, à l'issue du dixième jour de navigation. On avait convenu de camper en ce lieu, le temps nécessaire pour se ravitailler en eau et en tourbe de chauffage ; pour procéder à d'éventuels échanges de passagers entre les navires ; pour rééquilibrer leurs charges ; pour effectuer les menues réparations ou ajustements qui s'imposaient ; pour faire paître les animaux à satiété avant la longue privation ; et surtout, pour permettre aux familles de se reposer en vue du grand périple.

Gunni vécut les premiers jours du voyage en observateur taciturne. Délesté du poids moral de chef de la colonie par sa soumission à l'autorité de Gudlaugson, il accomplissait ses tâches de marin avec liberté et insouciance en s'activant mollement et en parlant peu. Quand il n'était pas à son poste de rameur, le maître de Helmsdale passait de longues heures à apprécier le paysage des eaux miroitantes et des côtes brumeuses. Il ne se soucia de l'itinéraire de l'expédition qu'une fois descendu sur la pointe d'Achill. «Quelle sera la durée de notre séjour en mer jusqu'à ce que l'on touche Alba? demanda-t-il à Gudlaugson.

– Je prévois faire la traversée en dix-sept ou dix-huit jours de navigation, répondit le capitaine, car nous devons parcourir autour de 16 000 miles* terrestres, soit l'équivalent de quatre-vingts fois la largeur de l'Irlande.

– Cela ne me dit rien, mais ça me semble assez loin. Naviguerons-nous tout ce temps, sans autre repère que celui des étoiles? demanda Gunni avec effarement.

– Oh! il y a des outils sur lesquels on peut se fier! Pour établir mon cap par temps clair, je mesure l'ombre du bordage sur le pont et par temps couvert, j'utilise une pierre solaire pour trouver la position de l'astre et pointer dans la bonne direction. De plus, je me suis procuré le fameux husanotra greenlandais…» Ce disant, avec un air docte, Gudlaugson entraîna Gunni jusqu'à son coffre, d'où il tira une épaisse liasse de feuillets attachés par une lanière de cuir, et un objet en bois d'aspect intrigant qu'il lui mit entre les mains : c'était une assiette rectangulaire légèrement recourbée aux extrémités et perforée en son centre par un dard monté sur un manche. Le fond de la pièce était gravé d'un réseau de petites lignes parallèles à une artère principale, qui la traversait d'un côté à l'autre en une courbe d'ovale parfait. À son point culminant, une flèche indiquait le signe «nord».

«Vois cette merveille», enchaîna Gudlaugson, en passant un doigt léger sur les fins sillons dessinés au fond de l'assiette. «Cet instrument évalue la latitude en calculant la hauteur du soleil à son zénith. Là, c'est l'ouest. On y trouve le Vinland, les morses, l'île d'Alba, le lieu secret où émigrent probablement les cygnes, bref, notre félicité!

– Notre destination», reprit plus prosaïquement Gunni, en remettant le husanotra à Gudlaugson. Ce dernier le rangea aussitôt dans son coffre, déçu du peu d'enthousiasme démontré par son ami face à l'instrument de navigation.

«Voilà! Mais j'ai aussi autre chose, Gunni, chose qu'aucun capitaine normand ne possède, un document de route.» Il saisit la liasse de feuillets à deux mains et la secoua énergiquement. «Ce paquet contient des notes précieuses et inédites sur la traversée Irlande–Vinland, notes que j'ai prises au cours de mon aller-retour l'an dernier, et que je suis le seul à pouvoir déchiffrer, affirma-t-il avec emphase.

– Tu as rédigé des notes! s'étonna Gunni. Des notes sur quoi? Qu'as-tu remarqué de particulier sur une étendue d'eau aussi vaste dépourvue de cible à l'horizon?

– Ah! Il y a mille choses qui distinguent l'océan côtier de la pleine mer: d'abord sa couleur, puis ses courants, les bêtes qui le peuplent, la forme des vagues à marée montante ou descendante, même l'odeur du vent varie quand il provient de la terre dont on s'approche. Dieu qu'il est savoureux ce moment magique où je lâche les corbeaux qui ne reviendront pas parce qu'ils ont touché le monde!

– Mais lorsqu'on sera au beau milieu de la mer, argua Gunni, à mi-chemin entre l'Irlande et le Vinland, sur quelles informations nous baserons-nous pour faire route dans la bonne direction?

– L'ouest, Gunni, le franc ouest indiqué par le husanotra et par ceci», répondit cérémonieusement Gudlaugson en pointant d'un index rigide son nez, puis ses yeux. Gunni hocha la tête d'un air dubitatif. Une vingtaine de voyages dans les Nordreys constituaient son unique expérience concrète de la mer. Si on y ajoutait les quelques connaissances glanées au fil des récits de voyage, cela ne faisait pas du chef de Helmsdale un expert de la navigation en haute mer, et c'est d'ailleurs comme un novice dans le domaine qu'il se considérait lui-même. En toute honnêteté, l'Écossais ne pouvait mettre en doute la compétence de l'Islandais et il n'en eut d'ailleurs pas l'intention. «Tu sembles bien outillé et tout à fait sûr de ta gouverne, mon ami, fit Gunni, sur un ton pondéré.

— Sûr, dis-tu? Avec la qualité de notre équipement, la vaillance de nos hommes et la solidité de nos knörrs, tout concourt à faire de cette expédition un franc succès, n'est-ce pas Comgan?» lança Gudlaugson, en élevant le ton à l'intention du moine qui s'affairait à son coffre. Ce dernier acquiesça en affichant une certaine indifférence. Un large sourire s'épanouit sur la face de Gudlaugson alors que Gunni, plus difficile à convaincre, détourna le regard en se demandant s'il prisait vraiment le fait de s'en remettre au capitaine pour toutes les décisions. «Le papar* n'y connaît rien, chuchota Gudlaugson en se penchant à son oreille. Son ignorance de la mer est bonne pour nous deux si nous nous entendons pour en profiter…

— Pourquoi et de quelle façon veux-tu en tirer parti? s'étonna Gunni.

— Attends encore et tu vas comprendre», murmura l'Islandais en baissant la tête sur son carnet de notes. Gunni n'apprit rien de plus et, promenant un regard sceptique sur les deux navires et leurs installations, il replongea dans ses réflexions.

Le bateau islandais faisait vingt et un yards* de long par quatre de large et comportait un pont bas et court à l'avant et un autre à l'arrière, alors que le knörr du clan Gunn était long de quinze yards et large de trois et demi, sans pont. Sous ses plats-bords, chaque knörr avait six trous de nage pour les rames et comportait un foyer aménagé derrière le mât, entre les traverses. L'âtre se composait d'une grande cuve de stéatite peu profonde et d'un support à chaudron, le tout pouvant être couvert par gros temps en tendant au-dessus une toile goudronnée à la graisse de phoque. Comme cet abri demeurait relativement sec et chaud, c'est là que les femmes et les enfants se tenaient et que les voyageurs mangeaient.

Au cap d'Achill, les équipages firent une halte de six jours, puis, le septième, par un temps de petit grain, ils reprirent la mer. C'était le 10 octobre, la veille de la fête de l'Irlandais saint Kenneth et le frère Comgan, pendant l'office religieux récité avant le départ, plaça l'expédition au Vinland sous sa protection. Au moment de l'embarquement, une certaine nervosité s'empara de tous les cœurs. La majorité des passagers étaient tenaillés par la peur de l'inconnu ; les autres, par la conscience plus ou moins aiguë des dangers à venir.

Parmi les modifications apportées dans les équipages respectifs, le jeune Gilroy, âgé de seize ans, monta dans le knörr écossais en échange d'un marin islandais qui retourna sous le commandement de Gudlaugson. Gilroy était le fils aîné d'Arabel, une Écossaise de Ross, Herulf était son beau-père et Lorne, son grand ami. De rejoindre ce dernier dans l'autre knörr satisfaisait le garçon : comme il avait été berger à Helmsdale, on jugea qu'il serait plus utile dans le navire qui transportait les moutons. Pelot et Elsie l'y suivirent, car on trouvait opportun d'avoir une femme pour alimenter le feu et préparer les repas : n'ayant pas d'enfants, le couple s'était porté volontaire pour assumer cette tâche. Ainsi, au départ d'Irlande, le navire écossais comptait une femme, Elsie, et cinq hommes, soit Herulf, Lorne, Gilroy, Pelot et un Islandais. Un bœuf et sept moutons complétaient sa cargaison vivante. Quant au long knörr islandais, il regroupait quatorze adultes dont onze hommes, soit Gudlaugson, Comgan, Gunni, Cinead et sept marins islandais ; trois femmes : Moïrane, Ingrid et Arabel ; et cinq enfants : les trois garçons de Herulf et Arabel et les deux fillettes de Cinead et Ingrid. Pour un approvisionnement plus continu en lait, on avait transféré sur le bateau de Gudlaugson les trois vaches embarquées préalablement dans celui du clan Gunn.

Mis à part le moment où nous nous regroupions pour manger ou dormir, je côtoyais très peu Gunni durant le jour. Quand mon mari ne ramait pas, il se maintenait à la poupe, côté tribord, appuyé contre le plat-bord, occupé à surveiller la progression du knörr de Helmsdale dans notre sillage et à la commenter avec Gudlaugson, qui tenait la barre ; ou encore, il se rendait à la proue afin de scruter l'horizon impitoyablement plat, les nuages énigmatiques ou les eaux insondables. Gunni demeurait là pendant des heures, exposé aux rafales d'air qui fouettaient sa tunique et ses cheveux, apparemment insensible au froid ou à l'écume mouillante des vagues fendues par l'étrave. Si, au début du voyage, j'étais quelquefois allée le rejoindre pour causer avec lui, j'avais vite battu en retraite sous l'auvent, chassée par l'humidité et le vent incessant qui balayait les ponts. Tant et si bien que je finis par passer la plus grande partie de mes journées en compagnie du frère Comgan, lequel, en sa qualité de religieux, était le seul homme oisif à bord.

Afin de laisser la meilleure place à Ingrid, à Arabel et aux enfants, le moine avait pris l'habitude de s'installer dans un coin éloigné du foyer, à la limite de l'espace protégé par la tente et les tonneaux d'eau potable. C'est là que je m'assoyais aussi, serrée dans ma cape. Nous passions ainsi des heures à parler ensemble sans voir le temps filer. Les sujets de nos conversations étaient aussi variés que captivants, nos intérêts, souvent communs, et notre disponibilité, totale. Au demeurant, Gudlaugson semblait heureux que j'accapare le moine en conciliabules, car je le libérais de sa présence sur le pont, présence qu'il devait juger gênante. À titre de représentant du principal bailleur de fonds, le moine aurait pu dresser des embûches au chef de l'expédition et l'empêcher de disposer à sa guise des hommes et des vivres, mais il n'en fut rien. Le frère Comgan se révéla aussi insensible au parcours du knörr qu'à ses manœuvres. Jamais il n'interrogeait les hommes d'équipage ou ne cherchait à entretenir le capitaine sur une question de navigation. C'est à peine s'il prêtait attention aux petits événements qui excitaient les passagers, comme l'apparition d'une baleine ou d'autres bêtes maritimes.

Quand le frère Comgan quittait son coin pour délier sa membrure, il montait sur le pont arrière, qu'il arpentait en luttant contre le vent qui l'entravait dans sa bure.

Il demeurait en contemplation devant la mer durant un long moment et bavardait occasionnellement avec Gunni ou avec Gudlaugson. Je crois qu'ils parlèrent souvent de Herulf qui commandait le knörr écossais et pour lequel le moine se faisait du souci. En effet, à la nuit tombée, le navire de Helmsdale disparaissait complètement dans l'obscurité alors qu'en plein jour, même pluvieux, la tunique rouge de Herulf accrochait l'œil comme un étendard et servait à elle seule de repère constant.

Une fois où je m'inquiétais de la disparition nocturne de notre knörr et m'en ouvrais à Gunni, j'appris que le feu du navire de Gudlaugson demeurait visible pour Herulf, alors que le sien nous était presque toujours masqué, notamment par sa voile : « Si notre foyer s'éteint ou si un banc de brume épaisse nous enserre, le knörr de Gudlaugson peut être hors de vue pour Herulf, mais ce n'est que passager », précisa-t-il. Devant son air placide, je ne trouvai pas justifié de m'alarmer et chassai ce problème de mon esprit.

Dès les premiers jours de notre route, le frère Comgan me montra un livre saint qu'il gardait soigneusement rangé dans son coffre avec d'autres objets inestimables, comme un nécessaire à écrire, des burettes d'étain, un large crucifix incrusté de pierres précieuses et une écharpe brodée de fils d'or, que j'avais entraperçus à la dérobée. De toutes ces raretés, c'est le livre qui suscitait ma curiosité la plus vive, car j'avais eu peu d'occasions d'examiner de près un ouvrage enluminé. Pleine d'admiration, je m'enhardis à demander au moine de m'en faire la lecture. Il le fit très volontiers et plus d'une fois. Les filles d'Ingrid se glissaient alors entre nous pour entendre le récit et regarder le décor fleuri des pages, que le frère Comgan tournait avec déférence. L'exercice durait jusqu'à ce que les bambines se fatiguent des textes latins récités sur un ton plutôt monocorde et retournent auprès d'Ingrid et d'Arabel, dans l'environnement du foyer. Quant à moi, je ne me lassais ni d'écouter les sujets abordés dans le livre saint, ni de regarder son fascinant lecteur. Je m'incrustai donc aux côtés du frère Comgan avec délectation, sans me soucier du reste de l'équipage.

Six jours de ce régime pétri de confidences et de promiscuité firent du moine et moi des intimes. C'est alors qu'il s'offrit pour m'enseigner à lire, ce qui m'ébahit et me bouleversa à la fois. « Êtes-vous certain que j'aie le droit de faire cet apprentissage ? lui dis-je. N'est-ce pas une connaissance réservée aux religieux ?

– Sur cette question, l'avis de l'évêque George, comme celui qui prévaut dans tous les diocèses d'Irlande, diffère sensiblement de celui de Rome. Nous pensons que si Dieu, dans Son infinie sagesse, avait voulu l'ignorance des femmes, Il ne les aurait pas dotées de l'esprit nécessaire au décodage et à la compréhension des écrits. Et je constate que vous possédez cette intelligence, Moïrane. Ce ne peut donc pas être une offense que de chercher à s'en servir », me répondit-il. Le compliment me flatta, bien sûr. Ne demandant pas mieux que d'être guidée par le frère Comgan, je réfutai mes objections à sa proposition aussi vite qu'elles avaient surgi et je m'engageai dans l'apprentissage de la lecture avec ardeur.

J'avoue que les leçons s'avérèrent plus complexes et exigeantes que je ne l'avais imaginé. Cependant elles me captivèrent totalement, ce qui accentua mon isolement avec le moine. Comme le capitaine, Gunni, Cinead, mes deux amies et leurs enfants n'entendaient rien à nos échanges, personne ne s'interposa dans le petit cercle que nous formions autour du livre saint. Même les fillettes d'Ingrid nous abandonnèrent à notre labeur quotidien, lequel devint bientôt notre activité exclusive. En tant qu'élève, je me découvris une véritable passion pour les textes latins et leur déchiffrage et je crois que mon enthousiasme plut beaucoup à mon maître, car il s'employa à mon instruction avec une ferveur qui frisait parfois la dévotion. Combien de fois ai-je surpris les yeux brûlants qu'il braquait sur mon visage pendant que je peinais sur un passage, et aussi, ai-je accueilli le frôlement de ses longs doigts blancs sur mes mains posées à plat sur une page? «Vous avez froid, Moïrane, disait-il alors, d'une voix étouffée. Allez vous chauffer au-dessus du brasier et nous reprendrons la leçon plus tard. Je dois prier.» Légèrement confuse, je me levais et, tout en l'épiant, je l'abandonnais à ses dévotions qui ne duraient jamais bien longtemps. En effet, assez rapidement après notre séparation, j'interceptais de nouveau son regard enflammé qui me cherchait en me rappelant auprès de lui. Insidieusement, j'en vins à désirer l'attention du frère Comgan plus que la poursuite même de nos travaux, et bientôt, presque toutes mes pensées se mirent à tourner autour du religieux et de l'intérêt que je suscitais à ses yeux.

Inutile de dire que, à ce jeu-là, les difficultés de la traversée subies par mes compagnes de voyage ou leurs enfants ne m'atteignirent plus. Je ne remarquai rien quand on vint à manquer de fromage et de pois; pas plus que je notai le moment où le lait des vaches s'était tari. Le plus jeune fils d'Arabel devenu fiévreux eut beau tousser jour et nuit, je ne l'entendis point, et Ingrid souffrit du mal de mer à s'en cracher les boyaux sans que je m'en rende vraiment compte. Nous essuyâmes trois jours de gros grain qui nous secouèrent ferme et ma vêture fut aussi trempée que celle des autres, mais je n'en éprouvai aucun inconfort. Même la fête de saint Regulus, le 17 octobre, dont je m'étais pourtant promis de surveiller la date en raison de mes prévisions de grossesse, passa complètement inaperçue pour moi. Bref, j'étais devenue aussi imperméable à la vie dans le knörr qu'une truite au fond d'un ruisseau se préoccupe des nuages qui défilent dans le ciel. Me laissant ballotter par la houle perpétuelle, tout en goûtant le contact de la bure monastique avec ma cape de laine, je me saoulai des paroles et des œillades du frère Comgan, sous l'apparente indifférence de Gunni et du reste de l'équipage.

Au matin du treizième jour de navigation, je m'éveillai en sursaut en entendant des cris qui provenaient du plancher au-dessus de ma tête. Constatant l'absence de Gunni, je sortis prestement de notre couche, m'enveloppai de ma cape et bondis hors de l'entrepont pour voir ce qui se passait à la poupe du navire. Gudlaugson, son gendre Hans, Cinead et Gunni y étaient, collés contre le platbord, et, les mains en porte-voix, ils hurlaient à tour de rôle dans le sens du vent. Le gouvernail avait été bloqué, et la grande voile carrée, ramenée de moitié. Le temps de monter les rejoindre et de jeter un coup d'œil à l'horizon, je saisis la situation : le navire de Herulf n'était plus derrière le nôtre. Aucune parole ne franchit mes lèvres face à cette constatation inquiétante et je me contentai de surveiller les mines sombres des quatre hommes qui s'époumonaient inlassablement devant l'immensité grise.

Bientôt, tous les passagers gagnèrent le pont arrière et se massèrent contre la rambarde en épiant tour à tour Gudlaugson et les eaux hérissées de crêtes écumantes desquelles on espérait voir surgir le knörr écossais. Consternés et anxieux, nous nous dévisagions de temps en temps, incapables de bouger ou de parler. Notre apathie cessa quand les hommes arrêtèrent d'appeler. Tandis que Gunni et Cinead, dans un geste de découragement, cachaient leur tête entre leurs bras appuyés à la rampe, les deux Islandais nous firent face. Instinctivement, nous nous regroupâmes devant eux et attendîmes leur rapport. «On les a perdus durant la nuit, pour on ne sait quelle raison, laissa tomber Gudlaugson.

— Ils vont revenir, gémit Arabel, non loin de moi, ce n'est pas possible qu'ils disparaissent ainsi, n'est-ce pas, messires?

— Personne ne peut dire ce qui s'est passé, ma dame, reprit le capitaine. Il y a bien eu une grosse houle, à un moment donné, durant la nuit, mais aucune brume n'est venue masquer notre feu… Parfois, ce sont des tempêtes qui font dévier les navires de leur route, ou même les emportent; parfois, c'est autre chose, comme des mouvements du fond même de la mer, imprévisibles et incontrôlables. Il faut malheureusement se soumettre à ce genre de fatalités…

— Qu'avez-vous l'intention de faire? dit le frère Comgan.

— Je vais attendre Herulf jusqu'à none*, mais guère au-delà.» À ces paroles, un murmure de protestation s'enfla parmi nous. Nous guettâmes une réaction du côté du moine, mais celui-ci semblait se résigner. Ceux qui allaient s'opposer à la décision furent muselés par l'air particulièrement déterminé de Gudlaugson. «Croyez-moi, clama-t-il, si j'avais une seule chance de les retrouver, je la tenterais, d'autant plus que tout le matériel de chasse est à leur bord, mais hélas, je ne sais absolument pas où les chercher dans cette immensité. Dériver de notre route en l'allongeant pour une quête probablement vaine mettrait en péril toute l'expédition, ce que je ne peux permettre, vous le comprenez.

— Vous ne pouvez pas faire ça», s'étrangla Arabel en tanguant, prête à s'effondrer. Je me précipitai alors sur elle et la retins en passant un bras autour de sa taille.

Comme je la trouvai menue et misérable, cette femme pourtant grande et sensée qui avait presque l'âge de ma mère! Tandis que son fils Neil, âgé de douze ans, demeurait posté sur le pont arrière, l'air sombre, ses deux petits garçons se pressèrent contre nos jupes avec des mines effarées. «Viens avec moi, Arabel, dis-je doucement. Nous allons espérer none ensemble et prier pour les passagers du knörr de Helmsdale. Dieu n'abandonnera pas les gens de notre clan.» Le frère Comgan s'approcha, offrit son appui à l'autre bras d'Arabel et il nous accompagna jusque sous la tente, les enfants à notre suite. Le visage empreint de compassion, il insista pour demeurer dans notre entourage afin d'apaiser notre affliction, et avec Arabel et moi, il entreprit l'attente de l'ultime heure de none décrétée par Gudlaugson.

Gunni, appréciant notre intervention auprès d'Arabel, qui perdait à la fois un mari et un fils avec l'abandon du knörr de Helmsdale, ne quitta pas son poste d'observation sur le pont et s'occupa du jeune Neil. En quelques occasions, je surpris le regard qu'il coula dans notre direction et j'y lus beaucoup d'amertume: se reprochait-il de ne pas être monté à bord de notre knörr à la place du couple Pelot-Elsie? C'est possible. Je me souvins que Gunni avait émis cette suggestion du bout des lèvres quand nous avions discuté du réaménagement des équipages, au départ d'Irlande; alors que moi, lorsque le couple s'était porté volontaire, je m'étais empressée d'appuyer sa proposition, y voyant une belle façon de me débarrasser de la présence d'Elsie. Maintenant, la perspective que ce choix ait peut-être condamné ma rivale et son mari me hantait douloureusement. Comme aucune hypothèse n'avait été émise sur les raisons de la disparition du knörr écossais, rien ne permettait de croire que la présence de Gunni à son bord, au lieu de celle de Pelot, aurait permis d'éviter le drame. Aussi étais-je convaincue que nous n'avions, lui et moi, rien à nous reprocher dans cette décision. Pourquoi donc, tout en priant avec le frère Comgan et Arabel, nourris-je un vague sentiment de culpabilité?

Depuis la nouvelle effarante de la disparition du knörr écossais, un mutisme lugubre enveloppait l'équipage. Le choc des vagues contre les flancs du navire, le ronflement de sa voile et le chuintement de l'air dans ses cordages furent longtemps les seuls bruits entendus par les passagers, leur rappelant, de façon poignante, que quelque part, sur ou sous cette mer implacable, des membres de leur expédition avaient perdu le cap. Quand le soleil fut à son zénith, le vent forcit et une épaisse couche de nuages couvrit le ciel. Gudlaugson fit rabattre complètement la voile et remonter le gouvernail. Le vaisseau sembla alors s'immobiliser, roulant lourdement au gré des flots qui tantôt le précipitaient dans les fosses d'eau, tantôt le remontaient sur leur arête avec des craquements sinistres de la coque.

Alors que la perdition de l'équipage de Helmsdale devenait une certitude pour tous, au fur et à mesure que le délai d'attente touchait à sa fin, la détection d'un objet flottant au loin secoua l'équipage de sa torpeur. C'est Gunni qui, à force de scruter l'horizon, signala la chose qu'il montra à Gudlaugson. «Là!» fit-il en se plaçant derrière l'Islandais, le bras tendu au-dessus de son épaule et l'index fixé sur une masse noire, qui apparaissait et disparaissait en cadence sur la mer mouvementée. «Qu'est cela? s'interrogea le capitaine.

— Ce n'est pas un animal, ça ne produit aucun souffle. Ce n'est pas non plus un débris de mer, la forme est trop régulière, fit remarquer Gunni.

— Mais ce n'est pas le knörr, à moins qu'il ait perdu mât et voilure, poursuivit Gudlaugson, sur un ton perplexe. C'est d'ailleurs trop petit pour l'être, ce me semble…

— Par Thor, on dirait qu'on s'en éloigne!» échappa Gunni, en plaçant une main en visière. Puis, il jeta un coup d'œil implorant à Gudlaugson qui, imperturbable, se contenta de fixer la ligne d'horizon en hochant la tête.

En quelques minutes, le pont fut envahi par les passagers accourus à l'annonce de la découverte. Afin d'avoir la meilleure vue, les uns bousculaient les autres en demandant, la voix empreinte de nervosité et d'espoir, dans quelle direction il fallait regarder. Les personnes qui réussissaient à déceler l'objet donnaient des indications aux autres qui ne voyaient rien et ces dernières, frustrées par leur incapacité à percevoir, renouvelaient leurs questions exaspérantes aux premières.

Tandis que la tension montait au sein du groupe parce que nul n'arrivait à identifier la nature de l'apparition signalée par le chef de Helmsdale, Comgan tint audience avec celui-ci et le capitaine. « Mes braves sires, dit-il, l'heure de none approche. Avant de reprendre la route, tel qu'il en a été préalablement convenu, je propose que nous allions voir de quoi il en retourne avec cette chose indéchiffrable repérée par messire Gunni. Ainsi aurons-nous peut-être des réponses à nos affreuses interrogations et pourrons-nous repartir vers notre destination finale le cœur en paix.

– Comgan, les vents sont contraires pour atteindre la cible, dit immédiatement Gudlaugson. Nous devrons louvoyer et cela risque de prendre beaucoup de temps. À mon avis, ce que nous pourrions trouver là n'aura probablement pas mérité d'y consacrer un tel effort.

– Je ne suis pas d'accord, Gudlaugson, s'opposa Gunni. Je crois que du temps, nous pouvons en accorder, surtout s'il s'agit de résoudre une énigme qui, comme le suggère Comgan, peut nous apporter la tranquillité d'esprit. N'oublie pas que nous parlons du knörr et des gens de mon clan : te résignerais-tu aussi facilement à les abandonner s'ils étaient tiens ? » En croisant le regard résolu du moine, le capitaine comprit qu'il devait céder à la demande du chef de Helmsdale. Il lança des ordres à ses hommes, qui, trop heureux de passer à l'action, réinstallèrent le gouvernail, remontèrent la voile, au coin inférieur de laquelle ils ajustèrent un épar de cordage pour l'orienter, technique utilisée afin de profiter du moindre souffle de travers susceptible de pousser un navire dans la direction opposée au vent.

Les manœuvres furent plus efficaces que l'Islandais l'avait laissé entendre, car l'objet flottant fut à portée en moins d'une demi-heure : c'était, à la consternation générale, une des grosses barriques faisant partie du fret de Herulf, celle qui contenait les grains et les précieuses semences pour le nouvel établissement à Alba. On la repêcha et l'ouvrit. Vu le volume d'air qu'il contenait et l'hermétisme de ses joints calfatés au goudron, le tonneau avait flotté aisément durant plusieurs heures, constituant vraisemblablement le seul bien récupérable après l'hypothétique naufrage du knörr écossais. Devant cette constatation désolante, chacun tira ses propres conclusions, en silence.

Les hommes scellèrent de nouveau le baril et le rangèrent avec le reste de la cargaison. Arabel ne dit rien et regagna l'auvent avec ses jeunes fils, qui s'accroupirent dans ses jupes en reniflant. Comgan fit un signe discret au capitaine avant de retourner à sa place. Se munissant de son livre saint, il entreprit de prier à haute voix pour le bénéfice des passagers qui s'étaient regroupés spontanément autour de lui. Pour sa part, Moïrane rejoignit son mari à la poupe du navire. Dans une attitude recueillie, épaule contre épaule, le couple fixa longtemps la vaste étendue mouvante avant de parler. Il évoqua alors les disparus et rendit hommage à leur mémoire.

Après avoir effectué quelques calculs à l'aide de ses instruments, Gudlaugson reprit la barre en affichant un air stoïque et les hommes d'équipage exécutèrent ses commandements sans zèle, mais avec une pondération pleine de gravité. Le knörr tourna lentement sa proue en direction ouest, sa voile se gonfla pleinement et son étrave recommença à fendre les flots en crachant.

Les jours après le drame furent parmi les plus silencieux de l'expédition sur le knörr islandais. Exceptées la voix douce de Comgan, en fréquentes prières, et celle, tonitruante, de Gudlaugson pour diriger les manœuvres, aucune autre ne s'éleva parmi les passagers. Les habituelles conversations animées firent place aux chuchotements, et les rires, aux pleurs contenus. Même les enfants, dont le babillage avait jusque-là agrémenté l'ambiance du voyage, se turent ou geignirent discrètement. Évaluant la perte inopinée du matériel et des bêtes emportés par le navire de Herulf, Gunni aurait dû discuter de l'organisation future du groupe avec le capitaine et le moine, mais il n'eut pas le courage d'aborder ce sujet. Cependant, il s'en ouvrit à Moïrane dans le secret de leur couche. « Plus de bœuf pour servir nos vaches, donc plus de veaux et, éventuellement, plus de lait, se plaignit-il ; sans moutons, pas de laine, alors comment ferez-vous pour filer, tisser et réparer les vêtements, Arabel, Ingrid et toi ?

— Plaise à Dieu que l'on déniche sur place du coton sauvage pour les travaux de tissage, répondit Moïrane, et pour le lait, souhaitons que nos vaches retrouvent leur production. Mais vous, les hommes, avec quoi allez-vous tuer les morses ou retourner la terre, puisque tout l'équipement de chasse et les houes sont irrémédiablement perdus ?

— Nous devrons chasser avec nos épées, nos haches et nos arcs… Gudlaugson prétend qu'il y a des marais ferreux à Leifbudir… L'ancien campement greenlandais comprenait une petite forge pour la réparation des knörrs durant l'hiver et le fer des clous provenait apparemment

77

des étangs avoisinants. Si cela est vrai, nous pourrons peut-être extraire suffisamment de minerai pour fabriquer des pointes de harpons et de flèches, voire même des herminettes. Markus nous montrera comment, il était forgeron avant de s'enrôler avec Gudlaugson.

— Je crois que nous ne devrions pas nous morfondre à l'avance avec ces problèmes, et compter sur toutes les richesses dont semble regorger cette terre d'Alba que le capitaine vante avec une si belle assurance...

— J'aimerais avoir encore confiance en lui, Moïrane, mais depuis la perte de notre knörr, je n'y arrive tout simplement pas.

— Je sais, mon amour, c'est difficile, concéda Moïrane. Ne serait-ce que pour Arabel et ses fils, il faut démontrer notre foi dans l'expédition malgré nos doutes sur son dirigeant. Je suis convaincue que saint Kenneth veille toujours sur nous depuis les côtes d'Irlande et qu'il ne nous abandonnera pas jusqu'à ce qu'on ait touché les rivages du Vinland.

— Honnêtement, soupira Gunni, après ce que nous venons de subir, je ne sais plus laquelle des assistances est la plus propice à notre équipée: celle de Christ et de ses saints ou celle d'Odin et de ses amis divins?

— Garde-toi de renoncer à ta religion, Gunni! C'est précisément dans les pires moments que les croyances chrétiennes nous éclairent...

— Tu parles maintenant comme Comgan. Je le soupçonne de vouloir te transformer en nonne à ton insu, Moïrane. À mon avis, tu devrais te méfier grandement et ne pas négliger tes devoirs d'épouse. Laisse-moi t'y aider...» Ce disant, l'homme honora sa femme avec diligence, puis, dans l'apaisement de son corps rassasié, il se prit à calculer le nombre de jours qui le séparaient de leur dernière étreinte, chose qu'il n'avait jamais faite auparavant.

Au dernier jour d'octobre, le vingt et unième en mer depuis le départ d'Irlande, Gudlaugson décida de lâcher les corbeaux affamés. Les deux oiseaux, enfermés dans des cages séparées, prirent leur envol l'un après l'autre. Ils planèrent au-dessus du knörr en ayant l'air de se poursuivre durant un court moment, puis ils disparurent à tire d'aile en direction du sud-ouest. Le temps clair permit de les surveiller longtemps depuis le pont avant sur lequel s'étaient massés, autour du capitaine, son gendre Hans et les cousins Ketilson, deux gaillards blonds aux bras d'acier. Du nord soufflait une brise trop légère pour hérisser la mer, qui ressemblait plutôt à une grande peau lisse et ondulante. L'air était si doux que personne ne se résigna à quitter son poste d'observation à la proue.

Adossé au bastingage, Gudlaugson compulsait ses notes. De temps à autre, il se retournait pour se pencher au-dessus des vagues qui léchaient le navire et il scrutait l'abîme à la recherche d'indices de l'approche des côtes. Selon ses prévisions, elles auraient dû être en vue depuis trois jours ; ce retard commençait à l'indisposer. D'abord, la provision d'eau douce allait incessamment toucher le fond des tonneaux, ensuite, l'épuisement du combustible obligeait l'équipage à limiter l'activité du foyer à seulement quelques heures quotidiennes. Les femmes et les enfants avaient commencé à souffrir du froid et de l'humidité apportés par les nuits, et, enfin, le chef de Helmsdale s'impatientait fort de descendre à terre. Surtout devant ce dernier, Gudlaugson masquait son angoisse le mieux possible, affichant un air plein d'assurance. «Nous sommes tout près», clamait-il continuellement en tortillant le bout de sa moustache autour d'un doigt nerveux. Aussi respira-t-il plus à l'aise quand, après deux heures d'attente, on constata que les corbeaux ne revenaient pas.

«Dis-moi, Comgan, quelles sont les instructions de ton évêque dans la situation où nous n'atteindrions pas notre destination?» Je levai les yeux sur Gunni qui, penché au-dessus de nous, posait sa question sur un ton importun. Depuis la première heure du matin, j'avais repris mes leçons avec le frère Comgan, Arabel nous ayant assuré qu'elle n'avait plus besoin de nos attentions. Gunni, de son côté, avait talonné l'ineffable Gudlaugson sans interruption, le harcelant par ses commentaires sur la prolongation de notre séjour en mer. Apparemment, le relâchement des corbeaux n'avait pas calmé son irritation et son apostrophe au moine démontrait qu'il tenait à l'exprimer. «Qu'est-ce qui vous fait penser que nous ne toucherons pas Alba, messire?» répondit calmement le frère Comgan, en refermant le livre saint posé sur ses genoux. «N'ai-je pas vu tout à l'heure le capitaine libérer nos émissaires ailés?

– Si fait, les cages ont été ouvertes, mais c'était à tierce* et nous approchons l'heure de sexte*, rétorqua Gunni. Les corbeaux ne sont pas revenus, certes, mais les côtes du Vinland n'apparaissent pas pour autant. Or, voilà trois jours fermes que nous devrions fouler son sol, d'après notre chef d'expédition.

– Que sont trois jours, mon fils, quand il s'agit de traverser une si grande mer ? Convenez qu'il est trop tôt pour s'alarmer comme vous le faites. Songez à l'humeur générale qui ne doit pas se détériorer et essayez de donner l'exemple en ce sens. »

Je vis le visage de Gunni s'empourprer de colère et instinctivement, je mis une main protectrice sur le bras du frère Comgan afin qu'il parle avec plus de retenue. Mon mari, auquel mon geste n'échappa pas, s'accroupit devant nous et plongea un regard dur dans celui de l'Irlandais. « Soyons pragmatiques, Comgan, et évoquons la possibilité d'être égarés en mer, dit-il d'une voix sourde et courroucée. Est-il prévu que tu prennes alors le commandement du navire et, si oui, comment vas-tu gérer la pénurie de vivres ? » Comme je fus soulagée que cet échange prenne abruptement fin et que le frère Comgan s'abstienne de répondre à une question aussi grave ! À la proue, les hommes de Gudlaugson s'étaient mis à gesticuler et à crier, montrant du doigt un oiseau dans le ciel. Gunni se releva promptement et, le sourcil retroussé, il lâcha un « Tiens, tiens... » étonné avant de se ruer sur le pont. Mon cœur bondit et, un sourire contrit sur les lèvres, je pris congé du moine. J'empoignai mes jupes à deux mains et m'élançai sur les talons de Gunni, en souhaitant qu'il y ait méprise : comme tout le monde à bord, je redoutais le retour des corbeaux car il signifiait que les robustes oiseaux n'avaient pu se poser ailleurs, à quelques miles du navire.

Là-haut, Gunni s'était frayé une place jusqu'à Gudlaugson, le long de la rambarde, et je le rejoignis en me glissant à ses côtés. Comme lui, je me concentrai sur le ciel et ses nuages effilochés, à la recherche du volatile.

Mon mari, dont les yeux gris passaient pour être parmi les plus perçants qui soient, le repéra avant moi et s'exclama : « Par Thor, ce n'est pas un corbeau, mais une sterne !

— Tu en es sûr ? Oui, je crois bien que tu as raison… juste à sa manière de se déplacer sur l'air, c'est indéniablement un oiseau de mer », fit Gudlaugson d'une voix tremblante d'excitation. La clameur d'allégresse qui accueillit le commentaire du capitaine au sein de ses hommes d'équipage me fit frémir de la tête aux pieds. L'apparition d'un oiseau de mer, ne fût-ce qu'un seul, dénotait indiscutablement la proximité d'un littoral : nous étions bel et bien arrivés au Vinland ! Submergée d'un bonheur aussi total que soudain, j'entourai le torse de Gunni de mes bras et je me pressai contre lui : « Tu vois bien, mon amour, murmurai-je à son oreille, il ne faut jamais désespérer. Lorsqu'une entreprise est bénie à son point de départ par le Très-Haut, elle ne peut faire autrement qu'aboutir.

— Si cela te fait plaisir que j'accorde le crédit de la traversée réussie à Christ ou à saint Kenneth plutôt qu'à Odin ou au husanotra, je suis prêt à le faire, ma bien-aimée. La première étape de l'expédition est franchie, soit. Voyons maintenant ce que les dieux nous réservent pour la suite », répondit Gunni tout bas. J'allais lui reprocher son manque de conviction religieuse, mais il scella ma bouche par un baiser. Puis, quand nous nous détachâmes pour reporter notre attention sur la fameuse sterne qui volait maintenant au-dessus de nos têtes, je jetai un coup d'œil en direction du frère Comgan resté sous l'auvent. Avec Ingrid et Arabel, il était sorti de l'abri pour observer le vol de l'oiseau, et je le surpris à nous fixer bizarrement, Gunni et moi. J'eus alors l'étrange certitude que le moine connaissait la nature des propos que j'avais échangés avec mon mari et qu'il les désapprouvait. Désireuse que ma joie ne soit ternie par aucune contrariété, je demeurai sur le pont avec Gunni au lieu de redescendre auprès de mon instructeur de lecture.

Pendant l'heure qui suivit, joignant ma voix à celle des hommes d'équipage, je m'extasiai sur l'apparition d'autres sternes, sur celle de débris d'algues flottant à la surface des vagues et sur celle de poissons d'eau peu profonde ; autant de marques tangibles confirmant l'approche des côtes. Gudlaugson regagna la poupe avec un enthousiasme débordant et reprit la barre d'une main fébrile.

J'étais encore à la proue du navire quand Gunni repéra enfin le contour d'un rivage à l'horizon, côté tribord. Gudlaugson rectifia aussitôt le cap, et, d'une voix tonnante, il commanda qu'on perce le baril de bière gardé spécialement pour célébrer cet événement. Le milieu du knörr se vida instantanément au profit de son pourtour. En une joyeuse bousculade, tous les passagers se pressèrent afin d'avoir une place le long des platsbords pour apercevoir cette terre promise du Vinland. Resté seul derrière le mât, le frère Comgan tenta d'entonner une prière pour rendre grâce à Dieu, mais sa voix fut couverte par la liesse générale. Entourés de leurs fillettes, Cinead et Ingrid se blottissaient l'un contre l'autre sur le pont avant, tout comme Gunni et moi, alors qu'Arabel s'isolait à la poupe, son petit garçon souffreteux dans les bras, en regardant vers l'océan que nous allions bientôt quitter. Non loin d'elle, le jeune Neil tenait la main de son petit frère Martein et semblait partagé entre la compagnie de sa mère éplorée et celle des passagers réjouis.

Le désespoir d'Arabel et la tristesse de ses enfants me chavirèrent le cœur. Ma gorge se serra de sanglots au point où, quand vint mon tour de boire au gobelet de bière qui circulait de bouche en bouche, j'y trempai à peine les lèvres. Mon émoi et sa cause n'échappèrent pas à Gunni, car il m'enserra la taille tendrement et chuchota, le nez enfoui dans ma coiffe : « N'y songe plus, Moïrane, cela fait maintenant partie du passé. » Je m'abandonnai contre son épaule réconfortante en me concentrant sur le souffle régulier qui soulevait sa poitrine. De façon plutôt incongrue, le visage narquois d'Elsie m'autorisant à utiliser son ruban de grossesse pour border mon ouvrage me revint en mémoire et, tout aussi inopinément, mes pensées se fixèrent sur mon ventre. C'est alors que je réalisai que je n'avais pas saigné depuis notre départ de Helmsdale, le 24 septembre. Or, selon le frère Comgan, nous étions le 31 octobre. Ainsi, au bonheur de voir notre périple en mer toucher à sa fin s'ajouta celui, plus secret, d'une vie nouvelle qui prenait possiblement racine en moi.

Chapitre iv

L'organisatrice

Durant la longue approche des côtes, dont la vue monopolisa tout l'équipage, je m'activai à autre chose. Ne voulant pas attendre que le knörr ait amarré pour préparer le débarquement des familles, je délaissai la compagnie du frère Comgan pour m'affairer sous les ponts. Il me semblait que mon devoir me commandait de prévoir les besoins en terme d'installation et de vivres pour Arabel, Ingrid et les enfants. Aussi me mis-je en tête de rassembler le matériel qu'on descendrait, que ce soit les toiles pour dresser un abri, les fourrures de sol ou les cageots de provisions.

La santé du petit Jakob m'inquiétait beaucoup. Malgré le fait que le fils d'Arabel ne quittait pratiquement pas la proximité du foyer et le chaud couchage qu'elle lui avait aménagé, l'enfant demeurait fiévreux et somnolent. De son côté, Ingrid, que la traversée avait passablement malmenée, était devenue si maigre qu'elle grelottait sans cesse. Comme elle laissait toujours la place à ses fillettes autour de l'âtre pendant les quelques heures où ce dernier était allumé, elle ne parvenait pas à se réchauffer. Je lui dénichai une lisière de vadmal* qui n'était pas trop humide et lui confectionnai une cape supplémentaire dans laquelle l'envelopper. «Ne t'en fais pas pour moi, Moïrane, me dit-elle avec gratitude. Dès que j'aurai pied à terre, mon aplomb va me revenir et je vais m'activer. Si seulement on pouvait vite allumer un grand feu…

– Certes! Voilà exactement la toute première besogne à laquelle je compte m'employer, lui répondis-je. Nous allons très bientôt avoir le bonheur de chauffer nos mains et sécher nos vêtures tout en cuisant une bonne soupe. Je te réserve la toute première louche de bouillon brûlant.

– Ce ne sera pas de refus, murmura-t-elle. Cette traversée a été tellement éprouvante que je suis convaincue d'une chose: n'importe quel endroit au monde offre plus de confort que cet abominable navire. Même notre voyage de retour en Écosse me rebute…»

À vrai dire, je n'étais pas loin de partager son avis: le manque de combustible, allié à la menace de disette, commençait à peser lourd sur le moral des deux mères de l'expédition qui ne pouvaient considérer le knörr autrement que comme un bouge glacial et impropre à y garder des enfants. Mais jusqu'alors, je n'avais pas pris conscience de l'état d'esprit navrant de mes amies et du grand dénuement avec lequel elles tentaient de composer depuis des jours. Un soubresaut accompagné d'une quinte de toux secoua Jakob et je reportai mon attention sur l'enfant en me demandant comment la jouissance de la terre ferme pourrait le mieux lui agréer. Mue par l'idée d'apaiser sa fièvre, je m'attaquai au tonnelet du knörr de Herulf pour l'ouvrir et en explorer attentivement le contenu. Comme son stockage avait été supervisé par Devorguilla, à Helmsdale, je ne savais pas si une réserve d'herbes soignantes y avait été intégrée. Y avait-on déposé, par exemple, de l'achillée, des feuilles de menthe ou de la digitale? Cette vérification, j'aurais dû la faire bien avant le terme de notre voyage et je m'en voulus de l'avoir négligée. Aussi, est-ce avec soulagement que je découvris un ensemble de sachets en peau à côté des semences, des baies de genévrier, des plants d'angélique fraîche et des bourgeons de houblon. Les humant à tour de rôle, je détectai celui qui renfermait l'achillée et je le glissai dans ma poche avec l'intention de consacrer le premier bouillon de la marmite à concocter une infusion pour le garçonnet d'Arabel.

La côte qui se dessinait de plus en plus clairement au fur et à mesure que le knörr s'en approchait présentait une enfilade d'anses échancrées et de caps rocheux couverts surtout de résineux. Une petite colonie de sternes partageait avec des guillemots la falaise d'un large promontoire qui, une fois contourné, s'avéra être une péninsule. Dans le loch* que celle-ci formait avec la côte, Gudlaugson décida d'accoster. Contrairement au reste de l'équipage, qui mit beaucoup d'empressement à débarquer, le capitaine s'attarda sur le pont arrière avec son gendre Hans. Plongé dans un examen attentif du littoral qu'il alternait avec une consultation de ses notes, Gudlaugson finit par se déclarer insatisfait du point d'arrivée, au chef du clan Gunn qui s'inquiétait de son peu d'enthousiasme. «Le bateau a dérivé trop au nord, lui confia-t-il. Nous avons touché le Markland*, possiblement à une ou deux journées des côtes de l'île d'Alba, située plus au sud. Voilà la raison de notre retard…

– C'est ennuyeux, admit Gunni, mais ce n'est pas catastrophique. Laissons-nous donc le loisir de refaire le plein d'eau et de bois de chauffage ; permettons aux femmes et aux enfants de se sécher et de s'ébattre un peu au sol ; puis nous appareillerons de nouveau. N'est-ce pas l'affaire de quelques jours, tout au plus ?

– Il serait préférable de ne pas rester aussi longtemps ici. La saison est avancée et nous allons manquer de temps pour préparer la chasse d'hiver. Il y a également le campement de Leifsbudir à remonter avant les gelées, en plus des armes à se fabriquer pour remplacer celles que nous avons perdues…

– Attends, Gudlaugson ! coupa Gunni. Que veux-tu dire exactement par « remonter » le campement ?

– Les maisons sont toutes à rebâtir : les toits et les murs se sont effondrés dans l'incendie…

– Quel incendie ?

– Je croyais te l'avoir dit : les derniers Greenlandais à avoir séjourné à Leifsbudir ont bouté le feu aux habitations après les avoir entièrement vidées de tout mobilier ou équipement. Ils n'ont absolument rien laissé derrière eux. Une façon, j'imagine, de s'assurer que personne d'autre ne profiterait des installations par suite de leur abandon. Ils sont comme ça, les Vikings d'Eirik Raudi, une bande de découvreurs égoïstes. Depuis leur départ, une douzaine d'années d'intempéries ont continué la destruction du campement entreprise par ses derniers occupants. Ne t'attends pas à découvrir un joli hameau à la pointe nord d'Alba.

– Comgan est-il au courant de cela ? s'inquiéta Gunni.

« – Plus ou moins, avoua Gudlaugson. L'évêque George en savait peut-être davantage, mais il est demeuré évasif sur cet aspect. En fait, les papars pensent que nous allons rejoindre la communauté chrétienne d'Ari Marson dès notre arrivée en Alba et que nous allons profiter de son hospitalité durant tout l'hiver. Pour je ne sais quelle raison, ils situent leur établissement à Leifsbudir, ce qui n'est pas le cas.

– Ton vieillard islandais ne vit donc pas à cet endroit?

– Oh non! Lui et ses gens occupent un emplacement sur le versant ouest de l'île, assez loin de Leifsbudir. D'ailleurs, à cette période de l'année, je ne serais pas étonné que le groupe se soit déjà retranché dans les terres du milieu, comme le font les Skrealings à l'approche de l'hiver. À mon avis, on ne verra personne sur la péninsule de Leifsbudir avant quatre bons mois, soit le temps que les glaces soit suffisamment épaisses pour permettre la chasse au morse.

– Quatre mois! Mais c'est une éternité si nous devons compter sur nos seules ressources pour réorganiser le site! s'exclama Gunni.

– En effet! Voilà précisément pourquoi nous devons nous hâter », conclut Gudlaugson. Cependant, conscient de l'impopularité que cette décision allait avoir auprès des passagères et des questions qu'elle soulèverait inévitablement chez Comgan, le capitaine laissa le chef du clan Gunn se débrouiller avec son annonce.

Malgré ses efforts pour négocier, au nom de ses deux compagnes, que le groupe bénéficie de temps supplémentaire dans sa halte au Markland, Moïrane dut se résigner à une installation pour une seule nuit. Afin de libérer les femmes pour l'échafaudage du campement, Gunni et Cinead entraînèrent les enfants sur les rochers à la cueillette des œufs d'oiseaux de mer, denrée faste en cette fin d'expédition où les cageots de vivres étaient presque vides. Seul le petit Jakob ne participa pas à l'excursion, dont il n'eut d'ailleurs pas conscience, vu son état d'hébétude. Dès après le débarquement, l'enfant avait été enroulé dans des peaux et couché à l'abri d'un rocher face au brasier, mais il avait à peine entrouvert les yeux depuis.

Tandis que le soir descendait et que l'installation du groupe prenait forme sur la plage, les Islandais s'activèrent au stockage du bois et de l'eau nécessaires à la poursuite du voyage. Comgan profita de ce moment pour s'isoler avec le capitaine, à quelques yards du site, afin de le confronter sur ce qui attendait les membres de l'expédition à Leifsbudir. Cette fois, Gudlaugson ne put ni se défiler ni éluder la question. De mauvais gré, il fournit les éclaircissements demandés, lesquels contrarièrent fort le moine. « Une mise au point s'impose, messire Gudlaugson, dit ce dernier. Le premier but de ma mission n'étant pas la collecte d'or blanc, mais de m'introduire dans la communauté celte installée là, vous conviendrez que les énergies de tout le groupe devront d'abord répondre à cette exigence. Aussi, dès que les installations de Leifsbudir seront devenues habitables, que les maisons devant abriter les femmes et les enfants auront tout le confort nécessaire, je partirai à la recherche de cet homme qui se fait appeler L'Envoyé de Frederik, avec vous et vos hommes. Si nous devions y consacrer tout le reste de l'automne et même une partie de l'hiver, nous le ferons. J'ajouterai que je n'entends pas que vous vous employiez à la chasse tant et aussi longtemps que je n'aurai pas rencontré les Albains. »

Deux îles basses comme des terrasses rocheuses protégeant deux baies anguleuses séparées par un isthme herbeux et plat : voilà la première vision d'Alba qu'eurent les passagers du knörr islandais, après la traversée du détroit qui ouvrait sur la mer intérieure du Vinland. Gudlaugson orienta le navire de sorte qu'il courre le vent en poupe et fonça plein sud sur la plus petite des baies, celle à tribord. Bien que la plage de celle-ci semblât plus courte que l'autre, elle était bien ensablée et presque dépourvue de récifs, ce qui laissait présager un mouillage facile.

Au passage de la pointe de l'isthme, Gunni examina un îlot hérissé de larges dalles de granit verticales, comme des pierres levées, ce qui réveilla ses dispositions de graveur, et il se dit que le lieu serait idéal pour tenir des things. Moïrane considéra l'endroit avec autant d'intérêt que son mari, mais elle lui trouva une tout autre fonction, soit un site rêvé pour ériger une chapelle. Quant à Comgan, il ne vit rien de tout cela. Contrairement à son habitude, il avait fait le voyage campé à la proue du knörr, les dents serrées et les yeux fixés sur les côtes d'Alba, à la recherche de l'emplacement de Leifsbudir. Il sursauta soudain et fronça les sourcils quand Gudlaugson hurla fièrement : « Droit devant, mes sires ! Nous y sommes ! Voici l'ancien poste greenlandais au Vinland. »

À première vue, rien dans le monticule plat et d'aspect spongieux ne distinguait l'emplacement de l'ancien campement de celui d'une lande sauvage. D'ailleurs, les vestiges des maisons ne furent apparents que bien après l'accostage, quand les membres de l'expédition purent grimper jusqu'au site. Sur les hauteurs du plateau passablement battu par les vents étaient disposés en arc de cercle trois bâtiments principaux. Envahis d'arbustes, ils émergeaient à quelques yards les uns des autres, à l'est d'un cours d'eau peu profond qui descendait à la mer en décrivant une large loupe. Les décombres de quatre autres constructions, de petite dimension, possiblement des dépendances, se distinguaient également. Les épais murs de tourbe, à moitié effondrés sur les charpentes de toit calcinées, témoignaient piteusement des longues maisons qu'avait érigées Leif Eiriksson voilà plus de dix ans. Au sud-ouest du site, près du ruisseau, un tas de pierres rondes sommairement amoncelées autour d'un emplacement de foyer indiquait les bases de la forge dont avait parlé Gudlaugson. Au-delà des limites du terrain, il y avait des marécages bordés par la forêt au nord-est et par une éminence rocheuse au sud-ouest, le tout se découpant sur fond de ciel gris et menaçant.

Une vague de consternation allait s'emparer des voyageurs quand Comgan y mit un frein en bénissant le lieu. Il réclama l'attention des fidèles dépités, lesquels firent cercle pour entendre l'action de grâces qui s'ensuivit. Opportunément, quelques gouttes de pluie céleste ponctuèrent l'événement, sans diminuer le recueillement auquel était parvenu le groupe. Gunni écouta les oraisons d'une oreille distraite tout en surveillant, du coin de l'œil, les trois vaches occupées à paître gloutonnement. Tranquillement et sans en avoir l'air, le chef de Helmsdale profita du moment pour évaluer l'endroit, sa situation stratégique dans la baie, ainsi que la qualité et la quantité des ressources qu'il offrait: combustible à profusion, bois d'œuvre de mélèze et de pin à proximité, eau vive et douce au pied du site, pâturage bien gras alentour. Plongé dans des pensées similaires, Gudlaugson se concentra sur son plan d'action pour le prochain chantier et bougonna, plus qu'il ne récita, les prières entonnées par l'assemblée des futurs colons.

Curieusement, ce furent les femmes qui exprimèrent l'accueil le plus positif à ce qu'avait jadis été Leifsbudir. Tandis que les hommes se taisaient devant l'ampleur de la besogne à abattre pour remettre en état les installations, Moïrane, Arabel et Ingrid, flanquées des enfants, firent le tour de l'emplacement d'un pas énergique en commentant vaillamment tout ce qu'elles remarquaient. En moins de temps qu'il n'en faut pour retourner une chemise, elles avaient déterminé l'usage de chacune des maisons et réparti les membres de l'expédition en fonction de celui-ci : les Écossais du clan Gunn occuperaient la maison du sud, qui avait deux dépendances et jouxtait le ruisseau ; la plus large maison, à l'extrémité nord, serait octroyée aux Islandais, et la plus petite, au centre, serait habitée par le moine et servirait de lieu de prière pour la communauté. Puis, satisfaites d'avoir donné leur opinion, Moïrane, Ingrid et Arabel entraînèrent les enfants au knörr pour procéder au débardage des sacs et des coffres.

Après leur départ, les hommes arpentèrent minutieusement le site en évaluant d'un œil critique la somme de travail que chaque bâtisse exigeait pour être restaurée. À l'issue de cet examen strict, ils convinrent de limiter les réparations à une seule longue maison d'ici la venue de l'hiver. Ils arrêtèrent leur choix sur celle qui présentait la meilleure valeur, tant pour son emplacement que pour son état de conservation.

Même si la décision de ne pas rénover les trois habitations me déçut, je n'en laissai rien paraître devant mes amies. Au contraire, je m'appliquai à leur vanter les possibilités offertes par la bâtisse que les hommes avaient sélectionnée. En effet, non seulement la maison du sud semblait-elle la plus longue et était-elle pourvue de deux dépendances, mais elle était également la plus près du cours d'eau. En outre, son apparente subdivision interne en trois espaces fermés accommodait parfaitement un groupe hétéroclite comme le nôtre. En effet, je voyais bien s'installer les familles dans la pièce contiguë à la salle commune et les huit Islandais dans la grande partie centrale, face à la chambre haute, laquelle devait logiquement être concédée au frère Comgan. Dès que je partageai ce point de vue avec les membres de l'expédition, j'eus le contentement qu'il soit, cette fois, adopté à l'unanimité.

La semaine qui suivit notre débarquement à Leifsbudir monopolisa pleinement chacun de nous. Tandis que les hommes s'occupèrent à la découpe des blocs de tourbe et du bois destiné à réédifier la charpente de la maison, nous en débarrassions le sol des décombres calcinés. La nuit venue, nous nous retrouvions de nouveau sous les ponts du navire pour manger et dormir au sec. Elena, l'aînée d'Ingrid, âgée de cinq ans, découvrit que deux des trois vaches avaient recommencé à donner du lait ; Martein, du même âge, trouva des crustacés dans une anfractuosité du littoral ; Neil, plus aventureux parce que le plus vieux des enfants, décela une frayère à saumons dans le lac d'embouchure du ruisseau. L'apport inespéré de nourriture fraîche que ces découvertes fournirent à nos repas de céréales contribua grandement à ravir les palais et à combler les ventres affamés. «Tant et aussi longtemps que l'on mangera bien, on va tenir le coup», m'étais-je dit, en pensant surtout à mes compagnes et à leurs enfants.

Les préoccupations des hommes semblaient porter davantage sur l'équipement dont ils disposaient pour soutenir leur labeur que sur le contenu de leur écuelle. En effet, les bons outils ayant été transbordés sur le knörr écossais, il ne leur restait plus en mains que leurs armes personnelles, arcs, boucliers, épées, haches de combat et couteaux: des articles à peine adéquats pour l'abattage et le taillage des arbres et pour le découpage de la tourbe de maçonnerie. «Au moins, les gars, on demeure armés si des ennemis viennent à nous surprendre», avait dit Gudlaugson pour effacer le souvenir des instruments plus efficaces, malheureusement perdus. J'avoue que cette remarque me mit mal à l'aise, car elle rappelait la perspective inquiétante de voir notre expédition croiser des habitants hostiles à notre présence sur l'île et elle soulevait la question de la fonction défensive de notre établissement. Comme le frère Comgan n'avait pas relevé l'allusion du capitaine, j'en déduisis que la menace ne devait pas être aussi réelle que je le supposais.

Une autre contrariété m'affecta, dès les premiers jours à Leifsbudir: j'avais saigné. Est-ce l'énormité de la tâche nous accablant qui m'empêcha de m'apitoyer sur cette déception? Je le crois bien. En effet, malgré la dureté des travaux auxquels j'étais soumise d'un soleil à l'autre, je les assumais avec inspiration: les calculs et projections pour organiser la longue maison, la planification des travaux intérieurs et la répartition des denrées pour élaborer les repas, tout cela m'occupait l'esprit sainement et me tenait pleinement occupée, si bien que je me trouvais, somme toute, très satisfaite de mon sort à Alba. J'avais l'impression que l'enthousiasme inflexible avec lequel je me dévouais à l'entreprise déteignait sur le moral de mes compagnes. En outre, en ma qualité d'épouse du chef du clan Gunn, je me considérais comme responsable de l'aménagement du futur logis, lequel était la clef d'un bon démarrage de la colonie. C'est ainsi que, durant deux semaines, je m'investis corps et âme et ne connus de répit que le jour où la longue maison reçut son nouveau toit.

Cela advint le troisième dimanche de novembre. Le soleil avait commencé à décliner quand le calfatage de la toiture fut enfin terminé. Il faisait grand vent, ce qui favorisait un séchage et un durcissement rapides de la boue d'étanchéité, et les hommes s'en montrèrent enchantés. Ils descendirent des échelles et allèrent se laver au ruisseau, puis ils nous retrouvèrent dans la salle commune. Nous nous rassemblâmes autour de la fosse à feu avec une certaine émotion en oyant les rafales souffler au dehors. Une forte odeur de mousse se dégageait des parois brunes encore tout imprégnées de la moiteur des marais et, du sol terreux, montait un froid humide qui s'infiltrait le long de nos jambes. Tandis que nous écoutions l'action de grâces prononcée par le frère Comgan, je réalisai que j'avais complètement oublié mes leçons de lecture et que, par conséquent, j'avais beaucoup négligé la compagnie de mon instructeur. Par ailleurs, ce dernier avait principalement besogné en retrait des membres de l'expédition, en restaurant seul la portion de l'édifice qui lui était attribuée. Étrangement, je n'éprouvai aucun regret devant ce constat d'éloignement, et c'est avec indifférence que j'observai le moine durant la cérémonie.

« Que cette demeure, érigée de nos mains, soit à l'image de Ton amour, Christ : accueillante, réconfortante et ouverte à tous ! Qu'elle serve d'abord Ton dessein, puis ceux des hommes qui l'habitent. Dans Ta bonté infinie, protège-la comme Tu le fais des édifices saints édifiés à Ta gloire et octroie la santé du corps à ceux et celles qui assureront son maintien. Nous recommandons tout particulièrement à Ton attention dame Moïrane, afin qu'elle soit touchée par Ta grâce dans ses futures fonctions de truchement* auprès des païens qui résident dans ce pays », réclama-t-il avec ferveur. Ces dernières paroles me firent sursauter, mais déjà, sans s'interrompre, le moine poursuivait l'oraison en appelant la vigilance divine sur chaque membre du groupe. Étonnée par le rôle que semblait vouloir me confier le religieux, je cherchai une forme de confirmation du côté de mon mari, debout à mes côtés, mais à l'évidence, celui-ci n'avait rien entendu.

En fait, Gunni était totalement distrait. Il promenait un regard scrutateur sur les murs épais ; la charpente de bois clair ; les estrades en planches qui servaient de bancs et de coffres ; l'arche de la porte intérieure ouvrant sur la chambre que nous allions partager avec les membres du clan Gunn ; l'encerclement de pierres plates de la fosse à feu ; la fumée qui s'échappait de celui-ci vers les deux trappes de toit ; bref, il examinait tout, sauf le frère Comgan. Quand je réussis à croiser ses yeux, il me coula un sourire béat. Je le lui rendis en cherchant sa main, que je pressai discrètement. « J'ai une telle hâte d'inaugurer notre couche… », murmura-t-il. Même si je partageais son envie, je me gardai bien de répondre, car le moine, qui m'avait à l'œil depuis le début de son discours, aurait interprété notre conversation comme une inconvenance. Cependant, je me promis de me rattraper en soirée.

Notre premier repas dans la maison de Leifsbudir, pris sur une table de pin qui sentait encore la sève, revêtit quasiment des airs de banquet. Grâce aux provisions inespérées que nous avions rassemblées en quelques chasses, pêches et cueillettes accomplies à la sauvette entre nos besognes de rénovation, nous nous empiffrâmes. Dans un joyeux affairement, Ingrid, Arabel et moi avions cuisiné treize lièvres à la broche, deux loutres de mer en ragoût gras, quantité de saumons et d'anguilles, un bouillon de pied d'angélique sauvage avec des baies séchées, le tout souvent arrosé de petit-lait au moment de servir. C'est bien connu, quand les ventres sont remplis et les gosiers désaltérés, les langues se délient. Ce charme opéra durant notre première veillée dans le logis de Leifsbudir, car les conversations allèrent bon train et nous libérèrent du poids des angoisses et des fatigues qui avait accablé chacun de nous.

Dans l'équipage islandais, Anderss, Jon et Karl, malgré leur jeune vingtaine, étaient des chasseurs de métier. Ils ne tarirent pas d'éloges sur le gibier ou sur ses traces entraperçues autour du chantier, tout en anticipant l'heure où ils pourraient donner libre cours à leurs vraies aptitudes. Markus annonça que l'évaluation des marais ferreux augurait d'une production possible de minerai et que la remise en état de la forge en peu d'efforts était tout à fait envisageable. Cinead supputa la richesse des sols avoisinants, tant pour le pâturage que pour la culture, et il les tint pour très prometteurs. Gunni suggéra que les deux dépendances soient réparées, l'une pour en faire un entrepôt et l'autre, une étable en vue de protéger les animaux des froids hivernaux. Ingrid parla de l'activité de tissage en montrant une provision de coton d'ortie qu'elle avait prélevé avec ses fillettes et elle avança qu'il y avait suffisamment à cueillir dans les champs pour en filer une quantité appréciable. Seule Arabel n'émit pas de projet précis. Même si l'état de son petit Jakob ne s'était pas détérioré depuis notre arrivée, il n'avait pas non plus connu d'amélioration, l'enfant demeurant très chétif. Quant à Gudlaugson, il déballa de nouveau tout son savoir sur Alba, allant des Skrealings aux gens de L'Envoyé de Frederik en passant par leurs campements respectifs et les mirobolants territoires de chasse, qu'il situait dans des lieux divers parfaitement inconnus de nous. Sa compréhension de l'île me parut aussi imprécise que ses notes sur la traversée avaient semblé l'être lorsque nous étions en mer, mais les sept hommes de son équipage lui prêtèrent une foi aveugle et débordante.

Dans l'impatience d'entendre le frère Comgan exposer ses plans et expliquer le rôle qu'il voulait me voir jouer dans l'évangélisation des Skrealings, je me serrai contre l'épaule de Gunni en glissant un bras sous le sien. «Avez-vous l'intention de courir le pays à la recherche de ses habitants avant d'entreprendre votre chasse d'hiver? lui demandai-je tout bas.

— J'ai bien peur que ce soit l'intention de Comgan, fit Gunni.

— Cela ne doit pas enchanter Gudlaugson.

— En effet, admit-il. Je m'attends à ce que le groupe se scinde sous peu : les Islandais à la chasse avec le navire;

les Écossais et l'Irlandais en mission chrétienne à travers les terres, à pied; les femmes et les enfants ici, à attendre au chaud le retour des uns et des autres. » Interdite, je fixai en alternance Gudlaugson qui pérorait et le frère Comgan qui se taisait. Si Gunni disait vrai, un épisode conflictuel était à prévoir, car les divergences de vues entre les deux hommes, latentes depuis notre départ de Helmsdale, allaient vraisemblablement émerger et s'entrechoquer. Je notai avec un certain soulagement que Gunni s'était placé d'emblée dans le camp du frère Comgan.

Comme on devait s'y attendre, le moine parla le dernier. Avec un calme altier qui énervait particulièrement Gudlaugson, le représentant de l'évêque de Limerick dévoila ses visées pour les mois d'hiver en surprenant tout le monde. S'il est vrai qu'il nous partagea en deux groupes, tel que Gunni l'avait prévu, sa division ne fut pas du tout la même que celle supputée, non plus que les objectifs poursuivis. « Le but principal de notre expédition, souligna le frère Comgan, orientera notre toute première action. Nous irons donc à la recherche de la communauté celte de L'Envoyé de Frederik et nous nous déplacerons par voie de mer, le navire constituant notre meilleure défense s'il nous fallait retraiter devant des ennemis potentiels. Lorsque la navigation deviendra trop hasardeuse à cause de la formation des glaces, nous reviendrons ici. La moitié de notre groupe fera partie de cette sortie. L'autre demeurera à Leifsbudir et développera le campement qui, comme nous le savons tous, doit faire office de colonie aux yeux des habitants de l'île. J'en viens maintenant au deuxième mobile de notre expédition, soit l'or blanc : il n'y aura aucune équipée de chasse au morse en ce premier hiver. Non seulement cette activité demande la participation de tous les hommes, mais elle requiert la fabrication de l'équipement approprié et l'usage de l'unique knörr dont nous disposons. Paix aux âmes de l'équipage de Herulf… Ainsi, messire Gudlaugson choisira parmi ses hommes ceux qui sont essentiels aux manœuvres sur le navire et il m'accompagnera chez les Albains. Dame Moïrane sera également de ce voyage en tant que sauf-conduit, car la présence d'une femme garantit le pacifisme de nos intentions. Messire Gunni prendra les commandes de Leifsbudir, et les Islandais qui ne viennent pas avec moi se placeront sous ses ordres.»

Cette annonce jeta un froid sur les hommes, qui se mirent à ronchonner. Seul Gudlaugson, duquel on attendait l'objection la plus vive, n'exprima aucune surprise ou contrariété face au dévoilement du plan du frère Comgan. Manifestement, le capitaine en avait déjà été informé. Quant à Gunni, il était trop ahuri pour répliquer. Même moi, malgré le fait que je m'attendais à participer à la mission de l'évêché de Limerick, je demeurais interloquée devant la répartition des effectifs par le moine.

Évidemment, le petit délassement au lit auquel nous nous étions conviés, Gunni et moi, n'eut pas lieu en cette première nuit dans la longue maison de Leifsbudir. Après nous être avoué notre résignation devant le plan du religieux, nous demeurâmes muets et chastement enlacés en luttant pour trouver un sommeil que nos pensées agitées tinrent en échec jusqu'à l'aurore, moment où nous nous endormîmes enfin, troublés à la perspective de nous séparer. Nous fûmes les derniers à sortir de notre couche et à nous joindre aux familles qui étaient passées dans la salle commune.

Dès notre entrée, tous les regards convergèrent vers nous. «Gudlaugson a déjà fait sa sélection, lança Cinead, d'entrée de jeu.

— Markus, Karl et Jon sont les hommes qu'il laisse à Leifsbudir avec nous, ajouta Ingrid.

— Il paraît qu'il faut au moins quatre marins pour manœuvrer le knörr dans des conditions hivernales, poursuivit Cinead. Gudlaugson a choisi son gendre, avec Anderss et les cousins Ketilson.» Gunni ne répondit rien, et, à son air fermé, je sus qu'il cherchait à défaire la combinaison fixée par le frère Comgan. Il s'approcha nonchalamment du feu, se pencha au-dessus du chaudron, dans lequel la taciturne Arabel agitait une louche. Gunni plongea un index dans la mixture qu'il goûta distraitement, puis, sans avoir prononcé une parole, il sortit. Aussitôt, Ingrid et ses filles m'entourèrent affectueusement. «N'aie crainte, ma chère Moïrane, tout se passera bien ici durant ton absence, dit mon amie, avec compassion.

— C'est vrai, renchérit la petite Elena. Nous allons si bien nous occuper de la maison que tu ne la reconnaîtras pas, tellement elle sera enjolivée à ton retour.

— Exactement! Nous allons confectionner des coussins avec le duvet des oiseaux qui nichent sur la falaise et chaque banc dans la pièce aura le sien», rajouta Vigdis, la cadette âgée de quatre ans, en zézayant avec application. Émue, je cajolai leurs têtes blondes et m'assis entre elles pour prendre ma portion de fricot. Cinead fila à l'extérieur de la salle, suivi par Neil et son petit frère Martein.

Depuis notre débarquement, j'avais remarqué que les deux garçons d'Arabel ne quittaient plus le mari d'Ingrid et qu'ils le traquaient partout sur le site. Probablement sensible à la disparition de Herulf, tant pour la veuve que pour les orphelins, Cinead tolérait d'avoir ceux-ci constamment sur les talons.

Dans la chambre adjacente qui logeait les Islandais, Gunni et Cinead allèrent-ils parlementer afin de modifier le plan du frère Comgan ? C'est vraisemblable, mais nous, les femmes, n'en sûmes absolument rien. Quand les hommes vinrent prendre leur repas dans la salle, ils n'abordèrent pas le sujet. Ils s'assirent ensemble sur les bancs, Islandais et Écossais entremêlés. La place du frère Comgan resta vacante, et, à ma question, on répondit qu'il s'isolait pour faire un jeûne. Ainsi donc, ce deuxième repas pris dans la longue maison, comme les suivants, se déroula sans la présence de l'Irlandais parmi nous.

Bien que, règle générale, nous évitions de critiquer les décisions du moine en ces occasions de parler à cœur ouvert, nous nous permîmes de partager les sentiments qu'elles suscitaient. Je découvris alors avec étonnement que les Islandais, Gudlaugson compris, éprouvaient un attachement bien réel pour les membres du clan Gunn : les quatre marins désignés pour escorter le frère Comgan semblaient vraiment chagrinés de partir, tandis que Karl, Jon et le forgeron Markus se déclaraient ravis d'être placés sous l'autorité de Gunni. Cette observation me réchauffa le cœur et mit un peu de baume sur la peine que je nourrissais de devoir m'éloigner de mon bien-aimé pour un voyage inquiétant et d'une durée indéterminée.

La pièce occupée par les Islandais dans la longue maison de Leifsbudir était particulièrement sombre, ce matin-là. La fosse à feu rougeoyait de braises mourantes qui éclairaient mal ; seulement deux torches grésillaient aux montants de la porte ; et les trappes de toit entrouvertes laissaient filtrer un halo de lumière bien mince. Le chef de Helmsdale marcha droit à la couche de Gudlaugson, sur laquelle il s'assit sans attendre d'y être invité. « Que penses-tu de la répartition des effectifs qu'a faite Comgan ? demanda-t-il à brûle pourpoint.

— J'aurais évidemment préféré que tu ailles avec le papar à ma place et que vous me laissiez le knörr », fit Gudlaugson, penché sur ses bottes qu'il attachait péniblement, gêné par son ventre proéminent. « Comme je suis le seul à connaître le territoire, je comprends qu'il est inconcevable que je ne dirige pas l'expédition du papar chez Ari Marson. Je t'avoue que ce périple risque d'être fort ennuyeux et peut-être même vain.

— Ainsi, tu crois possible de ne pas réussir à trouver le vieillard et ses gens…

— J'en suis même convaincu, dit Gudlaugson, en se redressant.

— Et les Skrealings ?

— Nous n'avons guère plus de chance de les rencontrer…

— Et si, par hasard, vous en voyiez, comment cela risque-t-il de se passer ?

— Eh bien, je dirais qu'il faudra alors compter sur le charme de ta femme allié à celui, plus douteux, du papar. Comme nos armes sont supérieures, nous devrions nous en tirer très bien.

— Écoute, Gudlaugson, ça me prend des garanties pour laisser partir Moïrane… des garanties quant à sa protection, dit Gunni, d'une voix pressante. Jure-moi sur ta propre tête qu'il ne lui arrivera rien de fâcheux ! Jure-le céans* !

— Du calme, mon ami !

— Jure ! insista Gunni.

— Soit ! Ta femme reviendra saine et sauve à Leifsbudir, car je me porte garant de sa vie au péril de la mienne », déclara l'Islandais, en posant une main à plat sur sa poitrine pour signifier son engagement formel. « Mais, ajouta-t-il sur le ton de la confidence, nous ne serons pas absents bien longtemps ; disons deux ou trois semaines.

— Pas plus que cela ? Comgan a pourtant dit que…

— Laisse au moine ses vues irréalistes : il ne connaît rien à rien », coupa Gudlaugson, en jetant un œil circonspect en direction de la porte de la chambre haute. Puis, empoignant la tunique de Gunni pour rapprocher son visage du sien, il baissa la voix afin de ne pas être entendu par ses confrères : « Est-ce moi ou lui qui dirige le navire et les hommes ? C'est moi. Alors, nous reviendrons quand je l'aurai décidé, que le papar ait ou non atteint son but. Le mien, comme le tien d'ailleurs, est la chasse aux morses, et il n'est pas dit que nous ne récolterons pas d'or blanc cet hiver ! Parole de Gudlaugson ! » L'entrée dans la pièce de Cinead, flanqué des deux garçons d'Arabel, évita à Gunni de commenter l'affirmation hardie du capitaine.

Malgré le fait qu'il partageait les mêmes intérêts que l'Islandais dans l'équipée au Vinland, le chef de Helmsdale se sentait lié à l'engagement pris par son clan envers l'évêque de Limerick. Aussi rejetait-il l'idée que son représentant soit floué, quelle qu'en soit la manière, avec ou sans sa participation. Gunni se hérissait contre une possible déloyauté envers le moine irlandais, avec d'autant plus d'embarras que Moïrane était impliquée dans l'opération d'évangélisation.

Tandis que les Islandais enfilaient braies et tuniques et s'apprêtaient à gagner la salle commune, Gunni leur sourit d'un air distrait. « Voilà ce qu'entendait cet entêté de Gudlaugson avant notre départ d'Irlande, en faisant allusion à l'ignorance de Comgan et à la façon d'en tirer parti... » songea-t-il, avec morgue. Il se dirigea ensuite vers la sortie et, en passant devant la chambre haute, il échappa un soupir. La décision du moine de se couper du groupe pour pratiquer un jeûne de quelques jours apaisait Gunni, mais il anticipait l'heure où il devrait l'affronter de nouveau sans se compromettre sur les intentions du capitaine. De son côté, Gudlaugson éprouvait un ennui plus léger en ruminant des pensées similaires. Il ramassa sa cape d'un geste machinal et quitta la pièce le dernier. Devant la porte close du moine, l'Islandais eut un petit raclement de gorge embarrassé avant d'allonger le pas pour rejoindre les autres. La nature l'avait doté d'une conscience souple, imperméable aux petits tourments. En ce sens, une félonie envers le représentant de l'évêque de Limerick ne risquait pas de faire exception à sa règle de conduite, ni d'entaille à la perception de ses devoirs.

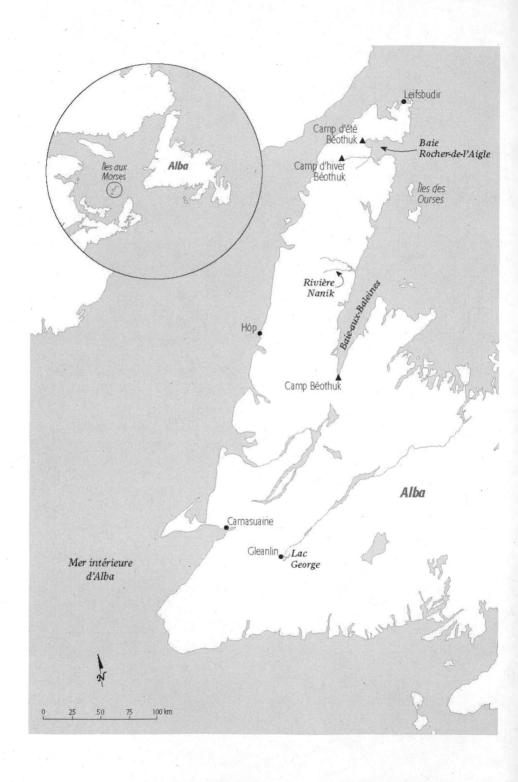

Leifsbudir

Camp d'été
Béothuk ▲

*Baie
Rocher-de-l'Aigle*

Camp d'hiver
Béothuk ▲

*Îles des
Ourses*

Îles aux
Morses

Alba

*Rivière
Nanik*

Baie-aux-Baleines

Hòp

Camp Béothuk ▲

Alba

Camasuaine

Gleanlin • *Lac
George*

*Mer intérieure
d'Alba*

N

0   25   50   75   100 km

Chapitre v

La médiatrice

Longtemps après la disparition du knörr derrière le promontoire rocheux, Gunni demeura sur la plage, plongé dans une sombre méditation. Quelque chose dans l'allure du moine le rendait perplexe. En effet, alors que le chef du clan Gunn s'était préparé à camoufler ses pressentiments concernant Gudlaugson, en revoyant Comgan qui finissait son jeûne, ce dernier adopta un comportement distant qui rendit superflue toute précaution dans leurs échanges. À aucun moment avant le départ de l'expédition, Gunni ne se retrouva seul en compagnie du moine, situation qui aurait pu provoquer d'épineuses confidences.

Au demeurant, le religieux s'était montré particulièrement taciturne et refermé sur lui-même, ne s'intéressant que de très loin aux préparatifs du prochain embarquement. C'est à peine s'il s'était entretenu avec Moïrane ou Gudlaugson à ce sujet. Incapable de déterminer les raisons pouvant expliquer l'attitude énigmatique de Comgan, Gunni la mit sur le compte du jeûne, pratique dont les bienfaits lui échappaient complètement. « Quel intérêt a un homme de se priver de nourriture avant d'entreprendre une expédition en mer?» s'était-il demandé avec curiosité. Bien que l'attitude peu amène du moine ait apaisé l'embarras de Gunni, rien ne permettait de croire qu'elle serait maintenue à bord vis-à-vis de Moïrane, et cela, précisément, l'inquiétait, car il n'était pas sans avoir remarqué l'attrait exercé par l'homme sur son épouse.

Jusqu'au moment de l'appareillage, Gunni avait multiplié les marques d'affection à Moïrane et il avait tenté d'obtenir d'elle des preuves de sa constance envers lui. Malgré la fièvre avec laquelle son épouse avait répondu à ses avances, le chef du clan Gunn ne se sentait pas pleinement rassuré. D'une part, à la lumière des veillées d'histoires non censurées, grâce à l'absence de l'Irlandais, Gunni avait découvert que tous les religieux n'étaient pas chastes, à preuve, la vie de débauche notoire du pape Jean le Dix-neuvième, rapportée par Gudlaugson. D'autre part, l'admiration même de Moïrane pour le moine et son exaltation pour sa mission soulevaient chez Gunni les plus vives appréhensions. Il savait son épouse énergique, pleine d'ardeur et de dévouement, qualités formidables pour chérir un mari et élever une progéniture, mais alarmantes si elles doivent servir d'autres fins.

Gunni s'entendit héler et dut sortir de sa rêverie. Tournant dos à la mer, il vit, près du ruisseau, Markus et Jon qui lui faisaient signe. Les deux hommes avaient décidé de s'attaquer aux vestiges de la forge. D'un pas lourd, il alla à leur rencontre. En s'acheminant vers le site, Gunni embrassa du regard l'établissement dont il avait la charge: commençait ce matin-là son nouveau rôle de dirigeant de Leifsbudir. Il constata qu'Arabel était entrée dans la longue maison où son petiot malade restait confiné, et qu'Ingrid discutait avec Karl et Cinead devant les fondations de la dépendance, laquelle devait être remise à neuf incessamment. Il aperçut, assis sur une pierre à quelques yards de ceux-ci, le jeune Neil attentif à leur conversation. Debout derrière lui, le petit Martein se dandinait d'un pied sur l'autre en jetant des coups d'œil d'envie à Elena et Vigdis qui poursuivaient une vache dans le pré. L'enfant semblait hésiter entre demeurer avec son grand frère ou rejoindre les compagnes de son âge. Le chahut enjoué des fillettes l'emporta finalement et le garçonnet s'élança dans leur direction.

En ce dernier dimanche de novembre 1026, les rires du trio turbulent furent les seuls à s'échapper de Leifsbudir. Les heures s'égrenèrent sous un ciel nuageux et venteux. Les adultes vaquèrent à leurs occupations avec une certaine morosité et ils évitèrent de parler des membres de l'expédition qui les avaient quittés. Cette ambiance triste baigna les nouveaux colons durant une semaine, puis, sous l'impulsion du labeur à accomplir, ils retrouvèrent peu à peu leur aplomb. Dès lors, sur la pointe nord de l'île d'Alba, au creux de la baie, s'installa le cours tranquille d'une vie paysanne.

Même si j'avais aperçu le livre saint dans les bagages du frère Comgan et que je croyais pouvoir reprendre mes leçons durant ce second voyage, je ne me permis pas d'en évoquer la possibilité. Je trouvai d'ailleurs mon instructeur dans un tout autre état d'esprit que celui qui avait été le sien pendant la longue traversée de l'océan. Dans ce temps-là, le moine s'était très peu soucié des manœuvres et de l'itinéraire du navire, alors que maintenant, cela l'occupait entièrement. Au lieu de rester assis près du foyer et de converser avec moi, il ne quittait presque pas le pont à la poupe où il discutait infatigablement avec le capitaine, qu'il harcelait sans relâche à propos de la route empruntée et de notre vitesse de croisière.

Lorsque je prêtais mieux l'oreille, je saisissais parfois un autre objet de débat, soit le lieu où était établie la communauté celte de L'Envoyé de Frederik, et le ton qui montait alors entre le frère Comgan et Gudlaugson m'indisposait. Le premier reprochait au second de dissimuler de l'information et exigeait de lui des serments de franchise. Le second se retranchait derrière son immunité de capitaine et ne promettait rien au premier. Comme les marins islandais ne semblaient pas se préoccuper de ces querelles, j'en vins à déduire qu'ils ne me seraient d'aucune utilité s'il advenait que j'aie besoin de leur intervention pour calmer le jeu entre les deux hommes.

« Où est l'enflammé frère Comgan que j'ai connu le mois dernier ? » songeai-je avec amertume dès les premiers jours de navigation. Du lever au coucher, je déambulais seule sur les ponts en m'appuyant aux plats-bords de temps en temps, ou bien j'entretenais le bra-sier et cuisinais sous l'auvent. Solitaire et désenchantée, je ressassais pêle-mêle mes souvenirs de complicité avec le moine et mes heures d'intimité avec Gunni. Mes ré-flexions m'amenèrent à penser que la désaffection de l'un et l'autre homme me peinait également.

Afin de ne pas me laisser aller à une torpeur mal-saine, je décidai de m'intéresser davantage au voyage. Le paysage du littoral, que nous longions toujours de près, défilait, à bâbord, en une enfilade de falaises grises; de forêts dont le feuillage reposait au sol comme un riche tapis ocre; et de baies sablonneuses encombrées de débris de mer. À tribord, la mer intérieure du Vinland s'étendait dans une brume fumeuse ou brillait du miroitement de paillettes qui semblaient s'embraser sous les feux du soleil couchant. Depuis mon poste d'observation, je pus distinguer quelques bêtes à fourrure et de nombreux oiseaux de mer ou de proie, mais nulle part je ne vis d'êtres humains, celtes ou skrealings.

«Que trouve-t-on de l'autre côté de la mer? demandai-je à Gudlaugson.

– Il y a un long fleuve qui s'enfonce profondément dans le continent au sud-ouest. Il paraît que les Greenlandais l'ont exploré jusqu'au bout, mais ce n'est pas sûr, car c'est le territoire des nombreuses tribus skrealings. Puis un peu plus au sud, cette mer recèle plusieurs îles, toutes plus petites qu'Alba, dont un certain archipel qui est le paradis des morses.

– Y êtes-vous allé chasser?

– Je n'ai pas eu cette chance. L'an passé, mon séjour a été trop bref, mais je compte bien m'y rendre, cette fois, et vérifier cette information. Je la tiens des Albains eux-mêmes, qui ont hésité à me la donner, car c'est leur grand secret. Ils veulent à tout prix éviter que les Greenlandais l'apprennent et L'Envoyé de Frederik m'a fait jurer de me taire à ce sujet.

– Pourquoi cela?

– Sans doute voulait-il protéger l'endroit du pillage, ce qui est bien judicieux : certains Vikings ont la fâcheuse réputation de vider les ressources d'un territoire en un rien de temps et de l'abandonner ensuite dans un état de dévastation lamentable. »

L'opinion de Gudlaugson sur les Greenlandais m'étonna, car je les avais toujours associés aux Islandais, mettant les uns et les autres dans un même panier d'aventuriers vikings. Le fameux Eirik Raudi n'avait-il pas été expulsé d'Islande avant d'établir sa colonie au Greenland, et son père, avant lui, banni de Norvège pour des raisons identiques ? Et combien d'autres Islandais ou Normands du même acabit ne s'étaient-ils pas mérité de redoutables renoms à force d'écumer des terres lointaines et de piller leurs richesses ? En cette minute où je tentais d'évaluer la probité de Gudlaugson et que mon regard passait de lui au frère Comgan, je m'interrogeai sur l'association que formaient ces deux hommes si diamétralement opposés et j'eus le pressentiment qu'elle ne subsisterait pas au présent voyage.

Sous un ciel maussade et contre des vents défavorables, nous naviguâmes durant plus d'une semaine avant de tomber sur les premiers indices d'une présence d'hommes sous l'aspect d'un campement désaffecté. Il se trouvait au fond d'une large lagune protégée par un long banc de gravier accessible par la mer à marée haute. Un broch* assez large, mais peu élevé, deux cabanes de bois équarri et des étals à sécher du poisson ou des peaux occupaient une clairière bien dégagée le long d'une rivière peu profonde qui arrosait la lagune. « Ce doit être Hòp, annonça Gudlaugson, le poste de traite dont m'a parlé L'Envoyé de Frederik. Nous y faisons escale.

— Comment cela, "ce doit être Hòp" ? fit le frère Comgan avec un air soupçonneux. Vous n'êtes jamais venu ici, Gudlaugson ?

— Jamais! L'an dernier, j'ai échoué sur le littoral est d'Alba et il ne m'a pas été permis d'explorer l'île plus avant, répondit le capitaine.

— Si vous avez rencontré les Albains de l'autre côté, pourquoi les cherchons-nous ici, alors? demanda le moine.

— Parce que leurs fermes sont apparemment situées sur ce versant de l'île; parce que le climat y est plus doux que celui de l'océan Atlantique; et parce que je désire reconnaître le territoire pour compléter mes dessins d'Alba », admit Gudlaugson, une pointe de suffisance dans la voix. Voyant le visage du frère Comgan devenir livide, une onde d'affolement me parcourut et je m'interposai: «Voilà une sage décision, capitaine. Si nos chances sont aussi bonnes de rencontrer les Albains sur le littoral ouest que sur celui de l'est, et qu'en plus nos risques de naviguer sous une température peu clémente sont diminués par ici, notre quête en sera facilitée. » Le frère Comgan me regarda avec suspicion et n'ajouta rien. Il se détourna brusquement et s'en fut à son coffre. Nous procédâmes au débarquement dans l'anse, sans qu'il nous adresse de nouveau la parole. J'en conçus quelque désappointement, mais n'en laissai rien paraître.

Gudlaugson fit descendre peu de matériel pour notre escale et nous aménageâmes dans la plus grande des deux cabanes. Je m'activai autour du petit foyer au-dessus duquel on avait suspendu le chaudron. En veillée, le frère Comgan revint à la charge auprès de Gudlaugson: «Combien de temps prévoyez-vous rester dans ce lieu? demanda-t-il.

— Quelques jours, pour donner le temps à quelqu'un de se présenter, qu'il soit albin ou skrealing, et de me fournir des renseignements, répondit nonchalamment l'Islandais.

— Pourquoi attendre la venue aussi aléatoire d'un informateur, au lieu de continuer à chercher par nous-mêmes en longeant la côte?

— Parce que c'est plus rapide et prudent d'agir ainsi. Cette île est bel et bien habitée et nous ne devrions pas tarder à en avoir la preuve. Cependant, elle est extrêmement vaste: avec un knörr comme le mien, inutile de nous avancer trop au sud à l'approche de l'hiver dans des eaux que je ne connais pas. N'oublions pas qu'il nous faut regagner Leifsbudir avant que les glaces puissent coincer le navire dans un endroit isolé: nous sommes déjà à 300 miles de notre port d'attache», répliqua Gudlaugson, sur un ton propre à décourager toute discussion. Mais c'était sans compter avec l'opiniâtreté du moine. «Tout à l'heure, vous prétendiez vouloir parcourir le littoral ouest de l'île pour le découvrir, argua le frère Comgan, et maintenant vous refusez de pousser plus loin. Que manigancez-vous, Gudlaugson?

— Permettez, frère Comgan, dis-je vivement. Messire Gudlaugson accepte certainement de poursuivre, mais il requiert des indications précises sur la route et l'endroit où hivernent les Albains, avant d'appareiller. Si nous pouvions croire que des gens susceptibles de nous instruire viendront à passer par ici, pourquoi en effet ne pas les attendre quelques jours?

— J'aimerais penser, ma chère Moïrane, que je vous ai amenée avec moi pour me soutenir dans cette mission, et non pour toujours défendre Gudlaugson, dit le frère Comgan, d'un ton sévère. J'ai des raisons de ne pas avoir les mêmes vues que lui et il est de mon devoir de veiller à ce que notre expédition ne dévie pas de son objectif. Gardez en mémoire que je représente le bailleur de fonds dans cette affaire et que, à ce titre, je prends part aux décisions, ce qui n'est pas votre cas. Vous entrerez en action au moment où je le dirai, si vous le voulez bien, pas avant. Pour les questions d'itinéraire, je m'arrange avec Gudlaugson, seul à seul. »

Rouge de confusion, je me levai et me retirai dans le coin où j'avais dressé ma couche. Ressentant probablement la tension entre leur capitaine et le moine, comme moi, les Islandais retraitèrent ensemble et laissèrent les deux hommes dans leur tête-à-tête acariâtre autour du feu. Même si je m'efforçais de ne pas écouter leur conversation, j'en captai tout de même quelques bribes. Elles me donnèrent à penser que le frère Comgan avait remporté gain de cause et que nous allions reprendre la mer dès le lendemain.

Le petit Jakob trépassa, un matin, dans les premiers jours de décembre. Gunni et Markus creusèrent la fosse au pied de l'éminence rocheuse, à l'extrémité sud de Leifsbudir. Arabel y déposa la dépouille enroulée dans une laize de vadmal et demanda aux membres de l'expédition, venus assister à l'enterrement de l'enfant, de la laisser se recueillir seule. Cinead et Ingrid ramenèrent leurs filles à la longue maison avec Neil et Martein. Gunni, Markus, Karl et Jon s'attardèrent quelques minutes, puis abandonnèrent la mère en deuil en se promettant de revenir la chercher avant la fin de l'avant-midi. Comme le temps charriait des bourrasques qui cinglaient

le visage et détrempaient les vêtures, les hommes se hâtè-
rent de rentrer. « Regarde la pauvre femme », glissa
Markus à l'oreille de Gunni, en montrant le site d'inhu-
mation. « Elle ne bronchera pas, même si elle devait con-
tracter la mort en prenant froid. Personne ne tiendrait
plus d'une heure sous cette pluie glaciale, mais elle…
C'est une femme forte. Ton ami Herulf avait bien de la
chance : paix à son âme.

– Paix à son âme », répéta Gunni, en observant l'Islandais. D'une dizaine d'années son aîné, l'homme était
taillé pour frapper l'enclume : bas sur jambes, large d'épaules comme de bras, mains courtes et puissantes. Markus se
mouvait avec lenteur et il émanait, de sa personne, une
maîtrise et une rudesse tranquilles. Son regard doux, son
sourire timide et sa voix bourrue dénotaient une personnalité effacée et, d'ailleurs, c'était le moins bavard des
trois Islandais. Gunni se surprit d'abord du commentaire élogieux de Markus pour Arabel, puis il s'attarda
aux timides sous-entendus. « Si tu t'inquiètes pour la
veuve de Herulf, ne la laisse pas trop longtemps là-bas »,
dit-il, avant d'entrer dans la longue maison.

Depuis le départ de Comgan avec l'équipage islandais, Markus, Karl et Jon dormaient dans la salle commune. Ils avaient trouvé plus facile de chauffer la maison
en fermant la section où ils avaient logé avec leurs confrères. Karl, Jon et Gunni gagnèrent leur banc après avoir
suspendu leur cape, mais Markus demeura sur le seuil et
s'adossa au montant de la porte, le regard perdu en direction de la montagne. Cinead jeta un coup d'œil à ses
compagnons silencieux et il reporta ensuite son attention vers les deux garçons, auxquels il avait entrepris
d'enseigner à tresser des cordages avec des filaments

d'écorce résineuse. Les fillettes s'étaient retirées dans la chambre avec Ingrid et leur babillage parvenait aux oreilles des hommes, qui devisaient de choses et d'autres pour chasser la mort du petit Jakob de leur pensée.

Ils parlèrent des travaux à terminer à la forge afin qu'elle soit fonctionnelle et de la provision de fer des marais qu'il faudrait accumuler avant les gelées pour mettre en opération la partie fonderie de l'établi. Quand ce sujet fut épuisé, Gunni délaissa ses compagnons et rejoignit Markus qui n'avait pas bougé de son poste. Tout en ayant l'air d'examiner le temps, il tendit la main au dehors et la ramena en la secouant. «Tu as raison concernant Arabel, dit Gunni. Je ne connais pas beaucoup de femmes de sa trempe. Dommage que le malheur s'acharne sur elle et lui enlève un mari et deux fils en quelques semaines…

— Tu parles d'elle sans douter qu'elle soit veuve, murmura Markus. Crois-tu sincèrement qu'elle l'est? Herulf a disparu en mer, mais s'est-il noyé?

— Noyé ou disparu, Markus, cela ne revient-il pas au même? Je vois là une femme éplorée et abandonnée et ici, un homme bien et sans compagne. N'y a-t-il pas une grande consolation à tirer de ces deux déconvenues?» Embarrassé, Markus toisa longtemps le chef du clan Gunn en espérant un encouragement plus explicite de sa part. Quand il se décida enfin à sortir pour aller quérir Arabel, il avait acquis la certitude que Gunni n'avait pas l'intention de défendre la femme de son compatriote contre une nouvelle union.

Markus marcha résolument sur le chemin boueux, une main en visière pour protéger son visage de la pluie qui ruisselait abondamment sur son casque de cuir. Il traversa le petit pont que Gunni avait fait jeter au-dessus du ruisseau, et il leva les yeux en direction de la montagne qui disparaissait presque sous les rafales d'eau. Quelle ne fut pas sa surprise de ne pas apercevoir Arabel à l'endroit où le petit Jakob avait été enterré! Jetant des regards interrogateurs alentour, Markus ne distingua aucune trace de la femme: «Elle a dû aller s'abriter sous un rocher», pensa-t-il, accélérant le pas. Arrivé au lieu d'ensevelissement, il contempla, durant un instant, la croix de pierre et l'amoncellement de terre détrempée qui couvrait la dépouille du petit défunt, puis il longea la base de l'escarpement en hélant Arabel. Fendant le rideau de pluie qui l'aveuglait, Markus dirigea ses recherches autour des rochers les plus apparents et accessibles, mais quand il en eut fait l'exploration sans succès, il se mit à gravir la montagne. Au fur et à mesure que le temps passait, un sentiment d'oppression le gagnait devant le silence de la femme. Ses appels se firent de plus en plus pressants.

Lorsqu'il atteignit le sommet, Markus s'arrêta. Là, livré aux vents violents et cinglé par la pluie drue venant de la mer, le forgeron examina le littoral en contrebas. D'un côté, il pouvait encore distinguer la plage de Leifsbudir et le toit de la longue maison au fond de l'anse; et de l'autre, les arêtes d'une éminence rocheuse sur laquelle nichait une colonie d'oiseaux de mer, souvent visitée par Ingrid et ses filles dans leur cueillette d'œufs et de duvet. Markus ne se rappelait pas avoir déjà vu Arabel aller à cet endroit, mais il se dit qu'elle pouvait en avoir entendu parler. Il lança un nouvel appel dans cette direction et, comme il s'apprêtait à s'y rendre, il perçut un cri faible. Incertain d'avoir bien entendu, il réitéra son exhortation avec espoir : « Arabel, c'est Markus. Où êtes-vous donc ?

— Par ici, messire ! Juste au-dessous de vous, fit Arabel d'une voix étouffée. Ne criez pas, ils vont nous découvrir… » Pétrifié, Markus baissa les yeux en provenance de la voix et vit, dans un même regard, Arabel dissimulée derrière un rocher à quelques yards en deçà de l'endroit où il se tenait et, beaucoup plus bas, au niveau des flots qui s'engouffraient entre les récifs, trois silhouettes autour d'une embarcation. En quelques bonds, il rejoignit la femme, auprès de laquelle il s'accroupit : « Qui sont ces gens ? souffla-t-il.

— Je l'ignore, répondit Arabel. Des Skrealings, peut-être. Je les ai entraperçus alors que j'étais près de la tombe de mon petiot. Ils ont croisé au large devant la baie et j'ai cru bêtement qu'il s'agissait de Herulf. Je me suis élancée en leur faisant signe, mais leur bateau a été emporté de l'autre côté de la montagne. Sans réfléchir, j'ai grimpé jusqu'ici à leur poursuite et j'ai découvert que ces gens ne sont pas ceux que je croyais.

— Pensez-vous qu'ils vous ont repérée ?

— C'est possible… Je n'ose pas me montrer, car le peu que j'ai pu apercevoir d'eux m'a effrayée : l'un a la figure peinte d'horrible manière et un autre porte une peau de carnivore sur la tête.

— Et moi qui n'ai pris aucune arme pour venir vous chercher… », se reprocha Markus, avec rogne.

Arabel n'avait pas beaucoup regardé l'Islandais depuis le début de leur échange, tout absorbée par les étrangers visibles à travers une fente dans le roc derrière lequel elle s'était tapie. Mais la remarque de Markus et l'incongruité de sa présence à ses côtés l'obligèrent à se retourner pour le dévisager. Leurs yeux se croisèrent un bref instant et chacun baissa la tête, en proie à une gêne subite. Arabel doutait de ce qu'elle avait lu dans le regard de l'homme, tandis que celui-ci se demandait si son tourment avait été perceptible par la femme.

« Markus, je crois que j'ai fait une sottise en pistant ces individus, avoua Arabel à voix basse. J'aurais dû accourir à la longue maison pour donner l'alarme, mais je ne me sentais pas menacée alors. J'étais simplement mue par une espérance absurde…

– Rien ne dit que nous serons agressés, dit sobrement Markus. Cependant, la prudence nous recommande de regagner le campement sans tarder et le plus discrètement possible. Suivez-moi, nous allons passer par là. » Sans autre formalité, l'homme s'empara de la main de la femme afin de la guider dans le dédale de rochers que la pluie ininterrompue avait rendus glissants. Le couple redescendit dans l'anse de Leifsbudir sans se faire remarquer des étrangers accostés dans la baie voisine. Lorsqu'ils furent à découvert sur la plage, Arabel retira sa main de celle de Markus et marcha un peu en retrait, de façon à être coupée du vent. Au moment où ils atteignirent le ponceau de bois, la femme retint l'homme par la manche : « Dites-moi, Markus, pensez-vous, comme tous les autres, que Herulf est mort et que je suis folle de guetter encore son retour parmi nous ?

– Je crois que vous n'êtes pas folle, et personne ne pense le contraire au camp, mais, comme chacun, je doute fort que votre mari soit encore vif* », se contenta de répondre l'Islandais avec une voix empreinte de douceur.

Après avoir longuement questionné Markus et Arabel sur ce qu'ils avaient entrevu dans la baie aux oiseaux, Gunni décida d'y retourner avec Cinead, en recommandant à ses gens de ne pas sortir et de se tenir prêts à se défendre. La salle commune de la longue maison avait deux portes extérieures, placées face à face. Celle du côté est ouvrait sur les dépendances et la forêt au fond de la lande, alors que l'autre, côté ouest, donnait sur un pré court, une boucle de la rivière, puis sur la plage. « Karl et Jon, assurez le guet aux portes, dehors : Jon, poste-toi à la porte ouest et Karl prendra la porte est ; Markus, reste à l'intérieur pour te sécher un peu. Advenant le cas où Cinead et moi ne sommes pas revenus dans une heure, l'un de vous trois ira à notre recherche. Quoi qu'il arrive, je vous conjure de ne pas laisser les femmes et les enfants sans défense, ordonna Gunni.

— Si Arabel le permet, emmenons Neil, dit Cinead. Il pourra revenir ici pour rapporter ce qui se passe, si cela s'avérait nécessaire…

— Faites ce que vous voulez, concéda Arabel, mais plaise à Christ que mon second fils ne soit pas occis : après la perte de mon petit dernier, je ne sais pas si je le supporterais… »

La main crispée sur le pommeau de son épée, Gunni avançait sous le déluge en fouillant sa mémoire, à la recherche de ce qu'avait raconté Gudlaugson sur le compte des Skrealings. À quelque distance derrière, Cinead ne disait mot, en proie à une sourde inquiétude, tendant instinctivement un bras protecteur devant Neil qui marchait à ses côtés. Ils explorèrent précautionneusement les abords de chaque anse jusqu'à la grotte au fond de la baie aux oiseaux sans tomber sur les trois étrangers. «Par Thor, où sont-ils passés?» fit Gunni en secouant sa cape détrempée dans l'entrée de la caverne. «Ils sont repartis ou encore ils ont grimpé plus haut et on les aura manqués en passant près des récifs, avança Cinead.

— Dans ce cas, remarqua le jeune Neil, on aurait aperçu leur bateau amarré quelque part entre les rochers.

— Exact! Bien vu», dit Cinead en frottant avec gentillesse la tête mouillée du garçon.

«Alors, ils ont rappareillé avec le vent en poupe, suggéra Gunni. On peut donc raisonnablement croire qu'ils ont filé du côté sud-ouest et qu'on ne les reverra pas de sitôt… À moins qu'ils aient décidé de revenir sur leurs pas en tractant leur navire au pied du cap et qu'ils nous aient passé sous le nez pendant que nous le contournions par la crête…

— Auquel cas s'ils ne sont pas déjà rendus à Leifsbudir, ils y arriveront avant nous», conclut Cinead.

Cette hypothèse ne fut pas aussitôt émise que les trois Écossais rebroussaient chemin en cavalant l'un derrière l'autre, les yeux fixés droit devant et le souffle court. Dans l'urgence du moment, ils n'empruntèrent pas le même parcours qu'à l'aller, mais celui qui était le plus rapide en coupant à travers la montagne. Ce faisant, ils passèrent par un petit plateau en amont de l'anse aux oiseaux, qu'ils n'avaient pas inspecté, et ils tombèrent soudainement sur ceux qu'ils cherchaient. Ils stoppèrent leur course à quelques yards de ces derniers. Devant une embarcation basse aux extrémités pointues et son fourniment se tenaient trois hommes immobiles qui les observaient fixement.

Ce qui frappa d'abord Gunni fut le bateau de cinq yards de long, d'étrange forme avec des plats-bords en pointe, que les individus avaient réussi à transporter jusque-là ; puis, il détailla les armes en leur possession : plusieurs lances, des arcs et beaucoup de flèches. Les sens en alerte, Gunni et Cinead se placèrent instinctivement côte à côte de sorte à faire écran de leur corps à Neil, derrière eux. Un long moment de stupeur paralysa les cinq hommes et le garçon, les uns épiant les autres avec intensité en tentant d'évaluer les forces en présence. Gunni remarqua que le plus grand des étrangers était plus petit que lui et Cinead, et que les deux autres avaient presque la taille de Neil. Cependant, il s'agissait à l'évidence de trois mâles adultes. Ils portaient des vêtements en cuir de cerf ou de renne[1] et de nombreux colliers de dents d'animal, mais aucun d'eux n'était coiffé d'une tête de carnivore. L'examen de Gunni s'arrêta sur l'un des deux hommes courts qui lui parut être l'aîné du groupe : ses cheveux longs et blancs étaient tressés et son visage, abondamment tatoué de dessins rouges, comme celui de ses compagnons, mais, contrairement à ces derniers, il était curieusement sec. Gunni réalisa alors qu'il ne pleuvait plus, et ce, depuis sans doute un moment. Il en déduisit que l'homme avait dû se couvrir la tête au moment de l'intempérie et qu'il l'avait peut-être fait avec la peau d'animal qu'avait signalée Arabel. Il glissa un regard furtif en direction de l'embarcation, à la recherche de la coiffe, mais il ne la repéra pas.

« Des Skrealings », murmura Cinead en portant lentement la main à sa ceinture dans laquelle son épée était glissée, geste furtif que Gunni bloqua avec son bras, les yeux fixés sur l'homme âgé. « Fiikine », dit ce dernier, sur

---

1. Renne : le même animal est appelé « caribou » en Amérique du Nord.

un ton neutre, mot auquel ses comparses acquiescèrent d'un hochement de tête. Un autre silence suivit ce premier échange, durant lequel les deux groupes continuèrent à s'examiner.

Alors que les Skrealings accordaient un grand intérêt aux épées des Écossais, ceux-ci se concentraient sur les visages de leurs adversaires, à la recherche d'indices révélateurs de leurs intentions, mais ils n'y découvrirent qu'impassibilité. Ensuite, de façon inattendue, les indigènes se mirent à parler entre eux, sans plus se préoccuper des membres du clan Gunn. Désemparés par leur langage guttural auquel ils n'entendaient rien, mais dans lequel ils reconnurent les mots «fiikine» et «skrealing» à plusieurs reprises, Gunni et Cinead échangèrent un regard interrogateur. «À ton avis, que signifie le mot "fiikine" que le vieux nous a lancé tout à l'heure? demanda Cinead. Serait-ce son nom?

— Je ne le crois pas, répondit Gunni. Quand le bonhomme a dit cela, les autres ont semblé l'approuver. Le seul mot qu'ils ont entendu de nous, c'est toi, Cinead, qui l'a formulé. Tu as dit "skrealing". Je pense que s'ils reprennent cette appellation dans leurs palabres, c'est parce qu'ils la connaissent. Or, la réponse à "skrealing" a été "fiikine". J'imagine que cela doit être son équivalent pour nous nommer, et ce "fiikine" n'est peut-être rien d'autre que "Viking".

— Si tu as raison, et advenant que le dernier souvenir laissé par les Greenlandais soit celui de pirates vikings, ces Skrealings ont toutes les chances de nous considérer comme des ennemis potentiels, dit sourdement Cinead.

— En effet. Tenons-nous sur nos gardes, ne faisons surtout rien pour les provoquer et tâchons de nous démarquer des Vikings», fit Gunni, en prenant une grande inspiration.

À l'étonnement général, le jeune Neil contourna Gunni et Cinead et franchit d'un pas résolu la courte distance qui le séparait du groupe des Skrealings, lesquels se retournèrent et se turent à son approche. Arrivé à leur hauteur, Neil s'immobilisa et s'inclina légèrement, puis, sur un ton convaincu, il entreprit de présenter les hommes de son clan en dénonçant l'appellation de «Viking» pour les désigner. La naïveté du garçon et son insistance émouvante à mettre en opposition l'appellation «Écossais», qu'il accompagnait d'un large sourire, à celle de «Vikings», qu'il prononçait en fronçant les sourcils et en secouant la tête, auraient fait éclater de rire Gunni et Cinead si l'heure n'avait pas été aussi critique.

«Nous, pas Vikings, non! Nous Écossais, oui!» martelait encore et encore Neil avec force signes de la tête et en se frappant vigoureusement la poitrine. Après quelques minutes de ce candide manège, auquel assistèrent les indigènes sans broncher, une détente imperceptible se produisit entre les deux parties. Le vieil homme se détacha lentement de son groupe et avança à quelques pas de Neil, puis, avec un air imperturbable, il reprit les mêmes gestes que l'enfant et les mêmes mots pour présenter les siens: «Nous, pas Skrealings, non! Nous Béothuks, oui!»

CHAPITRE VI

LA LECTRICE

La preuve que le knörr avait été repéré depuis les côtes bien avant notre accostage à Hòp fut la rapidité avec laquelle les habitants d'Alba nous trouvèrent. En effet, le lendemain du débarquement, nous nous réveillâmes dans la cabane encerclée par une tribu d'un abord plutôt rebutant. C'est Hans qui découvrit les individus en allant se soulager dehors et qui rentra aussitôt, l'air effaré. À l'annonce qu'il nous en fit en cafouillant, nous nous pressâmes à la porte, derrière Gudlaugson. Ce dernier, nullement inquiété, ajusta son baudrier en se reprochant de n'avoir pas organisé de guet durant la nuit : « Je n'aime pas beaucoup les surprises, bonnes ou mauvaises. Allons voir de quelle nature est celle-là », nous déclara-t-il, avant de sortir tranquillement.

Le frère Comgan se dépêcha à sa suite en recommandant aux autres de ne pas bouger, et à moi, de ne pas me montrer. Déçue, je reculai dans l'ombre de la pièce dont la seule ouverture était la porte, sur le seuil de laquelle se massèrent les cousins Ketilson, Anderss et Hans, l'arme au poing. Je ne pus ainsi rien entendre ou voir des premiers échanges entre Gudlaugson et les étrangers, apparemment menaçants. Me guidant sur les mines des Islandais, qui observaient la scène, et remarquant la détente qui s'opérait dans leur attitude, au fur et à mesure que les pourparlers se prolongeaient, j'éliminai de mon esprit l'imminence d'une attaque. Je fus ensuite tout à fait soulagée de voir mes compagnons sortir un à un pour rejoindre leur capitaine et le moine et je m'enhardis à m'approcher de la porte pour saisir ce qui se passait.

Tout de suite, le groupe m'apparut moins important que celui annoncé : je ne distinguai que sept hommes, plutôt jeunes, aux cheveux très noirs et courts, au teint foncé, vêtus comme des paysans et modestement armés de lances, sans boucliers, haches ou épées à leur ceinture. Ils chevauchaient de petites montures robustes, comme celles qu'on élève dans les Nordreys et en Islande, et ils arboraient tous un air placide. Un seul d'entre eux s'adressait à Gudlaugson, apparemment en norrois, et les autres se taisaient. Son nez et ses joues portaient des marques noirâtres, ainsi que ses avant-bras, que l'on apercevait sous ses manches retroussées. Sur le coup, je pensai qu'il s'agissait de Skrealings, mais, au sourire satisfait que je surpris sur le visage du frère Comgan, je déduisis que ces gens devaient être les fameux Albains qu'il voulait tant rencontrer.

C'était bien eux, en effet. Au bout d'un long moment, ils consentirent à mettre pied à terre sans pour autant se départir de leurs armes, comme les Islandais, et leur porte-parole accepta d'entrer dans la cabane pour poursuivre les civilités. Cette entrevue eut lieu en ma présence et celle du frère Comgan tandis que Hans,

Anderss et les cousins Ketilson demeurèrent à l'extérieur avec les Albains. Nous nous assîmes prudemment les uns en face des autres, sur les fourrures de couchage étendues sur le sol. Alors que la langue norroise avait été précédemment utilisée entre Gudlaugson et le chef albain, l'entretien, mené surtout par le frère Comgan, se déroula dans un dialecte ressemblant beaucoup au gaélique, et que je compris avec une certaine aisance. L'Albain se nommait Brude et prétendait être chrétien. Il se disait le fils de L'Envoyé de Frederik, ce qui expliquait sa connaissance de la langue norroise, et il déclara que son devoir était la protection de son clan contre les intrus sur l'île. Ses compagnons étaient manifestement sous ses ordres et c'est à lui seul que revenait de considérer les étrangers accostant à Alba comme des amis ou des ennemis. Le frère Comgan fit immédiatement valoir sa qualité de religieux en déclamant les préceptes de sa foi qui dénonçait la guerre entre chrétiens, mais l'Albain ne sembla pas touché par son discours laborieux.

«Ton père me connaît. Nous avons tissé des liens d'amitié l'an dernier», insista Gudlaugson, en voyant le moine piétiner dans son argumentation. «Pour peu, on se serait rencontrés, tous les deux, mais mon séjour à Alba a été trop court. Ton père a mentionné ton nom, je m'en rappelle…

— Il ne m'a pas parlé de toi, coupa Brude. Je sais qui sont les vrais amis de notre clan et aucun Viking n'en est, chrétien ou pas.

— Messire Brude, reprit le frère Comgan, je suis un Irlandais, représentant de Christ sur terre, envoyé par l'évêque George de Limerick. Je ne constitue aucun danger. Mon maître souhaite établir une mission à Alba pour tous les chrétiens qui y vivent et il me demande d'entrer en contact en premier lieu avec la communauté de L'Envoyé de Frederik. Je vous le demande très respectueusement : pouvez-vous nous conduire chez vous ?

— Tu n'es peut-être pas un Viking, prêtre, mais ceux qui t'accompagnent le sont, répondit Brude. Je peux te mener à mon père, mais sans tes gens, car l'accès à notre territoire leur est formellement interdit.

— Mais enfin, nous ne sommes pas des Vikings ! protesta mollement Gudlaugson. Je vous l'ai annoncé tout à l'heure : nous sommes des colons fraîchement arrivés à la pointe nord d'Alba, au campement de Leifsbudir. Voici dame Moïrane, l'épouse du chef du clan Gunn qui est là-bas ; ils sont écossais. Moi-même, je suis un commerçant réputé et mes hommes, des chasseurs islandais. Nous avons fait la traversée depuis l'Irlande, le même parcours que l'an dernier…

— Je ne sais rien de l'Irlande, des Écossais et des Islandais et peu m'en chaut* la contrée d'où vous avez appareillé : vous êtes armés et vous voyagez en drakkar*, et cela présage toujours de mauvaises intentions envers nous, Albains. Vous prétendez tous vouloir faire commerce, mais vous vous comportez comme des envahisseurs », coupa Brude.

Durant la pause qui suivit sa répartie peu engageante, l'Albain me glissa un regard plus long que ceux qu'il avait posés sur moi depuis le début de la conversation. Je remarquai alors le bleu limpide de ses yeux et les rides sous la peinture de son visage, qui me firent croire qu'il devait être plus vieux que je ne l'avais d'abord pensé. Devant le silence têtu du frère Comgan, Gudlaugson fut obligé de poursuivre son raisonnement : « Pourquoi aurions-nous dans notre équipage un prêtre et une femme, si nous projetions quelque belligérance ici ? argua-t-il.

— Le prêtre, je ne sais pas, concéda Brude. Mais la présence d'une femme ne garantit pas le pacifisme de ton équipée, Gudlaugson. J'avais dix-neuf ans quand les Vikings ont quitté Leifsbudir et je me souviens encore des raisons de leur départ, lesquelles ont été répétées de tribus en tribus sur toute l'île : un grand massacre entre chrétiens perpétré par la main d'une femme viking. » À ces mots, Gudlaugson perdit contenance et me jeta un regard dépité. Personne n'ignorait les vilenies dont la fille d'Eirik Raudi s'était rendue coupable au Vinland, sordide histoire de vengeance se soldant par la mort d'hommes et de femmes, mille fois rapportée depuis le Greenland jusqu'en Norvège en passant par l'Irlande, l'Écosse, les Nordreys et l'Islande. Que l'Albain y fasse allusion pour classer notre délégation comme une bande de Vikings m'indigna.

« Dites-moi, messire Brude d'Alba, me craignez-vous ? Croyez-vous que je puisse constituer une menace pour vous ou pour vos compagnons ? Avez-vous peur que je vous trucide avec ceci ? » fis-je en élevant mes mains nues dans sa direction. Pour la toute première fois, je vis Brude sourire. Il tendit le bras, saisit le bout de mes doigts et en caressa le galbe lentement. Ce contact me pétrifia en même temps qu'il éteignit mon ressentiment. Confuse, je retirai ma main prestement et l'enfouis dans les replis de ma tunique. « Je ne voulais pas te comparer à cette furie viking, bien sûr, s'excusa Brude sur un ton presque badin. Je n'ai aucun motif de me méfier d'une aussi jolie femme que toi, pas plus que je ne redoute un religieux.

Aussi, voilà mon verdict : j'accepte de vous amener tous deux jusqu'à mon père. Mais toi et tes hommes, ajouta-t-il en s'adressant à Gudlaugson, vous vous rembarquez pour Leifsbudir aujourd'hui même.

— Cela ne se peut ! trancha Gudlaugson. Pas sans dame Moïrane, du moins. J'ai promis son retour avant l'hiver à son époux, messire Gunni de Helmsdale.

— Taisez-vous, Gudlaugson ! Cette promesse, faite sans mon accord, vous ne pourrez pas la tenir ! clama le frère Comgan, sur un ton mordant. J'ai besoin de Moïrane pour cette mission et elle me suivra chez L'Envoyé de Frederik. Son mari comprendra quand vous lui aurez expliqué la situation. »

L'Islandais et l'Irlandais se disputèrent ainsi durant un bon moment en parlant de moi comme d'un objet de troc. Le premier tenait absolument à me ramener sur son knörr sans quoi il ne repartait pas de Hòp, et le second alléguait que, en restant à ses côtés, j'offrais une garantie qu'il serait bien traité par les Albains, auxquels il fallait incessamment obéir. J'aurais infiniment apprécié qu'on me demandât mon avis et je serais volontiers intervenue pour le donner, si je n'avais pas été intimidée par Brude. Ce dernier gardait le silence et me détaillait avec une audace qui me fit rougir. Je me sentis très soulagée quand il abandonna son examen effronté pour interrompre la discussion entre le frère Comgan et Gudlaugson. « Je vois que vous n'avez pas confiance, ni l'un ni l'autre, dans le séjour des membres de votre expédition chez L'Envoyé de Frederik, dit-il. Pour vous prouver la bonne foi de mon clan, je suis prêt à vous confier quelqu'un parmi les miens, que vous garderez prisonnier à Leifsbudir jusqu'à ce que les vôtres y soient revenus sains et saufs. Gudlaugson, engage-toi devant moi à traiter correctement l'otage que je te cède et à ne pas engendrer de conflits sur l'île, et rien de regrettable n'arrivera dans notre campement d'hiver au prêtre et à Moïrane. Ils seront tous deux sous ma protection et celle de mon père. Nous, Albains, n'avons qu'une parole, et je vous donne la mienne. »

Bien que l'accueil des Béothuks par la communauté de Leifsbudir fût exempt d'agressivité, une méfiance mutuelle demeura perceptible jusqu'à leur départ. Gunni en attribua une grande part à l'inefficacité de la communication entre les deux groupes. Cependant, il jugea la rencontre très enrichissante, car elle lui permit de corriger quelques idées reçues de Gudlaugson, notamment l'hostilité des indigènes, l'infériorité de leurs armes et de leurs bateaux et, détail tout à fait intéressant : la chasse au morse qui se faisait au printemps plutôt qu'à l'hiver.

Gunni réussit à capter cette dernière information au cours de l'éprouvante journée que les colons passèrent presque en tête-à-tête avec les indigènes. Au retour de la baie aux oiseaux, on convint de loger les visiteurs dans la partie inhabitée de la longue maison, anciennement dévolue aux Islandais, et c'est là que les premiers échanges eurent lieu. Ce fut d'abord l'appel des présentations, dont Gunni prit l'initiative, nommant chacun de ses hommes et lui-même. La réciproque complète ne vint pas, car le chef Béothuk ne révéla que son nom : Nonosyim. Puis, le dialogue s'engagea entre les deux groupes.

Dès le début, chacun réalisa qu'aucune vraie conversation ne serait possible, mais le désir de mieux se connaître favorisa la poursuite d'efforts dans ce sens. Karl prit le prétexte des vêtements et des objets tirés de ressources animales que portaient les trois hommes pour aborder son thème préféré, celui de la chasse. Se faisant comprendre davantage à l'aide de gestes que de mots, les Béothuks parlèrent de diverses proies, des techniques et saisons idéales pour les tuer. Ainsi le groupe de Gunni saisit-il que sur l'île d'Alba, la baleine et le morse se chassaient au printemps quand les mammifères marins reviennent fréquenter les eaux côtières ; le renne et la perdrix se capturaient à la fin de l'automne, lorsqu'ils sont au plus gras de leur constitution ; le saumon et les puffins étaient pris à l'été, au moment où ils viennent frayer ou nicher ; et enfin, la trappe de plusieurs bêtes à fourrure comme l'ours, le castor, la marte et le renard se pratiquait durant l'automne.

Un sujet en entraînant un autre, on aborda tout naturellement la question des armes. Les Écossais et les Islandais purent ainsi admirer de près les couteaux, les lances et les flèches des Béothuks et apprécier la solidité de leur confection avec des éclats de pierre et des dents animales. Réciproquement, ils remarquèrent l'intérêt des étrangers pour leurs propres épées et haches. Gunni crut même, à un certain moment, que les Béothuks désiraient se procurer des armes par le commerce et que c'était peut-être là le but de leur visite à Leifsbudir. Cependant, une telle transaction était vouée à l'échec, compte tenu de la pénurie de ce bien précieux dans l'établissement.

Markus s'efforça d'expliquer cet aspect aux indigènes en leur montrant la forge en cours d'installation et les mottes de fer des marais déjà entassées dans un caisson, mais il se rendit compte que la notion de fusion du minerai était trop abstraite pour la faire comprendre. De leur côté, Cinead et Jon furent séduits par l'étrange embarcation béothuk, qu'ils étudièrent avec minutie. Outre sa forme inhabituelle avec des pinces recourbées et des côtés terminés par une pointe haute, le matériau de fabrication avait de quoi surprendre et expliquait son étonnante légèreté : le long bateau était entièrement cousu dans de larges écorces de bouleau ensuite scellées par de la résine. D'abord indifférents, les Béothuks finirent par répondre à l'intérêt de leurs hôtes pour leur canot et ils se mirent en frais de démontrer comment il était fabriqué, explication qui s'avéra extrêmement ardue. Vers la fin du jour, Ingrid donna à son insu une démonstration de traite des vaches à l'un des indigènes qui s'était posté près de la remise pour l'observer avec ébahissement, scène qui amusa fort les sœurettes Vigdis et Elena.

Le repas du soir fut partagé autour du feu de la salle commune dans une ambiance un peu guindée, la gêne persistant entre les uns et les autres. Les Béothuks mangèrent modérément ce que leur offrirent les deux Écossaises et ils marquèrent leur contentement à boire le lait, denrée qu'ils semblaient découvrir. Ils proposèrent de partager le contenu de leurs sacoches, composé de baies séchées et de bulbes tubéreux frais, mais les colons n'osèrent pas toucher à cette nourriture. Ingrid et Arabel, qui n'avaient pas approché les Béothuks durant le jour, purent assouvir leur curiosité en les observant à souhait au moment du souper. Afin de faire bonne impression sur les premiers visiteurs à Leifsbudir, elles avaient revêtu leur tunique bordée de rouge, signe distinctif des femmes du clan Gunn. Arabel fut étonnée de constater l'effet produit par le vêtement sur Nonosyim qui, à son passage, avait pincé furtivement la bordure écarlate entre ses doigts pour l'admirer.

Peu de temps après le souper, épuisés de part et d'autre par l'attention soutenue qu'avaient exigée les échanges verbaux, les deux groupes exprimèrent le désir de se retrancher dans leurs quartiers respectifs pour la nuit. Les Béothuks passèrent dans l'autre partie de la longue maison et Gunni barra les portes derrière eux en ayant pris soin de vérifier si aucune arme ne manquait. Après leur décompte, on jugea prudent de les transférer de la salle commune à la chambre. Avant de se glisser sous les draps, on veilla à ce que les trappes de toit soient entrouvertes au minimum et coincées; que les braises soient étouffées pour couver; et que les lampes soient remplies d'huile pour demeurer allumées. Encore trop excités par la rencontre pour sombrer dans un sommeil immédiat comme les enfants, les adultes du clan Gunn se mirent à partager leurs impressions à voix haute, depuis le fond de leur lit.

Les femmes s'attardèrent aux caractéristiques physiques des indigènes, à leurs habits, à leurs parures et à leur attitude durant le repas, tandis que les hommes épiloguèrent sur leurs armes et leur navire, ce dernier les intriguant fort. Quant à savoir ce qu'il fallait penser de leur visite et d'une éventuelle récidive après leur départ, les avis étaient partagés.

« Ils sont venus en reconnaissance, affirma Cinead, probablement délégués par leur tribu. Aussi, attendons-nous à ce qu'ils rappliquent ici en plus grand nombre la prochaine fois.

— Je ne crois pas, fit Gunni. S'ils avaient été des émissaires, ils auraient eu quelque chose à troquer. Je pense plutôt que la tempête les a obligés à accoster dans l'anse et qu'ils ont été aussi surpris que nous de notre rencontre.

— Il est vrai que leurs intentions n'étaient pas claires, nota Cinead. Pourquoi ont-ils accepté de nous suivre jusqu'au campement, alors qu'ils s'apprêtaient à s'abriter sous leur embarcation dans la baie aux oiseaux?

— La curiosité de nous rencontrer devait les tenailler, suggéra Ingrid.

— Moi, je dis qu'il n'y aucun hasard dans leur venue à Leifsbudir, avança Arabel. Je suis certaine qu'ils connaissaient la place et qu'ils la fréquentaient peut-être déjà. J'en tiens pour preuve l'endroit précis où ils ont déposé leur bateau, juste à la ligne des marées. Lorsqu'ils m'ont aperçue hier, au pied de la montagne, ils ont choisi de dépasser le cap pour m'éviter et se donner le temps de réagir à notre présence dans l'anse.

— Tu as raison, dit Cinead. Si les Béothuks ont accepté de visiter les lieux, c'était pour mieux évaluer nos installations, nos effectifs et nos armes. Maintenant, que feront-ils de l'information récoltée en retournant parmi les leurs? Eh bien, nous l'ignorons tous.

— Peu importent les raisons de leur escale ici: elle aura eu pour effet de nous distraire de notre deuil», remarqua tristement Arabel. L'évocation du petit Jakob mit fin aux conversations. La nuit tomba tout à fait sur la longue maison, et avec elle un profond silence.

Avant de s'abandonner au sommeil, Gunni jongla longtemps à propos des visiteurs indigènes. Malgré la prudence évoquée par ses compagnons face à l'arrivée possible d'autres Béothuks à Leifsbudir, il n'arrivait pas à adopter une attitude de méfiance raisonnable, laquelle l'aurait normalement conduit à planifier des mesures de guet sur le campement. Mais cette précaution lui répugnait, car il se rendait compte qu'il éprouvait pour les Béothuks, et pour Nonosyim en particulier, une sympathie qu'il aurait été bien embêté d'expliquer.

Le lendemain matin, Elena, Vigdis et Martein furent les premiers habitants de Leifsbudir à se lever. Comme à l'accoutumée, ils se chaussèrent et sortirent en catimini pour aller jouer dehors, en attendant que les adultes s'éveillent. Un ciel complètement lavé de ses nuages et un soleil resplendissant les accueillirent sur le préau, encore détrempé par les pluies de la veille. «Regardez, les filles, le bateau des Skrealings n'est plus là! fit Martein en pointant un doigt vers la plage. Ils sont déjà partis… quel dommage!

— Tant mieux, répondit Elena. Ils étaient fort laids.

— Allons voir la croix de Jakob, proposa la petite Vigdis, qu'un vent léger ébouriffait.

— C'est trop loin, protesta sa sœur, en tournant le regard en direction de la montagne. Et puis, on va se mouiller les pieds : maman ne sera pas contente.

— Ça ne fait rien : en revenant, on arrêtera dans la salle des Islandais et je vais allumer un feu pour sécher nos souliers, dit Martein.

— Tu ne sais même pas faire du feu, idiot, protesta Elena.

— C'est faux! Regarde ce que j'ai pris, répliqua le bambin en sortant une pierre à feu de la poche de sa tunique avec un air de défi.

— Tu as volé ça à mon père! s'exclama Elena, sur un ton horrifié.

— Je veux voir comment tu t'en sers», s'enthousiasma Vigdis, sans égard pour l'indignation manifeste de son aînée.

Martein sourit de contentement et, avec une mine de conquérant, il s'engouffra dans l'entrée basse donnant accès à la pièce du centre de la longue maison, là où avaient été logés les trois visiteurs béothuks. Excitées, les fillettes lui emboîtèrent le pas. Sur le seuil, les enfants mirent une bonne minute à distinguer les objets plongés dans la pénombre, à la recherche de la fosse à feu, mais, dès qu'ils l'aperçurent, ils poussèrent une exclamation de frayeur: une énorme bête à panache gisait tout près.

«Qu'est cela? fit Elena, une fois le moment de stupeur passé.

— C'est un renne, affirma Martein, en s'avançant de quelques pas dans la pièce.

— Il dort? s'inquiéta la petite Vigdis, en se cachant derrière le dos de sa sœur.

— Bien sûr que non! répondit Martein. Les rennes dorment dans la forêt et ils dorment debout: c'est Karl qui me l'a dit. Celui-là doit être mort...

— Qu'est-ce que vous fabriquez ici?» entendirent soudain demander les trois amis. Dans l'embrasure de la porte se tenait Neil, que les bruits de conversation avaient attiré. Quand il aperçut la carcasse du cervidé, il émit un long sifflement admiratif qui eut l'heur d'apaiser les fillettes.

L'annonce du départ des Béothuks et la découverte des enfants sonnèrent le branle-bas dans la longue maison de Leifsbudir. En un rien de temps, les hommes s'habillèrent et coururent voir l'étrangeté. Ils examinèrent attentivement le jeune renne mâle, pour constater finalement qu'il s'agissait d'une prise de chasse : la peau souillée présentait en plusieurs endroits des incisions dues à des pointes de flèches. Curieusement, la gorge de la bête n'avait pas été tranchée, ni son cœur transpercé. Comment avait-elle abouti dans la pièce sans laisser de traces sur son passage ? Voilà où résidait le mystère. « On a transporté ce renne jusqu'ici durant la nuit, affirma Gunni.

— Les Béothuks ? émit Cinead.

— Qui d'autre ? Ils ont remarqué que nous n'avions pas de viande et ils nous en ont apporté, suggéra Markus.

— Tu penses que c'est un présent de leur part ? s'étonna Karl.

— Ce n'est pas un présent, mais un échange », trancha Ingrid, qui se tenait à l'écart, les bras croisés.

« En échange de quoi ? fit Gunni avec surprise, en se tournant vers la femme de Cinead.

— En échange d'une de nos vaches, répondit-elle, sur un ton acerbe.

— Par les cornes du bouc de Thor ! » jura Gunni en se ruant à l'extérieur.

Il se rendit directement à l'appentis, jeta un œil aux deux vaches qui ruminaient paisiblement, puis, les yeux fixés sur les traces d'ergots dans la boue fraîche, il pista la bête manquante jusqu'à la plage. À cet endroit, les marques et le piétinement dont était couvert le site de l'appareillage révélaient l'activité à laquelle s'étaient adonnés les Béothuks durant la nuit. Alors que Cinead, Markus, Karl et Jon s'attendaient à une réaction de colère de la part du dirigeant de Leifsbudir, ils entendirent celui-ci faire l'éloge des indigènes : « Ces hommes sont épatants ! Voyez un peu avec quelle adresse et efficacité ils ont réussi, en quelques heures à trois, ce que nous aurions à peine fait en une journée, à cinq : tuer un renne et le transporter jusque dans notre maison sans l'abîmer. Nous savons qu'il n'y a pas de telles bêtes sur la péninsule, aussi pouvons-nous supposer qu'ils ont dû utiliser leur bateau pour réaliser leur chasse, et tout cela, de nuit. J'étais loin de m'imaginer que leur embarcation était assez solide pour transporter une telle charge. Je me demande s'ils ont emporté la vache vivante ou morte... »

Il faut voyager à l'intérieur de l'île d'Alba pour en mesurer toute l'immensité. Jamais de ma vie n'avais-je vu autant de rocs, de tourbières et de forêts résineuses que durant le périple de dix jours qui nous conduisit, le frère Comgan et moi, de Hòp à Gleanlin, lieu où hivernaient les Albains. Le trajet me parut tellement long et fastidieux que j'en vins plus d'une fois à penser que Brude s'ingéniait à le compliquer par des détours afin de mieux nous égarer, et que s'il avait emprunté un parcours plus direct, nous aurions fait la route en deux fois moins de temps.

Lorsqu'un soir je m'ouvris discrètement au frère Comgan sur les soupçons que je nourrissais à cet effet, il attribua la lenteur de notre équipée à la charge que représentaient nos bagages. En effet, c'est au prix d'âpres négociations que Brude avait finalement accepté que l'on apporte le gros coffre du moine et le mien, plus modeste, mais néanmoins encombrant pour notre cohorte. Voyant, par la suite, l'étroitesse des sentiers montagneux, j'admis les réticences de Brude que j'avais alors prises pour de l'entêtement. Comme l'une des montures avait été sacrifiée pour devenir cheval de bât, trois autres devaient porter une personne de plus sur leur dos, soit le cavalier du cheval sur lequel on avait hissé nos effets, le frère Comgan et moi.

Après la tentative infructueuse du moine, qui avait demandé à me prendre en croupe sur une monture, nous nous étions retrouvés séparés, l'un en tête de file sur le cheval de Brude, et l'autre à la queue, sur la monture qui tirait celle qui charriait nos bagages. Selon les volontés de Brude, nos positions étaient inversées chaque jour, de sorte que je passai la moitié du voyage appuyée au dos de ce dernier, et l'autre, derrière l'un de ses hommes. J'avoue que je goûtai pleinement cette chevauchée avec les Albains, au grand dam du frère Comgan qui se morfondait devant l'intimité incongrue que l'exercice m'imposait.

« Moïrane, soyez assurée que j'aurais préféré ne pas vous contraindre à cette manière inconvenante de voyager. Mais si j'avais insisté davantage auprès de Brude pour que vous soyez sur ma monture, je l'aurais indisposé à notre endroit », m'avait maintes fois glissé le frère Comgan, durant nos premiers jours de route. À la moindre halte, il accourait pour s'enquérir de ma condition et vérifier si je bénéficiais de comportements respectueux de la part de mon escorte, dont il semblait se méfier. Il s'était finalement lassé de sa sollicitude en constatant les égards dont je jouissais, quel que soit le cavalier derrière lequel je montais, et la satisfaction que je confirmais quant à mon confort. Au demeurant, j'avais commencé à priser la liberté que je tirais d'être éloignée du moine obnubilé par sa mission et d'être forcée de m'intéresser aux propos des Albains.

D'un naturel bavard, ceux-ci racontaient avec éloquence les attributs de leur île. Ainsi, aucune plante comestible croisée sur notre chemin ne passa inaperçue, non plus que ses propriétés ; aucune piste de quelque animal ne me fut cachée ; aucune ascension d'un mont ou d'un escarpement, dont plusieurs avaient leur propre balise sous la forme d'un modeste broch, ne fut pas accompagnée d'une anecdote ; aucune dénivellation et son cours d'eau encaissé ne furent traversés sans qu'on me les nomme. J'avais enregistré une bonne partie de ces informations avec d'autant plus de concentration qu'elles me distrayaient de la lenteur et des désagréments de la chevauchée.

Est-ce que mon aisance avec les Albains dérangea le frère Comgan ? Probable. Elle fut certainement à l'origine de son regain d'intérêt pour l'enseignement de la lecture, qu'il reprit chaque soir du voyage, seul long moment où nous pouvions être ensemble en aparté, autour de notre feu. Malgré la faiblesse de l'éclairage, je réussis à progresser dans le déchiffrage des textes saints en ces quelques heures de labeur volées aux soirées. À l'abri des regards, sous les épais auvents de peaux, je retrouvais à ces occasions, l'homme intense et érudit que j'avais découvert avant notre arrivée au Vinland et aussi, en dormant à ses côtés, un peu de la familiarité qui avait été la nôtre à cette époque-là.

Gleanlin étonnait le voyageur qui avait parcouru des dizaines de miles en forêt pour y arriver enfin, sans même avoir croisé une habitation ou l'ombre d'un sentier témoignant de la présence d'humains. En effet, le site avait toutes les allures d'un petit hameau isolé, campé au milieu de pâturages encore verdoyants dans une vallée bien drainée. Treize maisons et leurs dépendances occupaient la pointe d'un lac, sur lequel deux embarcations dansaient. Dans un des prés clôturés broutaient deux chevaux et je ne sais combien de vaches, et dans l'autre, une bonne cinquantaine de moutons. Un peu en retrait au nord, je notai un bâtiment muni d'une énorme cheminée comme celle d'une forge, mais ce n'en était pas une. Malgré le fait qu'il n'était pas encerclé par une enceinte et ne comptait aucune construction en pierres, le camp d'hiver des Albains, tel qu'il m'apparut en ce dixième jour de décembre, soutenait honorablement la comparaison avec Helmsdale.

Nous étions au mi-temps de la journée, le ciel était dégagé et une forte odeur de feuilles pourrissantes provenant des bois protégeant la vallée montait à nos narines. En descendant vers Gleanlin, le vent tomba et nous sentîmes la chaleur du pâle soleil nous envelopper. L'arrivée de la cohorte de Brude provoqua une grande animation dans le village, et le frère Comgan et moi fûmes aussitôt l'objet d'une vive curiosité de la part de ses habitants. Tout comme les compagnons de Brude, les Albains étaient en général d'une taille modeste et portaient les cheveux courts, plus foncés que pâles ; leurs vêtures mêlaient le tissage de laine et la tannerie ; peu d'hommes et aucune femme n'étaient coiffés ; et les armes personnelles, que ce fut le simple couteau ou l'épée, n'étaient apparentes nulle part. Sur le coup, la quantité d'enfants entremêlés à l'attroupement des adultes me sembla extraordinaire pour la dimension du poste, mais quand j'appris que la population albaine s'élevait à cent

soixante-sept âmes, je trouvai leur nombre plus expli-
cable.

À peine avait-il mis pied à terre que le frère Comgan
commença à s'adresser aux gens à titre de représentant
de Christ, en truffant son discours de locutions latines.
Comme je m'attendais à ce qu'il suscite beaucoup d'intérêt chez ces chrétiens privés si longtemps d'aumônier,
je m'indignai de voir les hommes et surtout les femmes
se désintéresser de lui après quelques minutes, pour
reporter toute leur attention sur moi. Les Albaines m'examinèrent avec une admiration manifeste et commentè-
rent, de façon presque incongrue, ma tunique, ma guimpe
et la croix que je portais au cou. Elles parlaient si vite
que j'eus beaucoup de mal à saisir toutes leurs remarques.

Quand Brude se fut enfin libéré de l'accueil des siens,
qui avaient visiblement souffert de son absence, il daigna
s'occuper de nous. Il signifia au frère Comgan de se taire
et nous présenta succinctement au groupe, puis il nous
entraîna vers la maison qui possédait la longue cheminée
de pierres. Les Albains furent nombreux à nous accompagner jusqu'à la porte, mais seulement quelques-uns à entrer
à notre suite. L'utilisation généralisée du bois dans la construction de l'habitation, du plancher aux murs en passant par les cloisons et le toit, me frappa immédiatement.
En pénétrant dans une grande salle bien éclairée par la
lumière du jour, qui entrait à profusion par trois fenêtres, mes narines furent assaillies par un fumet de viande
rôtie qui me procura instantanément une sensation de
bien-être. C'est avec ravissement que je me laissai choir
sur le banc molletonné que l'on me désigna, entre Brude
et le frère Comgan.

La rencontre avec L'Envoyé de Frederik ne fut pas heureuse. L'homme ressemblait bien à ce que l'on s'était imaginé, c'est-à-dire un aïeul et un chef autoritaire. Il portait une chevelure et une barbe parfaitement blanches qui lui descendaient jusqu'à la taille, lui conférant un air majestueux au-delà de tout ornement, et il occupait un siège digne d'être le trône du très chrétien roi Olav. S'ils n'avaient pas été d'une blancheur immaculée, ses vêtements nous auraient paru assez ordinaires : sous une ample cape de laine, une tunique longue jetée sur une chemise sans broderie et des souliers de bœuf. Sa maîtrise de la langue norroise, qu'il privilégia pour s'adresser à nous, me sembla très bonne et le ton, courtois. Mais dès la fin des présentations par Brude, le caractère grincheux du personnage ressortit. Notre présence en Alba l'offusquait et il refusa de parler de Gudlaugson comme d'un ami. Au contraire, en apprenant que nous avions traversé l'Atlantique sur son knörr, L'Envoyé de Frederik décria l'Islandais en le traitant de renégat qui avait failli à sa parole – laquelle ? nous ne le sûmes point –, ce jour-là.

Cette entrée en matière concernant notre visite n'était certes pas de nature à nous rassurer, et je me réjouis secrètement que Gudlaugson n'ait pas pu nous accompagner jusqu'ici. Mais le frère Comgan sut calmer notre hôte et je crois que, sans son intervention intelligente à ce moment de l'entretien, nous aurions pu être expulsés de Gleanlin sur-le-champ. L'exposition pondérée et détaillée de notre mission chrétienne parrainée par l'évêque George de Limerick capta judicieusement l'attention du chef des Albains. « Parlez-moi de votre maître, demanda-t-il au moine. Comment est-il ? Décrivez-moi le palais dans lequel il vit. Pourquoi s'intéresse-t-il à nous au point de vous déléguer?»

Il s'ensuivit une longue conversation à laquelle je ne fus pas invitée à participer. Comme cela avait été le cas à Hòp, je dus subir en silence le regard perçant de Brude sur moi durant tout l'entretien, qui me parut interminable. Par contre, le manège du fils ne parvint pas à me distraire de l'interrogatoire que subissait le frère Comgan par le père. Avec un acharnement un peu naïf, l'opiniâtre vieillard insista sur le train de vie que menait l'évêque irlandais, ses possessions, les signes distinctifs de son pontificat, l'importance de sa garde et le nombre de ses esclaves. Le frère Comgan répondit patiemment à chaque question, tout en essayant de ramener le propos sur le terrain plus spécifique de sa mission religieuse. J'avoue que le caractère futile des informations réclamées par L'Envoyé de Frederik me désarçonna tout autant que l'Irlandais parut l'être. Nous comprîmes pourquoi ces aspects de l'évêché de Limerick intriguaient tant L'Envoyé de Frederik quand ce dernier se déclara chef spirituel des Albains.

«Ma mission, Comgan, précède de loin la vôtre ici, dit-il. Je la tiens moi aussi d'un évêque, l'évêque Frederik, dont je devais préparer la venue à l'établissement d'Eirik Raudi au Greenland, par suite du bannissement d'Islande de ce dernier lors du grand Thing de 981. Le saint devoir qui m'avait alors été confié a inopinément changé de cible par la volonté divine. Pendant une expédition commerciale à laquelle j'ai participé au Greenland en 986, j'ai été blessé et sauvé par un petit groupe de Celtes qui m'ont amené avec eux au Vinland. Durant le long trajet, alors que j'étais en proie aux fièvres, un songe extraordinaire m'a révélé que je deviendrais le mentor chrétien de leur clan et que je raviverais leur foi ancestrale. Voilà exactement ce qui s'est passé, il y a de cela quarante ans précisément cette année. Vous avez donc, devant vos yeux de moine irlandais, l'unique prélat en Alba. » Ce qui était sous-entendu dans cette conclusion, et que L'Envoyé de Frederik n'exprima pas clairement, le frère Comgan et moi le comprîmes : un autre représentant de Christ n'était pas le bienvenu sur le territoire.

La suite des événements nous donna raison. Le chef albain ordonna que l'on enferme le frère Comgan ; qu'on le bâillonne pour l'empêcher de faire des prédications et que les objets saints contenus dans son coffre soient confisqués pour lui être remis. Impuissante et horrifiée, j'assistai donc à la capture du moine. Celui-ci n'opposa aucune résistance et n'émit aucune protestation. Il se contenta de me couler un regard pénétrant avant qu'on le sorte de la pièce et je ne pus en déchiffrer le message sous-jacent.

Puis, ce fut à mon tour d'être interrogée. Dès les premières questions, posées sur un ton nettement moins hostile que celui employé avec le moine, je sentis que ni ma vie ni ma liberté n'étaient menacées. Au contraire, L'Envoyé de Frederik s'émerveilla de mon nom en glorifiant la vierge mère de Christ qui portait le même ; il admira longuement la croix qui pendait à mon cou et il se réjouit d'entendre que je n'étais pas la femme du frère Comgan. Brude approuva chacune de mes réponses, comme pour leur donner du poids aux yeux de son père, lequel se montra finalement magnanime envers moi. Brude et lui entamèrent ensuite une conversation en norrois, et je me tins coite en essayant de saisir quelques mots.

Le père et le fils n'avaient toujours pas réglé mon sort quand on apporta le grand crucifix, la bannière bordée d'orfrois dorés et le livre saint, prélevés dans le coffre du frère Comgan. L'Envoyé de Frederik examina les deux premières choses avec une convoitise évidente, alors que la troisième sembla soulever sa méfiance. Il retourna en tous sens le gros volume de cuir garni de ferrures avant de se décider à l'ouvrir. D'une main hésitante, il le feuilleta durant quelques minutes en s'attardant surtout aux pages chargées d'enluminures. En observant attentivement son comportement, je saisis que le vieillard était embêté par cet objet d'érudition qu'il ne pouvait utiliser parce qu'il ne savait manifestement pas lire, mais qui représentait certainement un outil exceptionnel pour quiconque veut exercer une charge de prélat. Il me vint alors l'idée d'offrir mes services de lectrice, lesquels nécessiteraient automatiquement ceux de traduction du latin, ces derniers ne pouvant être assurés que par le frère Comgan. Si mon stratagème fonctionnait, mes chances de rester en contact avec le moine, d'alléger son incarcération et d'atteindre la réussite de notre mission décupleraient.

Le cœur battant, je me levai discrètement et m'approchai du fauteuil de L'Envoyé de Frederik. «Monseigneur, puis-je?» demandai-je en glissant un doigt sur la feuille que le vieil homme contemplait. Il leva un regard bleu et délavé sur moi en fronçant les sourcils. Lentement, je fis pivoter le livre vers moi sans qu'il résiste à mon geste et je commençai à lire la première ligne de texte qui me tomba sous les yeux. Je me rendis jusqu'à la fin de la page sans trop bafouiller, je m'arrêtai et lui souris. Il reprit possession de l'ouvrage et me demanda sur un ton suspicieux:

«Quelle oraison est-ce?

— Je n'en sais rien, Monseigneur. Je sais lire, mais je n'ois pas le latin.

— Tu sais lire, femme écossaise? Comment cela se fait-il?

— Le frère Comgan me l'a appris lorsque nous étions en mer, Monseigneur.

— Pourquoi ne t'a-t-il pas enseigné le latin aussi?

— Parce que c'est science de prêtres qu'eux seuls sont autorisés à maîtriser. Le frère Comgan ne peut m'instruire dans la langue latine, mais pour vous, Monseigneur, il en va tout autrement...»

Chapitre VII

La captive

Tout en oubliant ostensiblement la présence du frère Comgan dans leur village, les Albains s'habituèrent rapidement à la mienne. J'allais et venais librement parmi eux, m'étonnant de leur affabilité, de leurs installations confortables et de leur culte à la croix celtique dont on distinguait partout les contours gravés dans la pierre ou sur les linteaux de porte. Voilà un mois que je vivais à Gleanlin et je m'y sentais presque aussi bien qu'à Helmsdale. N'eût été de l'enfermement de mon compagnon irlandais, que je visitais pourtant chaque jour, j'aurais pu me leurrer sur les raisons de notre séjour en ce lieu. Mais, il fallait bien l'admettre, la mission de l'évêque de Limerick en Alba piétinait.

Malgré mes efforts pour impliquer le frère Comgan dans l'étude du livre saint avec L'Envoyé de Frederik, j'avais obtenu peu de chose. Le chef albain persistait dans sa méfiance envers le moine, tout en m'utilisant comme intermédiaire avec ce dernier. Le Jour de la Nativité[1], L'Envoyé

1. Jour de la Nativité : fête religieuse célébrée le 25 décembre, Noël.

153

de Frederik m'avait donné la permission d'emporter le gros ouvrage dans le cachot, afin que le frère Comgan m'indique les passages se rapportant à la fête et que je puisse, par la suite, les lire à voix haute devant les Albains durant leur office religieux. Je m'étais évidemment pliée à la demande du chef, et ma prestation avait tellement plu que l'estime dont je jouissais déjà au village s'en était trouvée amplifiée. Dès lors, je pus conserver le livre dans la chambre que je partageais avec des femmes de la maison du chef et m'en repaître tout mon saoul. L'Envoyé de Frederik exigea que je lui récite des textes quotidiennement, en présence de son fils Brude, de préférence à sexte, quand la lumière du jour était à son meilleur. Comme cette activité requérait des consultations fréquentes auprès du frère Comgan, j'eus le bonheur de poursuivre mon propre apprentissage de la lecture avec ce dernier.

Ma liberté de mouvement me permit de faire plus ample connaissance avec les habitants de Gleanlin. Je rencontrai la plupart d'entre eux en compagnie de Brude, qui m'accompagnait souvent d'une maison à l'autre, non pas comme gardien, mais plutôt comme un guide discret et attentif. Au fil de nos conversations, il me fit découvrir l'histoire peu banale de son clan et ses origines celtiques. Cet aspect fascinant fut particulièrement bien élaboré par la vieille Julitta, épouse de L'Envoyé de Frederik et mère de Brude.

La dame avait autant de panache que son chef de mari : c'était une femme petite, au visage fripé, à la chevelure blanche et clairsemée, aux yeux noirs et vifs. Dès notre premier entretien, elle me parut clairvoyante, conteuse dotée d'une mémoire phénoménale, experte en plantes médicinales et en culture potagère. Grâce à son jugement respecté et à son ascendance sur le clan, elle était la principale conseillère et usait de ce titre pour agir comme marieuse. J'eus tôt fait de comprendre que tous les projets d'union entre Albains requéraient la sanction de l'aïeule et que, bien souvent, ils étaient amorcés par celle-ci. «Le secret d'un peuple robuste réside dans le mélange des sangs, me confia-t-elle une fois. Lorsque nous avons quitté nos crofts* de l'île Crona, appelée maintenant Greenland, nous n'étions plus que vingt-deux familles de notre clan. Toutes les autres étaient déjà parties vers l'ouest, bien avant ma naissance. Nos enfants mouraient en bas âge, la plupart de nos aînés étaient aveugles et si nous étions restés, il aurait fallu que nos filles, pour avoir une progéniture solide et viable, épousent les fils de la mort qui avaient commencé à rôder autour de l'île. Mais pour nous, il n'était pas question de nous accoupler avec ces païens brutaux.

— Qui appelez-vous "fils de la mort"? demandai-je, intriguée.

— Les Vikings. Jadis, partout où ils ont conquis des terres, les pirates vikings ont délogé notre peuple. Ils nous ont chassés des établissements où nous vivions avec nos troupeaux pour s'installer à notre place. Les contrées que les fils de la mort ont gagnées par la hache de guerre à notre détriment sont aujourd'hui appelées Écosse, Nordreys, Islande et, finalement, Greenland.

— Vous voulez dire qu'à l'origine votre communauté chrétienne était écossaise?

— Oui, selon ce qui a été mille fois rapporté par nos aïeux pictes*, les bâtisseurs de tours. Leurs récits racontent leur longue migration qui a commencé, il y a plus

de cinq cents ans, dans les hautes terres du Pictland*
pour aboutir ici, à Alba. J'ai fait partie du dernier groupe
à quitter Crona, voilà une cinquantaine d'années. Nous
avons pris la mer avec tout le bétail que nous avons pu
faire monter dans nos curraghs*. Après un long voyage
de plusieurs mois sur les côtes du Markland, nous avons
débarqué sur le versant ouest d'Alba, dans une anse
couverte de prairies, de sources et de fourrage : un véritable paradis où s'établir. Nous avons rebâti nos crofts
et exploré l'île. Nous avons rencontré des tribus d'indigènes pacifiques, les Tunits et les Béothuks, et nous
avons accepté de faire souche avec eux, malgré qu'ils
fussent païens. Nous avons conservé notre foi celtique
et nous avons engendré deux générations de chrétiens
qui sont plus vigoureux que jamais notre peuple ne l'a
été. Moi, Julitta d'Alba, je dis que c'est grâce aux sangs
mêlés. »

Cette hypothèse du mixage des peuples, bien qu'elle
me parût farfelue de prime abord, méritait qu'on l'exa-
mine. Ce qui était valable pour les bêtes à cornes ne
pouvait-il pas s'appliquer aux humains ? Les bouviers et
les bergers n'avaient-ils pas toujours prétendu que les
mâles d'un troupeau saillaient plus volontiers de nouvelles femelles que celles dont ils avaient déjà usé, et que les
rejetons étaient mieux constitués quand ils provenaient
de parents appartenant à des élevages différents ? Je me
gardai de demander à Julitta si son fils Brude, d'allure
racée, était né de son union avec un indigène ou avec
L'Envoyé de Frederik, lequel avait manifestement des
origines islandaises. Cette question m'indisposait, car
elle mettait en lumière le fait que les Albains, en prati-
quant la polygamie, ne vivaient pas selon les principes

de la foi chrétienne. En effet, Julitta avait deux maris ; L'Envoyé de Frederik entretenait trois épouses ; je n'avais pas encore vu un seul couple exclusif, c'est-à-dire dont l'homme n'avait qu'une épouse et la femme, un seul mari. D'ailleurs, nombre d'Albains, comme leur chef, gardaient deux, parfois trois femmes sous leur toit. Il faut dire que la population du village comptait nettement plus de femmes que d'hommes. Là ne se limitaient pas les seules différences entre les us albains et un comportement véritablement chrétien : le statut d'au moins une trentaine de villageois laissait croire que l'esclavage était pratiqué à Gleanlin.

Quand je partageai mes réflexions avec le frère Comgan, qui se captiva pour l'histoire de cette communauté descendante de Pictes, il m'expliqua que les débuts de la chrétienté n'avaient pas obéi aux mêmes lois que celles adoptées par la suite. Ainsi, les premiers croyants celtes, jusqu'à ceux des années 500, admettaient la polygamie, le concubinage des prêtres et la possession d'esclaves, toutes mœurs depuis lors bannies dans la religion de Christ. «Voyez-vous, Moïrane, j'ai la ferme conviction qu'il ne faut pas heurter les très anciennes croyances des Albains, si l'on veut parvenir à les redresser. Voilà pourquoi je ne me plains pas de ma condition et que je n'insiste pas sur ma libération. Prendre de front Julitta et son mari serait une grave erreur, et je me réconforte qu'ils vous aient si bien adoptée dans leur famille. Tant et aussi longtemps que vous serez libre d'entendre tout ce qu'ils disent et de parler de notre cause à l'occasion, nous pourrons garder espoir en notre mission. »

Le matin du vingt-septième jour de mouillage dans la baie, Gudlaugson entendit la glace cogner contre la coque du knörr et décida d'appareiller. N'ayant pu résister à l'envie de chasser les proies visibles depuis les eaux côtières, à son départ de Hòp, et désireux de retarder l'heure de l'inévitable confrontation avec Gunni, l'Islandais et son équipage avaient musardé dans un fjord protégé des vents où ils avaient pu facilement jeter l'ancre, à une vingtaine de miles de Leifsbudir. Se disant que son retour n'y était pas vraiment attendu avant l'échéance donnée par les conditions hivernales de navigation, Gudlaugson se laissa facilement convaincre par ses hommes de faire une halte. Les cousins Ketilson et Anderss avaient été passablement excités par les commentaires de Cormac, l'otage albain, sur la migration des cervidés vers le nord de l'île. Ils n'eurent ainsi aucune difficulté à faire valoir à leur capitaine leurs intérêts premiers dans l'expédition au Vinland. Maintenant, grâce à leur talent pour la chasse et à la participation de l'Albain, l'entrepont du knörr recelait une dizaine de belles peaux de bêtes diverses, attachées en ballots, un demi-baril de graisse animale et deux cageots de viande.

Gudlaugson était si satisfait de sa cargaison et de l'humeur de ses gens qu'il en avait presque oublié les désagréments inhérents au retour à Leifsbudir, sans le moine et Moïrane. Il avait aussi balayé de son esprit la menace que Brude avait laissé planer s'il ne rentrait pas directement au campement avec son équipage. Aussi, lorsque Hans constata la disparition de Cormac, qu'il devait surveiller, Gudlaugson n'en fit pas de cas. Cependant, quatre jours plus tard, le 17 janvier, quand le cap de la baie aux oiseaux fut en vue, le capitaine islandais devint nerveux et commença à préparer sa défense.

« Tu penses bien, Gunni, que je n'aurais jamais laissé ta femme entre leurs mains si je n'avais pas été assuré qu'elle ne courait aucun danger », plaida Gudlaugson, à la porte de la longue maison. Les deux hommes s'étaient retirés pour discuter, laissant leurs gens dans la salle commune, à la joie des retrouvailles, que le chargement de pelleteries et de denrées avait accentuée. Gunni redescendit en direction de la plage d'un pas raide, suivi de l'Islandais, embarrassé. L'un comme l'autre tenait à ce que la discussion demeure privée, car ils avaient tous les deux leur autorité à préserver. Là, ils firent le tour du knörr qui avait été halé sur le sable, à la limite des eaux de marée. « Si ta confiance était aussi totale envers les Albains, pourquoi y a-t-il eu échange d'otages ? demanda Gunni.

– L'Albain qui est monté à notre bord n'était pas vraiment un otage, mentit Gudlaugson. Il était simplement là pour faciliter notre retour à Leifsbudir. Tu le sais, les Albains sont les seuls à pouvoir garantir notre protection sur cette île contre les tribus de Skrealings : c'est entre leurs mains sanguinaires que le papar et Moïrane auraient vraiment été en danger, tandis que chez des chrétiens, ils sont plus à l'abri que nous ne pourrons jamais l'être ici même. Et puis, ainsi, ne sommes-nous pas libres de vaquer à des occupations plus lucratives ? Allons, Gunni, essaie de voir les choses sous un angle sensé : Comgan poursuit sa mission en toute quiétude durant l'hiver, et nous, la nôtre. Au printemps, nous refaisons voile vers Hòp à leur rencontre et les ramenons à Leifsbudir. Nous n'aurons pas perdu notre temps en attente oisive, et eux le leur. »

Gunni aurait aimé souscrire au raisonnement de l'Islandais et adopter son attitude désinvolte par rapport au changement de programme, mais il n'y parvint pas. D'une part, sa rencontre avec les Béothuks l'avait convaincu que les indigènes ne constituaient pas forcément une menace pour les membres de l'expédition ; et d'autre part, la contradiction entre la version de Gudlaugson et celle de ses hommes sur leur entrevue avec les Albains jetait le doute dans son esprit. Mécontent, il frappa la coque du navire du plat de la main. « Je crois que tu t'illusionnes sur les possibilités de chasse au morse cet hiver dans les parages, siffla Gunni. Il y a plus d'un mois, trois Skrealings sont venus ici et nous ont fort bien renseignés sur cette question : à pied, depuis l'anse, il m'apparaît évident qu'une équipée de chasse au morse ou à toute autre grosse proie est vouée à l'échec.

— Des Skrealings ! Tu as vu et parlé avec des Skrealings ?

— Ils se désignent eux-mêmes sous le vocable de "Béothuks" et le chef de leur délégation était un homme intelligent appelé Nonosyim. Contrairement à ce que tu penses, ces gens ne sont nullement sanguinaires ou même querelleurs. Nous avons procédé à un échange avec eux, répondit laconiquement Gunni.

— Ils ont troqué ? Incroyable ! Qu'as-tu obtenu et contre quoi ?

— De la viande fraîche contre du lait.

— Quelle quantité de lait as-tu offerte et quelle pièce de gibier ont-ils donnée en retour ?

— Ils nous ont laissé un renne entier, qu'ils ont probablement capturé sur une terre éloignée d'ici, et ils sont repartis avec une vache.

— Une vache, murmura Gudlaugson : une des deux qui donnait du lait…

— En effet.

— Pourquoi ne pas avoir échangé celle qui n'en produisait plus ?

— Parce que l'échange s'est fait en notre absence, durant la nuit.

— Par Thor, c'est du vol ! Tu t'es fait duper ! Comment passerons-nous l'hiver avec le lait d'une seule vache pour dix-sept ?

— Seize, corrigea Gunni. Je te signale que le petit d'Arabel a trépassé.

— Désolé, oui. Que Dieu ait son âme…

— Écoute-moi bien, Gudlaugson, gronda Gunni, les Béothuks ne sont pas nos ennemis et je ferai tout en mon pouvoir pour qu'ils ne le deviennent pas. Je conserve la direction de Leifsbudir jusqu'au retour de Comgan et j'entends que toi et tes hommes ne preniez aucune initiative allant à l'encontre de mes décisions. Au cas où tu ne l'aurais pas déjà remarqué, j'ai l'allégeance de Markus, de Karl et de Jon. Le compte de nos effectifs, incluant les femmes, est nettement favorable au clan Gunn : ne t'avise donc pas de le mettre à l'épreuve ! »

À partir de cette mise au point sévère, un fossé se creusa entre le chef écossais et le chef islandais. Sans devenir ouvertement hostiles l'un à l'autre, Gunni et Gudlaugson perdirent le sentiment de sympathie réciproque qui les avait autrefois liés. En son for intérieur, le capitaine s'estimait chanceux de la tournure des événements : non seulement s'était-il débarrassé du moine importun et pourrait-il, de ce fait, s'adonner à la chasse d'hiver, en dépit de l'avis de Gunni, mais il avait évité les foudres de ce dernier devant l'abandon de Moïrane aux Albains. Gudlaugson se souciait très peu de la domination du chef écossais sur la communauté de Leifsbudir, sachant pertinemment que ses compatriotes islandais le suivraient dans ses visées de chasse. Il comptait que les marins qui avaient traqué le gibier avec Cormac seraient les premiers à participer à son projet. Sur ce point, Gudlaugson ne se trompa pas: Hans, Anderson, les cousins Ketilson, plus Karl, levèrent la main quand, une semaine après son arrivée, une expédition de chasse dans l'arrière-pays leur fut proposée. Gunni ne s'opposa pas à cette sortie, mais au contraire, il la favorisa en consentant à ce que le groupe emportât une quantité de victuailles suffisante pour tenir quelques semaines en forêt. Il se réjouit même de voir partir Karl, dont l'opinion sur les indigènes contrait contrebalancer celle de Gudlaugson advenant une nouvelle rencontre avec des Béothuks.

Le soir qui suivit le départ des Islandais, Gunni s'assit devant la foyer, à feu et s'absorba dans la gravure bois du jeune renne, ouvrage qu'il exécutait sans savoir ce qu'il voulait en tirer. Une série d'entrelacs men ciselés conduit déjà li bois, des ramures. Le n'était pas sans lui rappeler l'imposante pierre qu' aligée pour Ablonir le *nonnmet* de Dornoch Moïrane, ce souvenir le plongea dans une nostalgie. Comme pour mieux se remémorer il leva les yeux à la recherche des deux femmes Ingrid était passée dans la chambre avec sa l'appliquait à la rejoindre en alléguant mais Gunni savait qu'il se retirait souvent de de la baie aux oiseaux fut en vue, le capitaine islandais devint nerveux et commença à préparer sa défense.

«Tu penses bien, Gunni, que je n'aurais jamais laissé ta femme entre leurs mains si je n'avais pas été assuré qu'elle ne courait aucun danger», plaida Gudlaugson, à la porte de la longue maison. Les deux hommes s'étaient retirés pour discuter, laissant leurs gens dans la salle commune, à la joie des retrouvailles, que le chargement de pelleteries et de denrées avait accentuée. Gunni redescendit en direction de la plage d'un pas raide, suivi de l'Islandais, embarrassé. L'un comme l'autre tenait à ce que la discussion demeure privée, car ils avaient tous les deux leur autorité à préserver. Là, ils firent le tour du knörr qui avait été halé sur le sable, à la limite des eaux de marée. «Si ta confiance était aussi totale envers les Albains, pourquoi y a-t-il eu échange d'otages? demanda Gunni.

– L'Albain qui est monté à notre bord n'était pas vraiment un otage, mentit Gudlaugson. Il était simplement là pour faciliter notre retour à Leifsbudir. Tu le sais, les Albains sont les seuls à pouvoir garantir notre protection sur cette île contre les tribus de Skrealings: c'est entre leurs mains sanguinaires que le papar et Moïrane auraient vraiment été en danger, tandis que chez des chrétiens, ils sont plus à l'abri que nous ne pourrons jamais l'être ici même. Et puis, ainsi, ne sommes-nous pas libres de vaquer à des occupations plus lucratives? Allons, Gunni, essaie de voir les choses sous un angle sensé: Comgan poursuit sa mission en toute quiétude durant l'hiver, et nous, la nôtre. Au printemps, nous refaisons voile vers Hòp à leur rencontre et les ramenons à Leifsbudir. Nous n'aurons pas perdu notre temps en attente oisive, et eux le leur.»

Gunni aurait aimé souscrire au raisonnement de l'Islandais et adopter son attitude désinvolte par rapport au changement de programme, mais il n'y parvint pas. D'une part, sa rencontre avec les Béothuks l'avait convaincu que les indigènes ne constituaient pas forcément une menace pour les membres de l'expédition ; et d'autre part, la contradiction entre la version de Gudlaugson et celle de ses hommes sur leur entrevue avec les Albains jetait le doute dans son esprit. Mécontent, il frappa la coque du navire du plat de la main. « Je crois que tu t'illusionnes sur les possibilités de chasse au morse cet hiver dans les parages, siffla Gunni. Il y a plus d'un mois, trois Skrealings sont venus ici et nous ont fort bien renseignés sur cette question : à pied, depuis l'anse, il m'apparaît évident qu'une équipée de chasse au morse ou à toute autre grosse proie est vouée à l'échec.

— Des Skrealings ! Tu as vu et parlé avec des Skrealings ?

— Ils se désignent eux-mêmes sous le vocable de "Béothuks" et le chef de leur délégation était un homme intelligent appelé Nonosyim. Contrairement à ce que tu penses, ces gens ne sont nullement sanguinaires ou même querelleurs. Nous avons procédé à un échange avec eux, répondit laconiquement Gunni.

— Ils ont troqué ? Incroyable ! Qu'as-tu obtenu et contre quoi ?

— De la viande fraîche contre du lait.

— Quelle quantité de lait as-tu offerte et quelle pièce de gibier ont-ils donnée en retour ?

— Ils nous ont laissé un renne entier, qu'ils ont probablement capturé sur une terre éloignée d'ici, et ils sont repartis avec une vache.

— Une vache, murmura Gudlaugson : une des deux qui donnait du lait…

— En effet.

— Pourquoi ne pas avoir échangé celle qui n'en produisait plus ?

— Parce que l'échange s'est fait en notre absence, durant la nuit.

— Par Thor, c'est du vol ! Tu t'es fait duper ! Comment passerons-nous l'hiver avec le lait d'une seule vache pour dix-sept ?

— Seize, corrigea Gunni. Je te signale que le petit d'Arabel a trépassé.

— Désolé, oui. Que Dieu ait son âme…

— Écoute-moi bien, Gudlaugson, gronda Gunni, les Béothuks ne sont pas nos ennemis et je ferai tout en mon pouvoir pour qu'ils ne le deviennent pas. Je conserve la direction de Leifsbudir jusqu'au retour de Comgan et j'entends que toi et tes hommes ne preniez aucune initiative allant à l'encontre de mes décisions. Au cas où tu ne l'aurais pas déjà remarqué, j'ai l'allégeance de Markus, de Karl et de Jon. Le compte de nos effectifs, incluant les femmes, est nettement favorable au clan Gunn : ne t'avise donc pas de le mettre à l'épreuve ! »

À partir de cette mise au point sévère, un fossé se creusa entre le chef écossais et le chef islandais. Sans devenir ouvertement hostiles l'un à l'autre, Gunni et Gudlaugson perdirent le sentiment de sympathie réciproque qui les avait autrefois liés. En son for intérieur, le capitaine s'estimait chanceux de la tournure des événements : non seulement s'était-il débarrassé du moine importun et pourrait-il, de ce fait, s'adonner à la chasse d'hiver, en dépit de l'avis de Gunni, mais il avait évité les foudres de ce dernier devant l'abandon de Moïrane aux Albains. Gudlaugson se souciait très peu de la domination du chef écossais sur la communauté de Leifsbudir, sachant pertinemment que ses compatriotes islandais le suivraient dans ses visées de chasse. Il supputa que les marins qui avaient traqué le gibier avec Cormac seraient les premiers à participer à son projet. Sur ce point, Gudlaugson ne se trompa pas : Hans, Anderss, les cousins Ketilson, plus Karl, levèrent la main quand, une semaine après son arrivée, une expédition de chasse dans l'arrière-pays leur fut proposée. Gunni ne s'opposa pas à cette sortie, mais au contraire, il la favorisa en consentant à ce que le groupe emportât une quantité de victuailles suffisante pour tenir quelques semaines en forêt. Il se réjouit même de voir partir Karl, dont l'opinion sur les indigènes saurait contrebalancer celle de Gudlaugson advenant une nouvelle rencontre avec des Béothuks.

Le soir qui suivit le départ des Islandais, Gunni s'assit devant la fosse à feu et s'absorba dans la gravure du bois du jeune renne, ouvrage qu'il exécutait sans trop savoir ce qu'il voulait en tirer. Une série d'entrelacs finement ciselés courait déjà le long des ramures. Le dessin n'était pas sans lui rappeler l'imposante pierre qu'il avait sculptée pour éblouir le mormaer* de Dornoch et sa fille Moïrane, et ce souvenir le plongea dans une profonde nostalgie. Comme pour mieux se remémorer son épouse, il leva les yeux à la recherche des deux femmes du groupe. Ingrid était passée dans la chambre avec ses fillettes, et Cinead s'apprêtait à la rejoindre en alléguant la fatigue, mais Gunni savait qu'il se servait souvent de ce prétexte pour honorer sa femme avant que les dormeurs n'envahissent la pièce pour la nuit.

Quant à Arabel, Gunni la distingua dans l'ombre au fond de la salle commune, assise sur un banc de mur avec Markus, dont elle ne repoussait pas les caresses furtives. Depuis quelques jours, tous deux ne cachaient pas leur attrait mutuel et coquelinaient* de plus en plus ouvertement. Gunni détourna le regard et soupira. Il fit un effort pour se concentrer sur les coups de poinçon qu'il infligeait à la corne molle, mais le cœur n'y était pas : pour la centième fois depuis le retour de Gudlaugson, l'image de Moïrane aux côtés du moine s'imposa à son âme tourmentée.

Comme je revenais de mon entretien quotidien avec le frère Comgan et que j'empruntais le sentier de neige tapée qui menait chez Julitta, je tombai face à face avec Cormac, l'Albain qui avait été confié à Gudlaugson comme otage. « Salutations ! fit-il, en me souriant.

— Bonjour, messire. Comment allez-vous ? Je ne savais pas que vous étiez revenu, répondis-je, un peu prise au dépourvu.

— Je suis rentré cette nuit seulement et je vais présenter mes respects au chef.

— Vous arrivez de Leifsbudir, n'est-ce pas ? Quelles sont les nouvelles, là-bas ?

— Oh non ! je ne me suis pas rendu aussi loin ! J'ai fait faux bond aux Vikings avant la fin de leur voyage. Je n'avais nulle envie de passer l'hiver chez eux », répondit-il, sur un ton espiègle. Il fit un pas de côté afin de me laisser passer et son pied s'enfonça profondément dans la neige molle. Je m'empressai d'avancer afin qu'il reprenne son équilibre au centre de la piste durcie et je le quittai en m'interrogeant sur les conséquences de ce revirement imprévu.

Dans la maison de Julitta, qu'elle partageait avec une douzaine de personnes, dont son fils, mon aimable guide, l'ambiance était à la joie et les occupants mirent un bon moment avant de noter mon entrée. Le retour de Cormac monopolisait la conversation des Albains et je crus d'abord que c'était là le motif de leur gaieté, mais au silence qui s'installa quand on remarqua ma présence, je compris que c'était moi qui étais au centre des débats. D'un regard étonné, je parcourus chacun des visages en quête d'un éclaircissement, pour m'arrêter sur celui de Brude, le plus radieux d'entre tous. «Viens là, dit Julitta, en me faisant un signe d'invitation. Assieds-toi à côté de moi. C'est un grand jour pour notre communauté, pour moi et pour mon fils en particulier.» Ne sachant où elle voulait en venir avec cette annonce, je m'installai sur le coussin sans dire un mot. À son sourire édenté, je répondis par une mimique intimidée et attendis la suite de son exposé. «Nous t'adoptons à l'unanimité, Moïrane, reprit-elle d'une voix plus solennelle. Tu es bel et bien celle que nous attendions tous, et c'est grand honneur que tu nous fais d'être venue à Gleanlin. Je ne l'ai pas immédiatement compris, mais la libération de Cormac est un signe clair qui explique ta présence parmi nous. En vérité, tu es l'émissaire de Christ sur l'île d'Alba et nous le reconnaissons. Par cela, tu es indéniablement destinée à Brude, qui est le successeur à L'Envoyé de Frederik et qui en prendra la charge prochainement...

« – Attendez ! Ce n'est pas moi qui représente Christ au Vinland, mais le frère Comgan, objectai-je, bouleversée.

– Lui aussi est un représentant, enchaîna Julitta, mais il est L'Envoyé de George et il n'est ici que pour t'accompagner, toi, pure comme la mère de Christ et souveraine comme elle. »

Ma guimpe empêcha mes cheveux de se dresser sur ma tête lorsque j'entendis ces paroles profanatrices. Mon cœur se mit à cogner sourdement dans ma poitrine, mes mains devinrent moites et je déglutis avec peine. « Durant toute ma vie, poursuivit l'aïeule, j'ai cherché à mon fils une femme digne de son sang et ma quête est aujourd'hui récompensée : ce qui irrigue tes veines est le même flux que celui qui a battu dans le cœur des ancêtres de mon peuple, un sang picte. Nous ne pouvons imaginer union plus forte que celle de Brude avec toi, admirable Moïrane.

– Vous faites erreur, Julitta ! Je vous prie de m'écouter un instant, me hâtai-je de dire, de plus en plus affolée. Non pas que Brude soit rejetable à mes yeux, mais je ne saurais lui procurer de descendance. Mon ventre est demeuré sec en six ans de mariage : je n'ai donné aucun rejeton à mon époux et j'ai perdu tout espoir d'engendrer…

– Mon enfant, dit-elle, autre époux, autre semence.

– Mais enfin, je ne peux pas demeurer à Gleanlin : j'ai un mari qui m'attend à Leifsbudir, protestai-je d'une voix fébrile.

– Pourtant, il le faudra bien, Moïrane : les Albains ont besoin de toi. » Effarée, je dévisageai Julitta durant un long moment en tentant de comprendre l'impact de cette décision et quand je l'eus saisi, les larmes me montèrent aux yeux. En seulement quelques minutes, mon état d'apparente liberté s'était mué en captivité ; ma séparation temporaire d'avec Gunni avait pris des dimensions de permanence ; et j'étais poussée à commettre un acte éhonté avec un autre homme que mon époux légitime. Je tournai un regard éploré vers Brude, lequel se troubla aussitôt. Dans le silence total des membres de l'assemblée, il s'avança vers moi, m'aida à me lever et m'emmena à l'extérieur de la salle. Incapable de parler ou de lui résister, je laissai son bras entourer mes épaules et j'éclatai en sanglots derrière mes mains plaquées sur mon visage.

À ma demande, Brude me reconduisit chez le frère Comgan, auprès duquel il m'abandonna pour le reste de la journée, et je lui en fus reconnaissante. Évidemment, le moine fut atterré par le récit larmoyant de mon entrevue avec la vieille Julitta. Il s'insurgea contre la femme et son ignorance pitoyable des lois chrétiennes, tout comme il s'abreuva de reproches pour m'avoir exposée à une situation aussi aberrante. Puis, après réflexion, le frère Comgan conclut qu'il fallait confronter Brude au sujet de sa parole donnée et lui rappeler que la détention de Cormac à Leifsbudir devait se faire en contrepartie de la nôtre à Gleanlin, et que si l'un était libéré, les autres devaient l'être. Avant de se lancer dans une telle argumentation avec le fils du chef, il fallait en prévoir les répercussions pour la poursuite du mandat de l'évêché. Dans l'éventualité où Brude respecterait sa parole, nous quitterions le village pour retourner à Leifsbudir sans avoir pu prêcher aux Albains ; dans l'éventualité contraire, nous serions obligés de subir notre sort jusqu'à ce que nos gens puissent nous reprendre, tout en conservant la possibilité de faire progresser notre mission.

Toujours plus oppressés au fur et à mesure que s'écoulaient les heures, nous examinâmes ensemble la situation sous tous ses angles afin de trouver une solution avantageuse. «Je me demande comment l'Albain Cormac a réussi à tromper la surveillance de Gudlaugson, dit le moine, à moins qu'on l'ait délibérément laissé fuir, auquel cas nos alliés ont perdu l'unique moyen de pression pour garantir notre retour à Leifsbudir.

— Pourquoi Gudlaugson aurait-il fait cela? C'est abominable! m'exclamai-je.

— J'ignore ce qui s'est vraiment passé avec l'otage albain et j'ai une confiance mitigée envers Gudlaugson. Par contre, ce qui m'apparaît clair, c'est l'ardent désir de l'Islandais de mener son expédition sans s'encombrer de la mission patronnée par son éminence George de Limerick. Il est obsédé par les gains de la chasse au morse et je me suis malencontreusement placé en travers de sa route : vu sous cet angle, Gudlaugson avait tout intérêt à me mettre hors d'état de lui nuire pour un certain temps, et c'est vraisemblablement ce qu'il a réussi à faire.

— Gunni ne peut pas avoir accepté cela, fis-je. Je suis absolument persuadée qu'il va venir nous quérir et qu'il est même déjà en route…

— Votre mari s'est certainement rebellé contre Gudlaugson, mais à cette heure, s'il n'est pas déjà arrivé, c'est qu'il n'a pas pu se rendre. D'ailleurs, comment parviendrait-il jusqu'à nous? Où nous chercher? Maintenant que l'hiver est installé, les navires sont en cale sèche et les déplacements sont extrêmement limités sur une île aussi vaste qu'Alba. Moïrane, je crois que votre époux ne pourra malheureusement rien faire jusqu'au dégel du printemps.

– Par le Christ, allons-nous tenir le coup durant tout ce temps?

– Je le crois, oui. Écoutons ce que dicte la sagesse», répondit posément le frère Comgan.

Le calme et la confiance du religieux me frappèrent. S'il envisageait de supporter sereinement son incarcération tout en avançant précautionneusement les pions de son jeu, moi, je me morfondais à l'idée de m'unir à Brude pour satisfaire les ambitions de l'ignare Julitta et faciliter notre vie à Gleanlin. «Devrais-je me résigner à tromper mon mari?» demandai-je, d'une voix à peine audible. Le frère Comgan saisit mon désarroi et s'employa aussitôt à me réconforter avec son habituelle manière inspirée et visionnaire: «Chère Moïrane, dès notre première rencontre, j'ai compris que vous alliez jouer un rôle primordial au Vinland, un rôle qui dépasserait celui des autres femmes de votre clan. Que les Albains vous divinisent démontre bien la révélation que j'ai eue à propos de votre participation à l'expédition: vous, plus que votre mari, possédez la force de caractère et la foi nécessaires pour servir Christ. Je conçois parfaitement votre réticence à vous plier aux desseins divins parfois insondables, comme de commettre l'adultère. Sachez pourtant que la présente situation nous recommande à tous deux de faire preuve d'obéissance chrétienne. Nous devons passer par le cœur de Brude pour toucher celui de son père, qui est la pierre d'achoppement de notre mission, et vous seule êtes maintenant en position pour réussir cette manœuvre.»

L'opinion pragmatique du moine sur la question embarrassante de l'union charnelle avec Brude m'étonna fort, mais elle eut des répercussions apaisantes sur ma conscience, laquelle se révoltait à l'idée de tomber dans la tromperie conjugale. Peu à peu, je me mis à considérer l'acte comme un don de moi-même pour satisfaire de très hauts intérêts, des intérêts divins. Comme s'il suivait le fil de mes réflexions, le frère Comgan ajouta : « Nous sommes tous des instruments dans la main de Dieu, Moïrane : vous, moi, Brude, votre mari. Il faut accepter que l'œuvre céleste prenne des détours obscurs et que les moyens de Dieu nous paraissent parfois révoltants. Faites confiance à votre destin et allez-y en toute quiétude. Mon enfant, il est maintenant temps de confronter Brude à sa parole et découvrir quelle est notre marge de manœuvre à Gleanlin. »

Convaincue par son docte propos, je quittai le frère Comgan d'un pas plus assuré que celui qui m'avait conduite à sa loge, au matin, et je regagnai la maison de L'Envoyé de Frederik pour prendre le repas du soir. Dès mon entrée, je tombai face à face avec Brude, qui m'avait attendue pendant tout le jour, chez son père. Il me prit à part, avec une mine très préoccupée, visiblement anxieux à l'idée que le moine ait condamné le projet de Julitta. « Le frère Comgan désire vous voir, lui dis-je aussitôt.

— Que me veut-il ?

— Il s'inquiète du retour de Cormac et se demande si vous avez l'intention d'honorer votre parole, concernant l'échange d'otages avec les membres de notre délégation, répondis-je en le regardant dans les yeux.

— Mon père ne m'autorise pas à m'entretenir avec le moine, mais je veux bien te faire une réponse que tu lui rapporteras : je ne peux faillir à ma parole, puisque le Viking ne s'est pas soucié des termes de notre entente en relâchant son prisonnier. Nous en déduisons que la durée de votre séjour parmi nous l'indiffère. Aussi resterez-vous ici le temps qu'il convienne que vous restiez. Cormac n'a pas été maltraité par les vôtres, aussi agirons-nous de même manière avec toi et le moine.

– Vous confirmez donc, messire Brude, que notre détention à Gleanlin est effective ; que moi et le frère Comgan ne sommes pas libres de nous en aller ; et qu'il n'en tient désormais qu'à nos gens de nous ramener à Leifsbudir », précisai-je sur un ton déterminé. Brude, qui avait jusque-là soutenu mon regard, détourna les yeux en soupirant. À l'évidence, il ne voulait pas se montrer intransigeant et me braquer contre lui, mais il ne pouvait pas non plus aller contre des décisions qui appartenaient à d'autres. « Moïrane, durant l'hiver, nous sommes tous un peu prisonniers sur l'île d'Alba. Ainsi l'es-tu à Gleanlin comme les Vikings le sont à Leifsbudir, dit-il, d'une voix grave. Si, au printemps, tu veux retrouver ton mari, j'irai te mener moi-même à lui : je t'en fais la promesse. Mais d'ici-là, je te demande une seule faveur, et tout mon clan implore le même souhait : sois mienne. »

Comment accueillir une telle demande sans rougir ? J'inspirai profondément afin de contrôler le trouble qui m'envahissait, et je me forçai à dévisager Brude. Son expression ne reflétait pas l'impassibilité habituelle : une émotion contenue se peignait sur sa bouche, son front, dans le frémissement de ses narines et dans ses yeux aux aguets. Pour la première fois, je détaillai sa personne avec un intérêt tout féminin et je ne pus m'empêcher de trouver l'homme attirant. Ses traits fins, sa mâchoire carrée et ses pommettes hautes, ses cheveux noirs, son port de tête noble, sa stature élancée et altière, tout cela s'imposa soudain à moi et me confondit. Devant l'attitude d'attente respectueuse de Brude, je fondis. D'une voix chevrotante, je poussai mon questionnement : «Au printemps, cela veut dire dans seulement quelques mois ?

— Accorde-moi jusqu'à giamonios[1] », murmura-t-il, pour n'être pas entendu de son père qui nous surveillait du coin de l'œil. «Quatre mois d'union : c'est tout ce que je veux de toi…

— Et si j'étais grosse à cette période, Julitta vous laissera-t-elle me ramener à Leifbudir ?

— Ni Julitta ni L'Envoyé de Frederik ne peuvent rien contre une promesse faite par Brude d'Alba. Si je t'ensemence et que l'enfant vient à terme, je l'apprendrai. Ni toi ni ton mari ne pourront refuser de le remettre à mon clan et je viendrai le prendre après son sevrage. Si tu n'es pas fécondée après ces mois d'accouplement, c'est que nos sangs sont incompatibles et que Julitta se sera trompée sur la signification de ta venue ici. »

Le plan de Brude me stupéfia, car il choquait mes convictions chrétiennes sur la pratique de l'adultère et sur l'abandon d'enfant, mais, curieusement, il ne m'apparut pas aussi révoltant qu'il l'aurait normalement dû. Était-ce parce que je me sentais indéniablement attirée par l'homme ? absoute par avance de ma faute envers Gunni ? et que je doutais sincèrement de ma capacité à procréer ? J'imagine que toutes ces raisons ont joué en faveur de

---

1. Giamonos : mois du calendrier celte correspondant au mois de mai.

mon acceptation d'un geste qui cessa insidieusement de me paraître odieux.

Cette importante conversation avec Brude méritait d'être rapportée au frère Comgan, car je ne me voyais pas donner une réponse sans le consulter. « Permettez que je parle de vos intentions au frère Comgan : je ne puis décider seule de cela », dis-je à Brude, d'une voix tremblante, en le fixant dans les yeux. Je crois que dans les miens, il lut ma disposition à m'accorder avec lui, car une lueur de satisfaction détendit son visage et il me sourit. Puis, se retournant vers son père assis au fond de la pièce, Brude signala mon désir de m'entretenir avec le moine. « Va, va, Moïrane, fit le vieil homme. Je comprends très bien que tu requières l'autorisation du prêtre pour t'unir à mon fils, comme je viens moi-même d'accorder la mienne à Brude de te prendre pour femme. Qu'il soit fait selon les volontés de Christ en cette affaire ! »

Lorsque, quelques minutes plus tard, je fus de nouveau en présence du frère Comgan et que je lui répétai les paroles absurdes du chef albain, j'en mesurai toute l'incongruité. « Il est déplorable que je ne puisse pas profiter de cette occasion pour rectifier les croyances et les comportements de ces chrétiens à propos du mariage, observa-t-il. Or, je ne perds pas espoir d'y parvenir très prochainement. Je suis persuadé que votre collaboration avec Brude pourra mener à un rapprochement entre son père et moi, et même, conduire à la fin de mon incarcération. Vous le savez bien, ma chère Moïrane, notre mission n'est pas de contrecarrer les Albains, mais de les amadouer afin de les ramener dans la vraie foi. Si, pour ce faire, nous sommes forcés d'abandonner temporairement certains de nos préceptes, Dieu ne nous en tiendra pas rigueur, mais encore mieux, Il nous en récompensera. » Je dus rougir d'émoi en entendant ces mots particulièrement libérateurs pour mon âme inquiète, car il posa une main sur mon bras, en signe de consolation. «Merci», dis-je simplement, en prenant congé de lui. Délivrée du remords qui planait sur ma future inconduite, je retournai néanmoins chez L'Envoyé de Frederik dans un état de grande perplexité: mon devoir envers Gunni n'était plus remis en cause et ne barrait plus ma route vers l'accomplissement des visées de Dieu à Gleanlin qui, apparemment, passait par le lit de Brude.

La nuit était tout à fait tombée et une fine neige voletait dans l'air radouci. Je me frayai un chemin à la faible clarté projetée par les torches fichées devant chaque demeure et je me rendis directement à la chambre que je partageais avec les servantes de la maison, sans avoir recroisé Brude. À mon entrée dans la pièce enfumée, les bavardages s'éteignirent les uns après les autres et je devins le point de mire silencieux. De toute évidence, les femmes étaient au courant de ma situation et des attentes du clan quant à ma destinée. L'une d'elles me sourit en me tendant mon repas dans le bol que l'on avait gardé au chaud, près du feu. Je le pris d'une main tremblante et allai m'asseoir dans le coin occupé par ma couche. Même si je me sentais les entrailles nouées par la nervosité, je me forçai à manger, sous le regard observateur de mes compagnes. Celles-ci reprirent leur papotage peu à peu et j'y prêtai une oreille attentive. Je captai des bribes de conversation se rapportant à mon union projetée avec Brude et je perçus l'émoi que l'annonce provoquait chez elles. Je découvris également un fait stupéfiant:

le fils du chef n'avait jamais pris femme, ni parmi les siens, ni parmi les autres tribus avec lesquelles le clan faisait commerce. Sur le coup, cette information me parut invraisemblable, vu l'âge de Brude et l'intérêt manifeste qu'il suscitait auprès de la gent féminine. Elle piqua néanmoins ma curiosité et stimula, à mon grand désarroi, un désir naissant pour l'homme.

Quelques regards d'envie dans ma direction me firent bientôt baisser les yeux et me replier sur moi-même. Je déposai mon bol et saisis machinalement mon anneau de mariage, que je fis tourner autour de mon doigt. Les fines ciselures gravées par Gunni s'étaient beaucoup effacées au fil du temps et la stéatite était devenue presque lisse à force d'être manipulée. Je me demandai comment allait réagir mon mari à ce que je m'apprêtais à commettre avec Brude et quelle serait ma propre attitude face à cet aveu inévitable si, d'aventure, j'avais pris plaisir dans la couche interdite. C'était là beaucoup anticiper sur des démêlés qui adviendraient dans quatre mois. Cependant, je ne me défis pas facilement de ces pensées troublantes. À mon réveil, pourtant, ma décision était arrêtée et j'étais prête à l'annoncer : je me donnerais à l'Albain.

Ainsi, la nuit suivante, avant même la cérémonie devant commémorer l'union, j'appartins à Brude d'Alba. Je me soumis sereinement, sans autre retenue que ma gêne et sans l'ombre d'un regret. L'homme me prit délicatement en y mettant une infinie application qui me conduisit à un degré d'excitation jamais atteint au cours de mes transports amoureux avec Gunni. Dans les bras de Brude, ma jouissance fut si totale et si intense que j'oubliai la teneur équivoque de l'étreinte. Mieux encore, je n'éprouvai plus qu'un seul désir: revivre le sublime instant où je m'étais livrée à la possession mâle en gémissant de plaisir. Mon amant ne se fit pas prier pour me combler et, au cours de cette nuit bouleversante, il m'honora deux autres fois, avec la même virtuosité.

Quand le jour filtra à travers les fentes du toit de la cahute qui nous avait servi de loge intime, Brude et moi étions rompus et rassasiés. En repensant au commérage des servantes surpris la veille, je ne pus m'empêcher de rejeter leurs allégations sur la supposée virginité du fils du chef. En effet, il m'apparaissait peu probable qu'un homme sans expérience du plaisir des femmes puisse copuler avec autant de retenue et de dextérité. Je me promis d'éclaircir ce point dès que mes rapports avec Brude rendraient la discussion possible à ce sujet. Mais, pour l'heure, je me contentai de savourer pleinement le délice de parcourir des yeux le corps viril qui sortait du sommeil. Le frémissement de mes doigts sur la peau dense et chaude de mon amant me procura une onde de plaisir inédit qui m'embrasa.

Plus tard, au cours de la journée, que je vécus dans un engourdissement étrange, je me prêtai de bonne grâce aux soins de Julitta et des femmes de sa maison. Elles me lavèrent, puis me parèrent d'une tunique toute blanche. Elles tressèrent mes cheveux en une multitude de nattes enrubannées et les couvrirent d'un voile tout aussi blanc que la tunique. Enfin, je fus menée à L'Envoyé de Frederik, chez lequel eut lieu l'étrange mariage. À mon grand soulagement, la cérémonie fut extrêmement simple et courte. Je crois qu'un événement fastueux m'aurait beaucoup embarrassée. Peu après, Brude m'apprit qu'il en avait été tel qu'il l'avait exigé. « Ne crois pas que j'ignore les coutumes que toi et ton mari avez respectées en vous engageant ensemble, me confia-t-il. Je sais qu'une femme ne peut s'unir à deux hommes dans la religion de Christ. Parce que cette idée t'est insupportable, je souhaite que tu oublies la présente bénédiction. J'ai demandé qu'elle ne soit pas soulignée par une grande fête, comme on en a l'habitude dans notre clan. Si tu ne veux pas t'afficher comme ma femme en venant vivre sous mon toit, tu es libre de demeurer sous celui de mon père. Je te prendrai dans un lieu que tu choisiras, selon la fréquence que tu établiras.

— Je suis touchée par votre sollicitude et surprise par la connaissance que vous démontrez de la religion de Christ, lui répondis-je, émue. Puisque vous m'offrez un temps d'adaptation, je l'accepte avec gratitude. Je continuerai à loger dans cette maison où nous nous rejoignons déjà quotidiennement pour la lecture. Si vous le voulez bien, nous conviendrons ensemble des moments et de l'endroit de nos rencontres intimes.

— Qu'il en soit ainsi », dit Brude. Comme je l'observais avec intensité, il devina que j'attendais d'autres explications et il prolongea notre entretien : « Tu l'as sans doute appris de Gudlaugson, mon père est un Islandais qui, à l'âge de trente ans, a fait partie de la suite de l'évêque norvégien Frederik, en mission dans son village. Il est un fervent croyant, mais il a dû adapter sa foi à celle des Pictes du Greenland, aux mains desquels il est tombé lors d'une escarmouche, en 986. Il avait alors intégré une expédition d'Eirik Raudi avec lequel il était apparenté par sa femme Thorgerd. Mon père s'est épris de Julitta, la fille de son geôlier picte. Elle l'a réclamé pour mari et l'a sauvé de cette manière.

— Il est donc possible que votre père ait dû enfreindre les lois chrétiennes du mariage pour s'unir à Julitta…

— Je le crois, oui. Il a dû trahir quelques autres préceptes de la religion de Christ, mais il n'en demeure pas moins un ardent défenseur. Voilà pourquoi il se réclame encore des disciples de l'évêque Frederik et qu'il en porte le nom, au lieu d'Ari Marson.

— Pourquoi a-t-il abandonné son ancien nom islandais?

— Parce qu'il ne veut pas que sa famille le retrace, mais qu'elle continue plutôt à le croire disparu. Son aventure au Vinland est singulière : pour quantité de richesses et de gloire en Islande, jamais mon père ne renoncera à l'Alba et à son statut de chef…

— Avait-il fondé un foyer avec sa femme islandaise, avant d'être capturé? Avait-il des enfants, des descendants dans son ancien village?

— Ça, il n'en parle pas. Ici, nous ignorons tous cet aspect de sa vie. Il va probablement emporter son secret dans la tombe, mais avant, il veut s'assurer de sa lignée albaine. Moïrane, c'est sur moi qu'il fonde ses ultimes espoirs, sur moi avec toi, sur moi par toi… »

Chapitre VIII

La rebelle

Un matin de mi-février sec, froid et venteux, Ingrid trouva morte la vache qui donnait du lait, l'autre ayant été abattue le mois précédent pour subvenir aux besoins en viande fraîche de la communauté. Se laissant glisser le long de la porte de la petite étable, la femme s'effondra en larmes devant l'angoissante découverte.

Avec cette perte irréparable pour les enfants, la disette devenait complète à Leifsbudir. Les Islandais n'avaient presque rien ramené de leur chasse d'hiver, laquelle s'était conclue en seulement six jours ; les vivres amassés avant les gelées étaient déjà épuisés ; et toute la péninsule, depuis la falaise du sud jusqu'à la baie du nord, avait été désertée par les oiseaux marins et le menu gibier. Seuls quelques rares poissons grouillaient encore sous la glace des lacs avoisinants, mais leur capture, longue et ardue, ne parvenait pas à constituer un approvisionnement suffisant en denrées fraîches. Les visages s'émaciaient, les vêtements commençaient à flotter autour des corps de plus en plus maigres, les enfants pleuraient de faim du matin au soir et les esprits des hommes, désœuvrés et exaspérés, s'échauffaient pour des broutilles.

Le soir venu, dans la salle commune de la longue maison, alors que les femmes et les enfants s'étaient retirés dans la chambre, Gunni secoua la torpeur dans laquelle il s'embourbait en se languissant de Moïrane et prit la parole : « Mes amis, il faut impérativement trouver le campement des Béothuks, et ce, sans tarder, pendant qu'on en est encore capables. » À cette annonce, les Islandais levèrent la tête et se glissèrent des regards énigmatiques ; Cinead fronça les sourcils et fixa son ami avec inquiétude ; et le jeune Neil, qui était resté dans la pièce pour assister aux palabres des hommes, recula un peu plus dans l'ombre. Comme le garçon avait participé au dépeçage de la vache et au travail de boucherie durant la journée, il avait décidé de passer du groupe des enfants et des femmes à celui des hommes. Incertain que son initiative serait approuvée, Neil se tapit le long du mur et attendit avec nervosité la suite d'une discussion qui s'annonçait particulièrement tendue.

« Si nous laissons nos forces diminuer, enchaîna Gunni, aucun d'entre nous ne pourra soutenir une expédition. Notre chance de survivre sur ce maudit lopin battu par les bourrasques réside dans la connaissance des ressources du milieu, et cela, seuls les résidents du Vinland l'ont.

— Comment veux-tu trouver les Skrealings sans user du bateau ? » fit Gudlaugson Selon son habitude lorsqu'il était agité, le capitaine tournait sa dague entre ses mains, geste provocateur et autoritaire à la fois. « Les seuls habitants d'Alba à s'être rendus à Leifsbudir sont arrivés par la mer, il me semble. D'où venaient-ils et où iras-tu les chercher, Gunni? S'enfoncer à pied dans l'arrière-pays n'aboutira à rien : mes hommes et moi n'avons trouvé nulle trace humaine lors de notre chasse et nous avons parcouru une bonne cinquantaine de miles. » Ce disant, il leva le menton en direction de son gendre Hans pour obtenir son approbation. Ce dernier et les cousins Ketilson, qui nourrissaient encore du dépit au souvenir de leur maigre chasse du mois précédent, hochèrent la tête énergiquement. « Si tu veux mon avis, reprit Gudlaugson, tes Béothuks vivent très loin d'ici, et même si tu parvenais à les dénicher, rien ne t'assure qu'ils voudront partager leur nourriture ou donner des conseils sur la façon d'en trouver. D'ailleurs, ils pourraient fort bien être dans le même pétrin que nous, sans grand-chose à se mettre sous la dent.

– Bien dit! Nous avons maintenant à manger plus qu'eux, avec la viande de la vache! » s'écria Neil, dans son coin. N'ayant pas remarqué sa présence, les hommes se tournèrent vers lui avec surprise. « Oui, fiston, répondit Markus. La viande nous durera deux ou trois semaines, tout au plus. Que mangerons-nous après?

– Après, après! Le sol va bien finir par dégeler, la neige va partir, ce sera mars à la fin! lança Hans, sur un ton excédé.

– Certes, enchaîna Gunni, le printemps va changer nos conditions de vie. Mais quand arrive-t-il dans ce terrible pays? Est-ce pour le mois prochain ou pour avril ou même mai? Et surtout, pourrons-nous tenir jusque-là? Les enfants supporteront-ils la privation de lait, malades comme ils le sont déjà? Ingrid a utilisé les dernières herbes soignantes, la semaine passée; Arabel a épuisé la provision de choux, d'oignons, de raves et d'angélique;

depuis décembre, nous manquons de farine de poisson séché pour les pains et nos pauvres brouets ne goûtent plus que l'eau salée. »

À l'évocation de la nourriture, les entrailles des hommes se contractèrent et leurs bouches s'asséchèrent. Ils humaient encore le sang frais qui avait flotté autour de la carcasse de la vache au cours de la journée et ils se rappelaient à quel point cette odeur les avait titillés. Le morceau de viande que les femmes avaient alors prélevé parcimonieusement pour leur souper n'avait pas réussi à les rassasier. Des soupirs de dépit accueillirent unanimement les propos de Gunni. « Je vous le demande, poursuivit celui-ci : pouvons-nous tranquillement attendre l'arrivée du printemps ; le retour des oiseaux, des poissons et du gibier ; la remise à l'eau du knörr ; l'ensemencement du champ ; la cueillette des baies et des racines ; en espérant que tout cela advienne le plus tôt possible ?

— Non ! Je ne veux pas assister au décès de mes enfants sans lever le petit doigt, répondit Cinead, d'une voix aiguë. S'il y a un espoir de survie du côté des Béothuks, il faut absolument le tenter. Je suis partant pour mener une équipée avec toi, Gunni !

— Moi aussi ! renchérit Karl. Les Béothuks sont là, quelque part sur l'île, que nous sommes loin d'avoir explorée à fond. Je crois que Gudlaugson exagère un peu la grandeur du territoire que nous avons couvert lors de notre dernière sortie. Je suis prêt à retourner en expédition à la recherche d'un établissement indigène, que ce soit le camp des Béothuks ou celui des Albains.

— Je suis du même avis que vous, dit Markus.

— Moi aussi ! enchaîna Jon.

– Allez-y donc tous! lança Gudlaugson, avec une pointe de mépris dans le ton. Partez à l'aveuglette vous faire geler le vit* avec notre brave bondi* écossais qui prétend s'entendre avec les Skrealings parce qu'il leur a cédé une vache pour éviter de se faire massacrer par eux. Pour ma part, je préfère patienter ici au chaud en dépensant le moins d'énergie possible, plutôt que de courir les bois à la recherche d'individus inquiétants, probablement aussi affamés que moi. Déguerpis avec les irréalistes du groupe, Gunni : je m'installerai à ta place! »

Cette fois, le chef du clan Gunn ne se contint plus et, sans crier gare, il bondit sur le capitaine qui, sur le choc, tomba à la renverse en échappant son couteau. Ils roulèrent dans un corps à corps robuste qui les éloigna de l'arme, alors que les autres hommes s'empoignaient et se bousculaient rudement. Cinead, Markus, Karl et Jon, partisans de Gunni, tentaient de contenir Hans, Anderss et les cousins Ketilson, lesquels, rebutés par une nouvelle expédition fastidieuse, étaient solidaires de Gudlaugson.

Depuis trop longtemps, la rancune et la frustration couvaient à Leifsbudir, et il fallait que l'abcès de la discorde crève tôt ou tard. La bagarre joua ce rôle libérateur : il y eut des pièces de mobilier mises à mal, deux ou trois blessures sanguinolentes, la luxation de quelques membres, des visages tuméfiés, des vêtements déchirés, mais, au bout du compte, aucun belligérant ne fut occis ou sérieusement navré*. Lorsque les hommes s'affaissèrent, démontés et essoufflés, ils entendirent les pleurs des femmes, qui avaient assisté à l'échauffourée en restant réfugiées derrière la toile de la chambre. Accablé, Gunni se leva en évitant le regard de Gudlaugson et se rendit à la porte, qu'il ouvrit toute grande. Un vent cinglant pénétra dans la salle commune et refroidit aussitôt les derniers soubresauts d'hostilité chez les combattants. « Sortez d'ici », ordonna Gunni, en s'adressant à Gudlaugson et à ses hommes. « Emportez vos affaires dans l'autre chambre. »

Depuis leur retour de Hòp, les Islandais dormaient dans la salle commune de la longue maison, avec leurs compatriotes Karl, Jon et Markus, afin de minimiser les efforts pour le chauffage du logis. Bien que l'espace de couchage fût assez réduit, personne ne s'en était plaint. « C'est cela, grommela Gudlaugson en ramassant son arme, les Écossais au cocon avec les femmes, et les Islandais relégués à la salle froide, comme jambons en caveau… » Sans tenir compte de la remarque acerbe de son beau-père, Hans quitta la pièce avec ses trois compagnons. Légèrement en retrait, Karl, Markus et Jon se consultèrent du regard, conscients qu'ils avaient choisi le camp des Écossais avant même de s'être jetés dans la mêlée. « Restez ici, mes amis », leur dit Gunni, en les invitant de la main.

Quand la porte fut refermée, un silence lourd tomba dans la pièce chamboulée. Tandis que Neil s'affairait discrètement à ranger les objets éparpillés, Cinead, Karl, Markus et Jon remirent en place les bancs autour du feu et s'y assirent. Tout en marchant nerveusement d'une porte à l'autre, Gunni essuyait son arcade sourcilière fendue. Il surprit les regards attentifs de ses amis qui le fixaient, et, passant une main tremblante dans ses cheveux roux, il vint prendre place parmi eux. « Je vous remercie pour votre appui et votre allégeance, Karl, Jon et Markus, dit-il. Désormais, je vous considère comme des hommes de mon clan, au même titre que Cinead…

— …et que Neil, fils d'Herulf, ajouta le garçon avec détermination, en s'avançant dans le cercle.

— En effet, poursuivit Gunni en souriant, au même titre que notre jeune compagnon, que j'invite à prendre place avec nous… » Rose d'émoi, Neil s'installa à côté de Markus en bombant le torse de fierté. Gunni s'empara du tisonnier et rassembla les braises au centre de la fosse, puis rajouta quelques branches sur les flammes, en gardant le silence. Le crépitement du feu jeta une note gaie sur l'assemblée et les visages se détendirent. « Bien : puisque nous sommes d'accord pour monter une expédition à la recherche du camp des Béothuks, reprit Gunni, il faut décider lesquels d'entre nous partiront. J'insisterai sur une chose : laisser à Leifsbudir au moins trois hommes pour protéger les femmes et contenir Gudlaugson. J'aimerais prendre Karl avec moi, vu qu'il est le seul à avoir déjà reconnu les terres sur la péninsule. Il pourra agir comme guide.

— D'accord, dit ce dernier. Que Cinead, Jon et Markus restent pour garder la place.

— Cela vous va, à tous ? » interrogea alors Gunni. Tandis que les hommes acquiesçaient en silence, le jeune Neil s'empourprait. « Que faites-vous de votre cinquième homme, messire ? dit celui-ci. Puisque vous avez choisi ceux qui restent à Leifsbudir, dois-je comprendre que je vous accompagne ?

— Je suppose que oui, fit Gunni, légèrement embarrassé. En fait, je ne t'avais compté ni dans un groupe ni dans l'autre. Pardonne-moi. Comme tu ne sais pas tenir les armes, tu ne seras pas en mesure de défendre nos gens ici. J'ai plus à craindre l'assaut des Islandais dans notre propre campement que celui des indigènes durant notre périple : Cinead, Jon ou Markus auront peut-être plus de combats à livrer ici que nous n'en aurons de notre côté.

— N'est-il pas trop jeune pour faire partie de ton escorte ? demanda Cinead à Gunni.

— Non pas ! J'aurai treize ans le mois prochain, protesta Neil.

— Très juste, répondit Gunni. Notre Neil me sera certainement bien utile en voyage, ne serait-ce que pour le transport des bagages. En plus, il constitue une bouche de moins à nourrir ici, et ce n'est pas la moins vorace. » La remarque, faite sur un ton moqueur, déclencha le rire des hommes. Tous avaient remarqué l'appétit constamment inassouvi du garçon en pleine croissance. Le cœur léger, ils se mirent ensuite au lit en sachant qu'une lourde journée de préparatifs les attendait le lendemain.

La confection de skis et d'un traîneau selon les techniques scandinaves, que les conditions du terrain imposaient, retarda leur départ d'un jour. Ce n'est donc que le surlendemain que Gunni, Karl et Neil quittèrent Leifsbudir, sous l'œil attendri du clan Gunn et devant l'air narquois de Gudlaugson. Le temps était sec et ensoleillé, et leurs premières heures de marche se firent assez facilement. Le couvert neigeux, parfois très épais, avait été durci et tapé par les rafales qui soufflaient inlassablement sur la pointe de l'île. Dans un chuintement assourdi, les planches étroites en bois d'épinette des skieurs creusèrent la lande d'une trace nette et profonde, seul témoin de la direction qu'ils avaient empruntée. Quelques jours plus tard, les sillons avaient été effacés par une nouvelle tombée de neige et les habitants du poste ne purent s'empêcher de ressentir l'éloignement des trois hommes comme une disparition.

Gunni et Karl se relayaient pour ouvrir la piste devant Neil, qui tirait derrière lui le traîneau modestement chargé des peaux de couchage, des arcs et de vivres. Le jeune homme peinait sans qu'une seule plainte sorte de sa bouche : la conscience de participer à une équipée périlleuse et l'orgueil farouche qu'il en tirait lui insufflaient la force d'avancer jusqu'à la limite de ses capacités. Les yeux fixés sur ses compagnons de tête qui portaient un sac sur leur dos, Neil s'encourageait dans le secret de son cœur : « Tiens bon, avance. Ne pense pas à tes jambes qui tremblent, à tes pieds gelés. Oublie tes épaules sanglées et le traîneau qui glisse mal. Fais taire ton ventre qui crie famine et ta tête qui se révolte contre l'épuisement. Avance et avance encore, Neil… On t'ouvre le chemin, tu n'as même pas à diriger tes skis qui glissent tout seuls dans les ornières. Marche et tracte : c'est tout ce qu'on attend de toi… »

Karl mena résolument le groupe dans la direction opposée à celle choisie lors de la précédente expédition sous la direction de Gudlaugson, laquelle avait ratissé la péninsule nord-est. Il mit le cap sur les terres qui s'enfonçaient au sud-ouest de l'établissement, derrière la falaise aux oiseaux. « Si la mer intérieure d'Alba est de ce côté, le climat hivernal devrait y être plus tolérable et nos chances d'y croiser une tribu seront meilleures », dit-il, pour expliquer son choix.

Persuadés que leur endurance dépendait de la cadence qu'ils sauraient maintenir, les trois randonneurs marchèrent du lever au coucher du soleil, sans presque s'arrêter. Le soir venu, ils montaient leur abri de toile, préparaient leur feu, mangeaient le strict nécessaire à leur sustentation ; puis, avec une économie de paroles, ils déployaient leurs peaux de couchage et s'y enroulaient pour la nuit. Invariablement, la fatigue avait tôt fait d'engourdir leurs membres fourbus, et c'était avec un total abandon qu'ils sombraient dans le sommeil, sans se soucier de l'entretien de leur feu ou du guet de leur campement.

Après un parcours de quatre jours sur un territoire parsemé de lacs et de tourbières gelées où les conifères poussaient dru et court, le groupe pénétra dans un espace plus fourni en arbres d'essences variées. L'air y était moins glacial et le vent moins fort, le couvert de neige, plus mince et moelleux. Les hommes retirèrent leurs skis et les attachèrent sur le traîneau. Profitant d'une plus grande mobilité et de la richesse en petit gibier offerte par la forêt dense, ils chassèrent les proies débusquées sur leur passage : ainsi purent-ils souper de viande de lièvre blanc et de marte grillée. Le dixième jour, ils affrontèrent une tempête qui les freina dans leur progression et durent même interrompre leur marche pour se mettre à l'abri. Lorsque la poudrerie cessa enfin, Karl grimpa à un arbre afin de reconnaître l'arrière-pays. Il aperçut alors une vaste étendue d'eau, qui pouvait aussi bien être celle d'un loch que celle de la mer, et il redescendit en rendre compte à ses compagnons : « Mon avis est que nous ne devrions pas pousser plus avant à l'ouest, dit-il. C'est de là que vient le mauvais temps. Si les habitants d'Alba délaissent le littoral durant l'hiver, c'est qu'ils sont mieux abrités dans les terres. Ce que j'ai vu là-haut est peut-être la mer ; aussi, je suggère de corriger notre trajectoire en direction du sud-est. » L'équipée reprit sa route, le chef du clan Gunn fermant la marche. Pour ce dernier, le seul mot « ouest » évoquait la félicité, les découvertes séduisantes et la terre mystérieuse choisie par les grands cygnes pour leur migration automnale. Dans cette direction se situaient aussi Hòp et le lieu probable où était gardée sa bien-aimée. Gunni aurait voulu continuer sa marche vers l'ouest, mais il n'en souffla mot, résolu à laisser Karl guider leur expédition.

Ce soir-là, il fut particulièrement taciturne et mélancolique. Neil s'en inquiéta, après avoir essuyé quelques vaines tentatives de conversation. Karl s'aperçut de la déconvenue du garçon et, pour l'en distraire, il entreprit de lui enseigner le maniement de l'épée. Comme une partie de la journée s'était déroulée dans l'immobilité imposée par la tempête, Neil avait la membrure moins douloureuse qu'habituellement et possédait encore quelques réserves d'énergie. Ainsi put-il ferrailler avec Karl durant une bonne heure avant de tomber de fatigue et rouler sous la tente. Ni lui ni son maître d'armes n'avaient décelé l'intérêt soutenu que l'exercice, pratiqué dans l'espace dégagé devant leur campement, avait suscité chez Gunni. Si le jeune Neil avait deviné les pensées de son chef, il en aurait assurément tiré de l'orgueil. Karl rejoignit Gunni auprès du feu en lui rapportant son épée : « Qu'en penses-tu ? dit-il, à voix basse.

— Neil est pas mal habile et étonnamment rapide, répondit Gunni.

— Tu as probablement remarqué qu'il sent bien la lame. Avec un peu plus de muscles dans les bras et la maîtrise de la technique, il pourrait devenir un escrimeur redoutable, renchérit Karl.

— Tu as raison, il ne faudrait pas le négliger. Herulf aurait déjà commencé l'entraînement de son fils s'il était encore parmi nous… C'est à nous d'y remédier, maintenant », conclut Gunni.

Brude s'inclina légèrement pour ne pas se cogner la tête en entrant dans le cachot, lequel parut soudainement rétréci sous l'effet de sa présence imposante, comme un sachet d'herbes dans lequel on aurait glissé une rave. Il sourit au frère Comgan et s'assit par terre. « Brude aimerait participer à la leçon d'aujourd'hui », m'empressai-je d'annoncer, en interceptant l'air ahuri du moine à notre entrée. Le plus naturellement possible, je déposai le livre saint et la lampe à la place habituelle, sur le caisson, et je m'installai sur le lit, impatiente de voir comment le frère Comgan allait composer avec cette visite inattendue. « Volontiers », bredouilla-t-il, en me jetant un regard interrogateur. « Je crains que nous soyons un peu à l'étroit pour travailler commodément, mais enfin, essayons. » Il reprit contenance et vint s'asseoir précautionneusement à mes côtés. « Commençons par l'évocation de Boisil, dont c'est l'anniversaire, enchaîna-t-il en s'emparant du livre. Ce saint homme a été fauché par la peste en l'an 664, ce jourd'hui, 23 février. Il a eu la charge de supérieur au monastère d'Old Maelros, en Écosse. C'est là qu'il a connu l'illustre Cuthbert, celui qui a participé au fameux synode de Whitby portant sur les conflits entre l'Église de Rome et l'Église celtique…

— Y a-t-il eu deux Églises ? » l'interrompit subitement Brude.

En mon for intérieur, j'applaudis à la curiosité fine de mon amant, une disposition tout à fait encourageante pour un précepteur. La réponse que fit le frère Comgan fut très élaborée, mais elle n'égara pas Brude, qui l'écouta attentivement et sembla n'en perdre aucun détail. Ses questions le prouvèrent bientôt en confirmant son intelligence vive et son grand intérêt pour l'histoire de la chrétienté, ce qui me réjouit autant que le frère Comgan. À la lumière de précédentes confidences sur les origines islandaises de L'Envoyé de Frederik, je devinai le désir de Brude de comprendre comment fleurissait la religion de Christ en Europe sous la pression d'un contingent de prédicateurs, alors que sa propagation sur l'île d'Alba n'était soutenue que par un seul homme. J'écoutai avec ravissement mon amant et le moine aborder tout sujet que j'avais moi-même peu questionné, ayant hérité de la foi indiscutable de mes parents dès mon enfance.

Peu à peu, je me sentis incongrûment fière de Brude. Ses réparties étaient toutes empreintes de la confiance qu'il accordait au frère Comgan, et celui-ci la perçut très rapidement. Il attendait depuis trop longtemps la chance de pouvoir prêcher pour ne pas se saisir de l'occasion.

Ce jour-là commencèrent véritablement les apprentissages de Brude dans la religion de Christ, et se terminèrent malheureusement les miens dans la lecture. Bien que ma présence aux leçons ne gênât nullement le moine et son disciple, elle s'avéra vite inutile. En effet, du moment où Brude s'intéressa à ses enseignements, le frère Comgan n'eut plus une minute à m'accorder. Je ne m'assombris pas de ce fait, car il constituait un formidable déclencheur à la mission parrainée par l'évêque de Limerick au Vinland.

Une semaine plus tard, le frère Comgan sortit définitivement de son cachot et fut logé dans la maison même du chef albain, à la demande de ce dernier. Ses entretiens quotidiens avec Brude se firent dès lors au vu et au su de L'Envoyé de Frederik, qui non seulement les tolérait, mais les encourageait. La partie était presque gagnée, puisqu'il ne manquait plus grand-chose pour que le moine réussisse à proclamer la juste foi devant l'entière communauté de Gleanlin.

Je me retrouvai ainsi, du jour au lendemain, dégagée de la compagnie de Brude. Mes nouvelles heures de liberté furent alors consacrées aux travaux de tissage avec les femmes, dans la maison de Julitta. Je réintégrai avec plaisir l'environnement feutré des écheveaux de laine, des poids et de la navette, qui m'était si familier à Helmsdale, de même que le bavardage qui enveloppe l'activité pratiquée en groupe. Durant les longues heures que nous passâmes dans la même pièce, Julitta me couva d'un regard attentif qui s'attardait souvent à mon ventre. Quelques questions anodines, une petite remarque par-ci par-là, un coup d'œil bref sur ma taille, suffirent à témoigner de ses préoccupations au sujet de ma capacité à procréer.

Un jour, elle m'apporta à boire une potion fertilisante fabriquée par elle pour mon usage exclusif. « Tiens, ma fille, avale ça, dit-elle en me tendant le gobelet fumant. Tu vas ressentir une bonne chaleur dans les entrailles et ton flux lunaire va mieux couler. De plus, l'infusion va laisser dans ton corps des substances qui favorisent la fécondation. » Je rougis en prenant la boisson des mains de celle à qui rien n'échappait, même les choses les plus intimes. J'ingurgitai à petites lampées, sans oser lever les yeux sur Julitta, qui attendit patiemment que j'aie fini avant de me laisser. «Je me tourne vers l'efficacité des herbes parce que je sais que la semence de Brude n'est pas en cause et qu'il n'en est pas avare avec toi, précisa-t-elle.

— Votre fils aurait-il engendré une progéniture, pour que vous soyez aussi affirmative à propos de sa fertilité? demandai-je.

— Oui, en effet. Jusqu'à maintenant, trois femmes ont porté son fruit, mais aucune ne l'a encore mené à terme. Pour les deux premières, j'attribue l'échec à un problème de sangs trop semblables. Quant à la troisième, c'était une question de constitution: elle était fertile, mais malingre. De belle lignée, cependant: une fille de chef dans une tribu béothuk. Brude l'a engrossée à deux reprises et son assiduité dans sa couche nous a laissé croire qu'il voulait l'épouser.

— Pourquoi ne l'a-t-il pas fait?

— Il aurait été vain pour Brude de se lier à une femme qui ne pouvait pas lui donner de descendance, n'est-ce pas?

— Ainsi, dis-je, vous acceptez qu'un homme puisse abandonner une femme pour cette raison: ce n'est guère chrétien d'agir comme cela, à mon avis. Je me réjouis que mon mari continue à m'honorer après autant d'années de vie commune stériles, et qu'il ne songe pas à me remplacer par une autre pour assurer sa postérité.

— Ton époux met peut-être en doute sa propre semence. As-tu déjà pensé à cette hypothèse, Moïrane?»

Choquée et troublée à la fois, je me levai, remis le gobelet à Julitta et sortis promptement de la chambre. Dès le pas de la porte, un souffle glacial me happa.

Frissonnante, je m'enroulai plus serré dans ma cape et me dirigeai d'un pas ferme vers la maison du chef albain, à la recherche d'un peu d'isolement. Des villageois me saluèrent au passage et c'est à peine si je leur rendis la politesse, tellement je bouillais de rage. Si l'échange avec Julitta m'avait éclairée sur l'expérience virile de Brude, elle m'avait également révélé son manque de cœur. Cette découverte contribua beaucoup à ternir l'image séduisante que je m'étais fabriquée de lui et à refroidir mes élans dans ses bras. Alors que j'étais sur le point d'accepter de m'installer dans la maison qu'il partageait avec sa mère, j'en repoussai l'idée avec humeur. « Pas question de me mettre en ménage avec ce libertin, maugréai-je, en me jetant sur mon lit. Brude va se contenter d'étreintes à la sauvette, désormais... Et puis, je ne toucherai plus aux décoctions de son impertinente mère. Qu'elle aille au diable avec ses potions fertilisantes et ses inquisitions sur mon giron : je ne veux plus être fécondée ! »

Recroquevillée comme un chien battu, je sanglotai longtemps au creux de mes couvertures. Je savais que c'était puéril de ma part, mais je n'arrivais pas à me calmer. Dieu que Gunni me manqua ce jour-là ! Respectant mon chagrin, auquel elles n'entendaient d'ailleurs rien, les femmes de la maison n'osèrent pas m'approcher et elles me laissèrent seule. Après le souper, elles n'eurent pas à s'éclipser de la pièce comme elles le faisaient habituellement à l'arrivée de Brude, car celui-ci ne vint pas me visiter. J'imaginai avec irritation que Julitta l'avait prévenu de mon indisposition. « Ah, Gunni, mon amour, qu'est-ce que je fais dans cet endroit, si loin de toi, si loin de ton réconfort ? » soupirai-je. Je finis par m'endormir, complètement lessivée par ma peine et par ma colère contre une situation sur laquelle je n'avais aucune prise.

Brude eut la perspicacité de ne pas m'approcher durant la semaine qui suivit l'indélicate initiative de sa mère pour me rendre féconde. Je trouvai un peu d'apaisement auprès du frère Comgan, qui ne voulut cependant pas s'apitoyer sur mes mésaventures. Sa mission progressait bellement, tant du côté du fils que du côté du père albain. Ces derniers réclamaient maintenant des leçons conjointes. L'Envoyé de Frederik autorisait même la formation religieuse de Brude en vue de sa consécration comme prêtre. Étant donné que le fils était appelé à remplacer le père à la tête des Albains, le titre de dirigeant spirituel allait lui échouer et il importait qu'il y soit correctement préparé. Non seulement le frère Comgan se félicita-t-il de ce progrès gigantesque dans la réalisation de son mandat au Vinland, mais il se prit d'un véritable entichement pour Brude, dont il n'eut de cesse de clamer haut et fort les talents.

Sous certains aspects, je reconnus l'enthousiasme qu'avait manifesté l'Irlandais pour moi, durant mes premières leçons de lecture des textes saints à bord du navire de Gudlaugson : même attention méticuleuse entourant l'élève ; même volonté de rapprochement, voire d'intimité ; mêmes regards intenses, presque amoureux. D'après mes observations, Brude ne s'émouvait pas de ce comportement assidu autant que je l'avais fait moi-même, à l'époque. Au contraire, l'Albain conservait une attitude de froideur pleine de concentration, parlant peu, si ce n'est pour interroger son maître, et se gardant de tout geste ambigu avec ce dernier. Ainsi, Brude s'assoyait toujours face au moine, l'obligeant délibérément à regarder le livre saint à l'envers, plutôt que de se placer côte à côte, dans une position de trop grande promiscuité. Je crois que tout contact avec le frère Comgan, si furtif fût-il, répugnait à mon amant.

La laize que je tissais chez Julitta ne fut pas laissée en plan longtemps. Je la complétai sur l'insistance de la vieille, qui réclama mon retour parmi les femmes de sa maison. Bien qu'elle me proposât encore ses infusions avec chaleur, je m'obstinai à refuser de les boire. Les liquides refroidissaient invariablement dans leur gobelet sans que j'y trempe les lèvres. Par ce geste, je manifestais ma croyance dans la fertilité de Gunni et mon incrédulité quant à la science de l'aïeule. Julitta capta-t-elle le message? Je n'en sus rien. Elle ne fléchit pas dans ses offres et je ne renonçai pas à les rejeter.

Du côté de mon union avec Brude, les choses se détériorèrent. Alors que je n'en avais nullement le droit, je lui gardai rancune de ses relations avec les femmes qu'il avait possédées, puis repoussées. J'évitais le plus possible sa compagnie et je répondais laconiquement à ses tentatives pour m'adresser la parole; quand je ne pouvais vraiment pas me soustraire à ses avances, je l'accueillais dans ma couche avec morgue tout en m'impatientant sur la durée, toujours trop longue, désormais, de nos étreintes. Je ne jouissais plus de son corps et ne voulais plus en jouir.

« Que t'ai-je fait, pourquoi me boudes-tu? me demanda-t-il une fois.

— Je me languis de mon mari légitime, répondis-je rudement.

— Je crois pourtant être parvenu à te combler sur ce plan, enfin jusqu'à tout récemment. Je n'ai pas changé ma manière de te prendre, Moïrane, mais subitement, le moindre contact t'insupporte : tu ne me parles plus, tu ne me touches plus et tu te crispes quand je t'effleure. Explique-moi comment le souvenir de ton mari parvient à transformer subitement l'amant apprécié que je suis sûr d'avoir été en un homme répugnant. » Embarrassée, je détournai les yeux et rabattis ma chemise sur mes cuisses encore moites de caresses. D'une main fébrile, je m'activai à refaire ma tresse, cherchant désespérément une explication honnête à lui donner. Au bout d'un moment, Brude saisit mes poignets et les ramena devant moi, en m'obligeant à le regarder. « Tu m'as accordé jusqu'à giamonos, murmura-t-il. As-tu l'intention de me battre froid pendant les deux mois qui restent avant notre séparation ?

— Si j'avais décidé de ne pas honorer mon engagement envers vous et votre famille, je me refuserais. Or, je me donne, Brude, même sans chaleur, je me donne tout de même. Si j'ai déjà pris plaisir à le faire, maintenant je n'en éprouve plus. Ne me demandez rien d'autre, c'est comme ça... Vous comprendrez mieux ma situation quand vous aborderez, dans vos leçons, les préceptes de l'Église concernant la copulation hors mariage.

— Quels sont donc ces curieux préceptes qui permettent à une chrétienne de s'ébattre voluptueusement avec un autre homme que son mari durant un certain temps et qui l'en empêchent par la suite ?

— ...

— Puisque tu n'as rien à me répondre, je vais poser ma question à Comgan », fit-il sèchement, devant mon mutisme. Puis, avec des gestes lents, il renfila ses braies, ajusta sa ceinture et me quitta, sans rien ajouter. En le regardant sortir de la pièce, je me mordis les lèvres de dépit. Tandis que les servantes rentraient dans la chambre à la suite du départ de Brude, je m'enfonçai sous mes couvertures et tâchai de faire le point sur les affres de mon cœur dérouté. Comble d'égarement, mes rêves, cette nuit-là, me ramenèrent à Helmsdale où, vêtue de la robe des religieuses cisterciennes, j'observais Gunni coquelinant avec l'ineffable Elsie.

À des centaines de miles au nord de Gleanlin, Gunni leva les yeux au-dessus des flammes du bivouac. Il lui avait semblé entendre le grognement de la bête. Depuis quelques jours, le groupe était suivi par un loup solitaire. Afin de prévenir une attaque possible, les hommes avaient convenu d'exercer à tour de rôle le guet de leur campement chaque nuit. Un mouvement fut perceptible à quelques pas de l'abri où Karl et Neil dormaient, pelotonnés dans leur fourrure. Gunni s'empara de l'arc qu'il avait placé à sa portée, puis, avec des gestes mesurés, il se leva. Alors qu'il allait faire un pas dans la direction où il avait deviné un mouvement, une paire d'yeux jaunes lui apparut, un nouveau grognement jaillit et des crocs luisirent sous l'éclairage dansant des flammes. « Holà, Karl, Neil, réveillez-vous ! lança aussitôt Gunni. Le loup est ici. Debout, aux armes ! »

Sans quitter un seul instant l'animal des yeux, Gunni fixa l'empenne d'une flèche sur la corde de l'arc, plaça la pointe sur la poignée et banda en pointant le prédateur. Ses oreilles bourdonnaient, son cœur cognait et ses jambes flageolaient dans l'attente de la minute fatidique où il débanderait, mais soudain, la bête s'extirpa de l'ombre épaisse et fondit sur lui. La flèche partit, mais rata sa cible et le loup sauta sur Gunni, qui tenta de parer l'attaque en se protégeant avec le bois de l'arc. L'homme et l'animal roulèrent l'un sur l'autre dans un silence lugubre où seuls leurs souffles haletants se répondaient. Gunni tenta d'empoigner le loup au collet pour l'empêcher d'atteindre sa gorge, mais celui-ci referma ses mâchoires sur son bras et il poussa un cri de douleur. Presque au même moment, il sentit la prise se desserrer et le corps de l'animal s'affaisser. En dégageant la masse soudainement inerte, Gunni découvrit au-dessus de lui le jeune Neil, jambes écartées et bras ballants. « Je l'ai eu, messire, dit le garçon, avec un air hébété. J'ai pris l'épée de Karl et je l'ai rentrée dans ce maudit loup… Il ne nous poursuivra plus, désormais. »

Le lendemain, vingt et unième journée de son expédition, le groupe de Leifsbudir leva péniblement le camp. Malgré la grande faim qui les tenaillait, les hommes ne voulurent pas dépecer le loup pour le manger. Grâce à ses vêtements épais, Gunni n'avait pas été mordu trop profondément et sa blessure superficielle ne le faisait pas souffrir. Néanmoins, il se sentait épuisé et légèrement fiévreux : était-ce dû au manque de sommeil ou de nourriture ? Ses compagnons ne semblaient guère plus vaillants que lui. Karl et Neil se taisaient et chacun de leurs gestes accusait un retard, comme si leurs membres s'alourdissaient. Voyant le découragement s'emparer d'eux, le chef du clan Gunn se mit à douter de lui-même et du succès de leur quête. Il regarda le pâle soleil au-dessus de la cime des arbres et respira la douceur de l'air. Quelque chose d'imperceptible, comme une odeur d'eau, de neige détrempée et de feuilles pourries s'exhalait de la terre. « Ça fond au sol. Le pire de l'hiver est peut-être passé », se dit Gunni, revigoré par une espérance neuve. Il agrippa son ballot avec entrain et le bascula sur son dos. Tout en nouant les sangles autour de ses épaules, il héla ses compagnons : « Allons, amis, en route ! Nous touchons au but, je le sais, je le sens ! »

Les heures suivantes lui donnèrent raison. À la fin de la journée, le groupe déboucha au pied d'un monticule rocheux, qu'il escalada afin d'obtenir une vue d'ensemble du territoire. De là-haut, ils contemplèrent une immense baie aux abords découpés qui révélait la présence d'hommes. « Enfin, un campement... Nous sommes arrivés ! » soupira Gunni, dont la vue perçante avait décelé des panaches de fumée. « De quel côté ? Où vois-tu un campement, Gunni ? Je n'aperçois rien, fit Karl, incrédule.

— Moi non plus, messire, s'impatienta le jeune Neil.

— Je ne distingue pas de maisons, mais leurs feux. C'est indéniablement un site habité : il est encore à une dizaine de miles au sud-ouest, là-bas », répondit Gunni en pointant un doigt. « Si le cœur vous en dit, allongeons le pas : nous y serons avant la nuit. » Son sourire contagieux gagna le visage de ses compagnons. « Les dieux sont encore avec moi », pensa-t-il. Le petit groupe s'ébranla promptement et dévala la pente rocailleuse du mont en direction de la mer, que le soleil couchant inondait d'une lueur rosée.

Chapitre IX

L'étrangère

La tombée du jour surprit les randonneurs à quelques miles du littoral. Fatigués et transis par le froid humide qui les transperçait jusqu'aux os, ils s'arrêtèrent. La proximité de la mer se faisait sentir par nombre de détails facilement détectables pour eux, gens habitués à côtoyer cet élément : l'air saturé de sel, les brumes épaisses, le bruit sourd des eaux sous la glace friable et le vent incessant annonçaient la prochaine apparition de l'océan.

« Il va bientôt faire noir, messire, gémit Neil en s'adressant à Gunni. Comment ferons-nous pour nous diriger alors ? Ne devrions-nous pas camper ici et poursuivre la route demain ? » Le chef du clan Gunn se retourna lentement. Appuyé au traîneau, le garçon attendait sa réponse avec un air profondément abattu. Derrière lui, Karl déposa son ballot. « Il est épuisé, dit-il à Gunni. Nous le sommes tous les trois, d'ailleurs. Quelle différence cela fait-il d'atteindre le campement indigène cette nuit ou demain ?

– Aucune, probablement, fit Gunni. Pourtant, quelque chose me pousse à continuer. Nous sommes si près…

– Si proche que cela ? » dit Karl. Gunni huma l'air et balaya des yeux l'endroit où ils se trouvaient en se concentrant sur ses impressions. La forêt avait perdu de sa densité et le couvert neigeux était devenu plus croûté, par l'effet des vents océaniques. Le petit cours d'eau, que le groupe longeait depuis sa descente de la montagne, s'élargissait au fur et à mesure qu'il était nourri par des rigoles. « Peut-être bien ou peut-être pas », murmura Gunni, comme pour lui-même, en détachant la sangle de son sac. Karl et Neil interprétèrent sa réaction comme une acceptation de la halte demandée et ils s'affaissèrent sur leur chargement en poussant un soupir exténué.

Le lendemain, en découvrant le site d'un cantonnement déserté à deux heures de marche de leur bivouac de la veille, chacun comprit l'indécision ressentie par Gunni au moment de leur arrêt. Au lever du jour, les hommes avaient gagné le littoral et longé la grève jusqu'au fond d'une petite crique, où ils avaient distingué l'apparence d'un campement. Il s'agissait d'un ensemble de douze constructions coniques faites de piquets et de lattes d'écorce et d'un long baraquement érigé à l'aide d'arbres entrelacés. Le tout était couvert, en partie, d'une pellicule de glace et de neige fondante et le sol avoisinant était largement piétiné. Les traces de pas indiquaient une circulation intense entre les abris d'écorce et un îlot rocheux sis dans la baie, à quelques yards de la grève, accessible en escaladant un amoncellement de galettes de glace.

Renonçant à suivre cette piste des plus hasardeuses, les trois hommes piquèrent vers ce qui semblait être le village afin d'en explorer les maisons. Seules trois d'entre elles avaient été occupées, à en juger par les empreintes laissées dans la neige. Gunni, Karl et Neil les inspectèrent avec intérêt et étonnement. Chacune d'elles présentait les mêmes caractéristiques : on y accédait par une ouverture basse non fermée et il fallait se pencher pour entrer ; à l'intérieur, autour d'une cavité peu profonde et parfaitement circulaire, une charpente de perches légères réunies au sommet soutenait des parois en écorce de bouleau ; au centre de l'espace, une fosse à feu en pierres, dans laquelle des cendres encore chaudes témoignaient d'une occupation récente. Hormis quelques paniers ou contenants vides, également en écorce, aucun meuble ou outil ne garnissait ces huttes. Après avoir fait rapidement l'inventaire de celles-ci, Gunni, Karl et Neil examinèrent le site extérieur. Ils s'attardèrent longtemps aux traces de pas laissées par ceux qui venaient de le quitter. La piste la plus évidente était manifestement la voie d'entrée et de sortie. Très large et profonde, elle s'enfonçait dans la forêt en un sillon presque droit. Sans même se consulter, les deux hommes et le garçon se harnachèrent de leurs bagages et s'engagèrent résolument sur ce chemin.

Poussés par leur hâte de rattraper ceux qu'ils pistaient, les hommes marchèrent sur le sentier de neige durcie à un rythme soutenu durant une bonne heure avant de stopper devant une fourche. Alors qu'ils évaluaient les deux embranchements pour faire leur choix, un ordre lancé à quelques pas derrière eux se fit entendre. Saisis, ils se retournèrent d'un seul bloc. Là, au milieu du chemin, se dressait un homme de taille moyenne, vêtu d'habits de peaux tannées à l'ocre rouge, comme ceux des Béothuks, coiffé d'une toque en fourrure grise, le visage peint et les mains nues. Il tenait, à la hauteur des épaules, une longue lance en position de tir et il réitéra son injonction sur un ton sec. Pressentant le danger et devinant que l'individu leur intimait de s'immobiliser, les représentants de Leifsbudir se figèrent. Gunni et Karl écartèrent doucement les bras du corps en tournant leurs paumes vers le ciel pour montrer leur intention de ne pas prendre leur épée dans leur baudrier.

Apparemment satisfait de ce comportement, l'indigène abaissa son arme et, sans les quitter des yeux, il lança un bref appel. Aussitôt, se détachant silencieusement du couvert boisé, six autres individus apparurent, dans la tenue des Béothuks. Ils arboraient un air imperturbable dénué de malveillance et ils se rangèrent calmement derrière leur congénère. Celui-ci fit alors signe aux deux hommes et au garçon de reprendre leur marche en leur indiquant le sentier sur la dextre*. La petite colonne s'ébranla dans cette direction, Karl, Gunni et Neil devant, les Béothuks sur les talons. Le garçon, que la vue des indigènes captivait, ne cessait de se retourner pour les épier. Agacé par son manège, le chef du groupe le somma d'avancer plus vite en donnant des coups de pied dans le traîneau et Neil, impressionné, obéit. Pendant ce temps, Gunni et Karl échangeaient leurs impressions à voix basse. « Crois-tu que ce sont des Béothuks ? Je trouve que leur vêture et leurs tatouages sont similaires à ceux de Nonosyim et de ses hommes, remarqua Karl.

– C'est bien possible, dit Gunni. Pour le savoir, il aurait fallu se présenter, mais nous n'avons pas eu cette chance. Pour l'instant, j'ai plutôt le sentiment d'être capturé par des Skrealings.

– En effet. Ils n'ont pas l'air commode… Que penses-tu de leur nombre ?

– Qu'est-ce à dire ?

– Sept hommes seulement… Cela ne correspond pas aux empreintes qu'on a vues sur le site, il me semble. Où sont leurs traîneaux, dont on voit les traces depuis tout à l'heure ? Et puis ce sentier, large à souhait et parfaitement tapé : c'est indéniablement l'œuvre d'une troupe plus importante.

– Alors, si tu as visé juste, il faut se demander où est le reste du groupe… »

Peu après, le cortège déboucha sur une clairière dans laquelle une vingtaine d'hommes et de femmes s'étaient installés pour l'attendre. Karl avait eu raison de s'interroger sur la grosseur du contingent indigène, et il échangea avec Gunni un regard entendu. Dans l'attroupement, ils ne furent pas longs à distinguer Nonosyim. Le vieux Béothuk était planté au milieu de la tribu rassemblée parmi ses bagages. Il ne semblait pas prêter attention aux arrivants, lesquels s'étaient immobilisés en marge, les sept Béothuks s'étant disposés de façon à encercler les trois représentants de Leifsbudir. Dès qu'il eut repéré Nonosyim, Gunni voulut aller à sa rencontre, mais il fut bloqué par un des gardes. Alors, il lança sa salutation d'une voix forte, afin de bien se faire reconnaître. Étonnamment, Nonosyim ne broncha pas et poursuivit la conversation avec ceux qui l'entouraient, comme s'il n'avait rien entendu. « Par Thor, gronda Karl, il n'est pas sourd ! Pourquoi feint-il de nous ignorer ?

– Je ne sais, dit Gunni. Restons calmes. Cette fois, nous sommes sur le territoire des Béothuks : il faut donc se comporter comme des visiteurs et ne montrer aucun signe de résistance... »

Quelques minutes plus tard, sur ordre de Nonosyim, les gardes désarmèrent les membres du clan Gunn, tandis que d'autres Béothuks fouillèrent leur traîneau, puis leur fourniment. Tout ce qu'ils trouvèrent en fer, que ce soit des dagues ou de simples amulettes, fut confisqué, ainsi que toute pièce d'étoffe rouge. Puis, les abandonnant au fouillis des bagages épars, les Béothuks rejoignirent Nonosyim, avec lequel une discussion animée s'engagea. Restées à l'écart de l'attroupement, les femmes s'étaient accroupies dans la neige en faisant cercle autour de leurs ballots et paniers. Elles observaient les trois étrangers tout en bavardant entre elles avec frénésie. Pendant qu'ils ramassaient leurs effets, Gunni, Karl et Neil se sentirent détaillés insolemment et subirent comme des affronts les rires particulièrement désagréables des jeunes filles. Mortifiés, ils finirent par s'écraser sur leurs sacs et attendirent la fin des palabres. Tout en tendant une oreille attentive, ils perçurent quelques « fiikines » au travers du discours des Béothuks et ils en conçurent de l'appréhension.

Finalement, une jeune fille se détacha du groupe qui encerclait Nonosyim. Elle était de très petite taille, son visage lisse et rond avait des traits bien dessinés, sans marques de tatouages. Ses cheveux noirs, tressés en deux longues nattes, luisaient sous les pâles rayons de soleil. Elle portait plusieurs parures de cou et une tunique bordée de fourrure au capuchon et cousue de petits coquillages au corsage, ce qui lui conférait une élégance singulière. La jeune fille s'avança d'un pas assuré vers Gunni, Karl et Neil. Comme ces derniers n'avaient pas relevé sa présence parmi les hommes, ils l'examinèrent avec étonnement. Ils furent plus surpris encore lorsqu'ils l'entendirent parler dans une langue très proche du gaélique. «Je suis Oubee, dit-elle, fille unique de Masduwit, de la tribu des Béothuks du Rocher-de-l'Aigle. J'ai appris vos mots avec un homme de la tribu des Albains. Je donne à vous la décision de mon peuple. Vous n'êtes pas les bienvenus ici. Retournez d'où vous arrivez. Aucun mal ne sera fait à vous, malgré votre vache maléfique.»

Éberlués par cette entrée en matière énigmatique, Gunni et Karl se dévisagèrent un instant, ne sachant que répondre pour engager la conversation, mais ils furent devancés par l'intrépide Neil. «Nous n'avons pas de vache maléfique, répliqua celui-ci. Nos gens mangent les restes de notre dernière vache et puis après, ils n'auront plus rien à gloutir*. Voilà pourquoi nous voulions vous rencontrer... pour savoir ce que vous mangez durant l'hiver et s'il vous en reste.

— Notre shaman dit que la vache échangée contre le renne était ensorcelée, affirma Oubee en s'adressant à Gunni, plutôt qu'au garçon. Son jus a empoisonné Maticouna, l'épouse du chef Nonosyim, celle que nous avons déposée sur l'île, hier, afin que son autre vie commence derrière la barrière des eaux...

— Je voudrais parler avec Nonosyim, fit vivement Gunni. Je peux lui expliquer pour la vache échangée. Je suis désolé de la mort de son épouse, mais il y a erreur si vous croyez que la vache en est la cause...

— Personne ne revient sur la décision de notre conseil : vous partez avec tout votre sang dans vos veines et nous gardons vos fers de "fiikine" en compensation pour l'échange désavantageux au début de l'hiver, à la baie du

nord », dit tranquillement Oubee. Puis, avec un cligne-
ment des yeux en guise de salutation, elle s'en retourna,
du même pas assuré, vers son chef. Abasourdis, Gunni et
Karl la regardèrent s'éloigner sans trouver les mots pour
la retenir. « Les Béothuks vont conserver nos épées et nos
couteaux ? questionna Neil, d'une voix angoissée.

— Apparemment, répondit Karl.

— Comment allons-nous nous défendre, désormais,
messire Gunni ? Il faut refuser cela et ravoir nos armes :
serons-nous contraints de nous battre avec des haches et
des pointes de flèche en pierre, comme eux, comme des
maudits Skrealings ? s'indigna le garçon.

— Tais-toi, Neil, intima Gunni, ménage tes haran-
gues pour une autre fois. Que ferais-tu d'une dague au
poing alors que tes veines se vident de leur sang ?

— Par tous les saints, on nous traite encore de Vikings !
s'écria le garçon. Nous sommes des colons écossais qui
ont bien reçu messire Nonosyim à Leifsbudir. Il faut le
lui rappeler !

— Suffit ! » siffla Gunni, avec autorité.

Furieux et angoissé, Neil alla se réfugier sur son traîneau en serrant la mâchoire à s'en casser les dents pour
ne pas répliquer. Karl, qui n'avait pas quitté Oubee des
yeux depuis qu'elle était retournée auprès du chef, fit
remarquer à Gunni que les pourparlers semblaient avoir
repris. En effet, la jeune fille était interrogée par ses compatriotes : elle répondait et assistait, imperturbable, aux
discussions que ses dires soulevaient, puis elle était ques-
tionnée de nouveau. Manifestement, Oubee rapportait au
conseil béothuk son entretien avec les membres du clan
Gunn. « Fasse qu'elle transmette ma demande à Nonosyim, très sage Odin ! » implora Gunni, en lui-même.

Encore une fois, l'Écossais fut exaucé par ses dieux païens. Après un moment de tergiversations, Nonosyim s'amena auprès du petit groupe avec Oubee et deux hommes, et il s'entretint avec Gunni par le truchement de la jeune fille. «Nonosyim dit qu'il n'accuse pas la vache, fit celle-ci. Il a bu son jus, et plusieurs autres guerriers en même temps que lui, et tous ceux-là n'ont pas eu la maladie. Maticouna et le shaman ont bu beaucoup plus que les autres et ils sont tombés malades. Seule Maticouna est morte. Le shaman dit que la vache a capturé sa vie, comme le bœuf des "fiikines" qui a piétiné deux Béothuks, jadis. Le shaman est l'homme le plus vieux du village, il connaît le mauvais esprit des "fiikines". Il a combattu pour les expulser de l'île. Un chef doit toujours écouter l'ancien de son peuple. C'est pourquoi Nonosyim ne défend pas vous devant le conseil. Mais Nonosyim peut sonder par lui-même le cœur d'un homme, et notre shaman est resté au village d'hiver. Voilà pourquoi il accepte d'entendre ta requête, Gunni Tête Rouge.

— Je remercie Nonosyim pour sa magnanimité, dit celui-ci. Je suis à sa recherche depuis presque un mois, avec mes deux compagnons que voici, Karl et Neil. Nous avons beaucoup marché dans l'espoir de vous trouver. Pourquoi? Parce que mourrons de faim dans notre établissement du nord. Nous sommes arrivés très tard à l'automne et nous n'avons pas pu ramasser suffisamment de provisions ou faire des chasses fructueuses. Je viens demander un avis sur la nourriture à celui qui connaît bien cette île et qui a déjà fait preuve de sagesse et de pacifisme envers moi et mes gens. Il sait que nous ne sommes pas des Vikings et que nous ne cherchons pas d'ennemis sur l'île. » La jeune Oubee traduisit les propos de Gunni à son chef, recueillit la réponse de ce dernier, puis revint aux trois hommes : « Nonosyim dit que les "fiikines" peuvent cacher leur visage longtemps avant de se dévoiler tels qu'ils sont.

— Je redis que nous ne sommes pas des Vikings et nous continuerons de le prouver par nos bonnes actions. Si Nonosyim n'accuse pas la vache, alors il voudra bien restituer nos armes. Je serai heureux à ce moment-là de faire un nouvel échange avec lui : tout ce qui a été pris sur nous et dans nos bagages contre des vivres pour notre établissement et l'occasion de faire une chasse commune avec ses guerriers. »

Chaque jour de ce mois de mars clément, je m'émerveillais du recul de l'hiver dans la vallée de Gleanlin. Sur la vaste étendue du lac, la croûte de glace blanche jaunissait en s'amincissant et devenait parfaitement transparente sur les abords. Les flancs de la montagne couverts de prés montraient des plaques de neige de moins en moins épaisses, grugées par les rayons du soleil. En certains endroits, l'herbe apparaissait timidement, balayée par le vent qui la débarrassait des feuilles pourries et des tiges séchées que le gel y avait incrustées. Le bétail, qui sortait peu à peu des granges, gravissait lentement les champs imbibés d'eau, à la recherche d'espaces à brouter nouvellement libérés de leur croûte de glace.

Dans l'enclos des moutons, plusieurs agnelets nés au début du mois faisaient leur entrée aux trousses des brebis et j'observais avec amusement leurs premières explorations. Souvent, les bambins du village me rejoignaient et s'entassaient autour de mes jupes pour entendre mes commentaires sur le comportement des agneaux et sur celui de leur mère. J'étais fascinée par la capacité des enfants à s'identifier aux petits des bêtes et j'élaborais des explications qui allaient dans ce sens. Un matin, une des fillettes, plus taciturne que les autres, s'enhardit à me parler : « Est-ce que tu as déjà eu un bébé ?

— Non… pas encore, dis-je.

— Alors, comment sais-tu ce que pensent les mamans moutons ?

— J'ai déjà eu une maman, moi aussi. Elle était protectrice, elle s'occupait de me nourrir, elle me montrait comment marcher et courir, elle me donnait des conseils… comme toutes les mamans du monde, qu'elles soient des personnes, des vaches, des chattes ou des brebis.

— Et les brebis apprennent aux moutons filles à être des moutons mères ?

— Oui, les mamans font cela aussi…

— Pourquoi la tienne ne t'a-t-elle pas encore montré comment faire des bébés ? On dit que tu as le même âge que tante Énaïd qui a six enfants, elle. » Je souris à la fillette, mais me gardai de lui répondre et je détournai son attention vers un autre aspect des brebis et des agneaux. Cependant, sa remarque sur mon âge me titilla l'esprit toute la journée. « Et si j'étais effectivement trop vieille ? me dis-je avec amertume. Les fameuses potions de Julitta visent peut-être à corriger cela… Devrais-je lui en parler ? » Ce dont je ne me rendais pas compte, c'est qu'au contact des enfants mon incurable désir de maternité refaisait surface.

Le premier de l'an[1] 1027, jour de l'Annonciation, sept Albains partirent inspecter les installations du village d'été sur la côte, en prévision du déménagement prochain des habitants de Gleanlin. Brude devait faire partie de l'équipée. Comme j'avais refusé de le suivre, il décida de rester, mais je le devinais fort contrecarré dans ses plans. Il avait régulièrement dirigé cette opération qui constituait la première grande sortie de Gleanlin après l'hiver. Les hommes attendaient cet événement avec impatience et ceux qui étaient choisis pour former l'escorte d'éclaireurs se disaient privilégiés. J'imaginai que le fastidieux engagement de Brude envers moi, les pressions exercées par son infatigable mère et la rigueur des enseignements du frère Comgan commençaient à peser sur lui en l'incitant à faire une escapade libératrice. «Viens avec moi, Moïrane, m'avait-il dit. Sortons d'ici tous les deux. Entamons ensemble nos dernières semaines d'union, loin de tous. Je renverrai les hommes à Gleanlin et nous resterons seuls jusqu'à l'arrivée du clan.»

J'avoue que le ton suave et le regard ardent qui l'appuyait m'avaient troublée durant un bref instant et je fus tentée de m'y laisser prendre. «Non, avais-je répondu, fermement. Je ne me séparerai pas du frère Comgan: je suis en mission avec lui et je me dois de le seconder. Là où il est, je suis.

— À ta guise! Il va falloir que je reste. Je n'ai pas le droit de partir chevaucher à cinq jours de Gleanlin et de gâcher ainsi mes dernières chances de t'engrosser.» Je me gardai de répliquer quoi que ce soit. Nos exercices de

---

1. An: en Europe du Nord, au Moyen-Âge, la nouvelle année commençait le 25 mars, jour de l'Annonciation.

copulation avaient perdu tout agrément, pour l'un comme pour l'autre, malgré l'assiduité et le doigté dont Brude continuait à les entourer, et mon désir inavoué de procréer.

Me joignant aux gens de la maison de L'Envoyé de Frederik, postés à la sortie du village, j'assistai au départ de l'équipée de reconnaissance, sous la direction de Cormac au lieu de celle de Brude. J'évitai de regarder mon amant, qui affichait une humeur sombre, et je fixai le frère Comgan qui, lui, rayonnait de satisfaction. La pensée que notre mission touchait à sa fin me rasséréna. En effet, depuis plusieurs semaines, l'auditoire de l'Irlandais était, pour ainsi dire, conquis. Dès les premières prédications publiques, les habitants de Gleanlin avaient adhéré aux dogmes chrétiens révisés, d'autant plus spontanément qu'ils étaient souvent élaborés par Brude, qui secondait le religieux dans ses discours. Par la couleur locale dont le fils du chef les teintait, les prêches n'en étaient que plus captivants.

L'attitude patiente et bienveillante du frère Comgan envers les Albains força mon admiration plus d'une fois. Jamais l'Irlandais ne se fâcha, n'éleva le ton ou fustigea ceux et celles qui démontraient incrédulité ou indifférence face à la foi en Christ. Au contraire, la réserve de certains le stimulait, l'inspirait, même, et lui donnait l'occasion de prononcer ses meilleurs sermons. Du fond de la salle, j'avais assisté à tous. Pour moi, c'était plus une question de passion que de devoir. Assise parmi les habitants de Gleanlin, parfois entourée d'une ribambelle d'enfants, j'écoutais avec avidité et ébahissement les magnifiques prônes du moine et, comme les Albains, je ne m'en lassais pas. Je redécouvris, avec délectation, la vie de Christ racontée avec un souffle qui la faisait paraître cent fois plus passionnante que lorsqu'elle m'avait été relatée à Dornoch, dans les sobres prêches de l'aumônier de ma famille. Tantôt enflammé, tantôt concis, le frère Comgan touchait invariablement ses cibles. Cet incomparable évangéliste connaissait la façon de pénétrer le cœur de chacun, homme ou femme, garçon ou fille, du plus âgé au plus jeune, et il en usait à profusion.

Quand les cavaliers eurent disparu à l'orée de la forêt, j'entrai dans la maison du chef avec le frère Comgan pour entendre l'office commémorant l'Annonciation de la Vierge Marie. Tandis que les fidèles s'assemblaient dans la pièce, laquelle arborait bien en évidence le crucifix et la bannière du moine, je pris place parmi les femmes de la maison de Julitta. « C'est ta fête, ce jourd'hui, Moïrane », me glissa celle-ci à l'oreille. Je ne réagis pas, sachant que la vieille persistait à croire en ma qualité de messagère divine. Je regardai droit devant moi, en faisant mine de n'avoir rien entendu. Mais c'était compter sans l'entêtement de Julitta. Dès que le frère Comgan aborda le sujet de la Vierge Marie, Julitta revint à la charge, en vociférant presque, pour faire ma promotion. Avec une opiniâtreté démoniaque, elle soutint que j'étais la réincarnation de la mère de Christ en Alba ; que je porterais bientôt dans mon giron le Sauveur, et que Brude serait consacré pape et père du nouveau Christ albain.

Évidemment, ses allégations provoquèrent un tumulte dans l'assemblée. Tandis que le frère Comgan tentait de reprendre la parole et que Julitta continuait à clamer ses incroyables prétentions impies, je subis, rouge de confusion, l'examen des Albains stupéfiés. À leurs yeux, j'étais soudainement redevenue une étrangère. Ce supplice m'indisposa tellement que je faillis me lever pour sortir, mais le moine me fit signe de rester. Ce geste fut interprété par L'Envoyé de Frederik comme son désir d'obtenir le silence. D'une voix impérieuse, le vieux chef ramena l'ordre, puis il somma le frère Comgan de poursuivre son homélie. Le temps qui s'écoula en redressements et corrections de la part du moine sur la divinité de Christ, sur la Vierge Marie et sur le pape, éteignit la cacophonie engendrée par l'impénitente Julitta, tout en obligeant cette dernière à se taire.

À la fin de l'office, ne voulant pas être de nouveau exposée aux déclarations irréligieuses de la vieille, je m'empressai de rejoindre le frère Comgan. Celui-ci m'entraîna aussitôt à l'écart pour me parler : « Ma chère Moïrane, j'exulte », dit-il en serrant le livre saint sur sa poitrine, comme une mère tient son enfant contre son sein. « La profonde conviction d'apporter la parole divine chez un peuple qui l'attendait m'habite du soir au matin. Tel un semeur qui confie à la terre l'espérance de la future moisson, je suis plongé dans une grande expectative face à toutes ces âmes que j'abreuve de la parole de Dieu. J'aime ces Albains d'un amour démesuré et je veux continuer à être leur guide spirituel.

— N'aviez-vous pas pressenti Brude pour assumer cette fonction ? m'enquis-je.

— Non qu'il ne soit pas digne de la charge, mais messire Brude n'est pas prêt à la prendre. Son père non plus, bien sûr. Cet Islandais réfugié, cet Ari Marson disparu aux yeux des siens depuis des décennies, ce chrétien imposteur est maintenant enclin à reconnaître son erreur.

— Vraiment ?

— Le chef albain compte annoncer qu'il renonce au nom usurpateur d'Envoyé de Frederik et il dictera la nouvelle conduite que devront adopter les membres de sa communauté pour devenir de vrais chrétiens : cesseront alors le concubinage et l'esclavage, entre autres pratiques interdites. Tout cela est fort satisfaisant, mais requiert encore du temps. Notre départ risque d'en être retardé, j'en ai bien peur…

— Jusqu'à quand ?

— Il serait envisageable qu'il advienne seulement à la fin de l'été ou même au milieu de l'automne, ce qui est, pour les Celtes, un moment extrêmement propice aux grandes célébrations.

— Que voudriez-vous célébrer ?

— Je veux évidemment consacrer Brude prêtre, mais également baptiser ou rebaptiser tous les Albains en une seule cérémonie grandiose », fit-il en écarquillant les yeux, dont la couleur bleue me rappela soudain la voûte céleste. Le visage du frère Comgan s'épanouit alors en un sourire qu'on aurait dit divin tellement il irradiait, et je détournai le regard pour ne pas succomber à son étrange envoûtement. La perspective de surseoir à mon retour à Leifsbudir me comprimait le cœur plus fermement que pattes d'aigle autour d'une proie. « Frère Comgan, vous n'avez pas besoin de moi pour cet ultime projet, haletai-je. Je ne souhaite pas y participer, car je dois et je désire rejoindre mon mari. Vous n'ignorez pas cela et vous devez m'accorder cette permission…

— Assurément, Moïrane. Loin de moi l'intention de vous retenir chez les Albains. Votre retour auprès de messire Gunni est absolument impératif, je vous le concède. Dans la mesure où j'exerce un certain ascendant sur messire Brude, je vais l'inciter à honorer sa promesse de vous ramener à Leifsbudir en mai, comme prévu.

– Merci infiniment! Je suis soulagée de voir que vous vous accordez à mes vues et je suis tellement confiante dans votre intervention», lui dis-je avec effusion. Dégagée, je me retournai pour prendre place parmi les villageois et surpris alors le regard suspicieux de Brude braqué sur nous. À cette minute précise, le doute m'envahit et mon cœur se serra de nouveau.

Le campement d'hiver des Béothuks du Rocher-de-l'Aigle, établi sous le couvert d'une pinède, se déployait au bord d'une petite rivière rocailleuse. En enfilade, quatre très larges constructions octogonales formaient le petit village habité par les quelque soixante-dix membres de la tribu dirigée par Nonosyim. Chaque hutte, appelée «mamateek», regroupait plusieurs familles, associées par liens de filiation. Le chef partageait sa maison avec ses fils, ses filles et leurs enfants ainsi qu'avec ses frères et sœurs et leurs enfants; le shaman logeait avec les siens dans la deuxième mamateek; et les deux autres chefs de famille occupaient les deux dernières, avec leurs gens.

Dès leur entrée au village, après une lente marche de dix jours, Gunni, Karl et Neil furent conduits chez Nonosyim. Les habitants qui étaient restés sur place, tandis que leurs congénères se rendaient aux funérailles de Maticouna, accueillirent les étrangers avec des mines rébarbatives. Ils se turent sur leur passage et les suivirent des yeux jusqu'à ce qu'ils aient disparu derrière la peau qui fermait la mamateek du chef. Gunni demeura impassible sous l'examen presque hostile, alors que Karl et Neil, qui supportaient mal d'être désarmés, devinrent très nerveux. Cependant, dès qu'ils furent à l'intérieur de la maison du chef, leur malaise et leurs défenses tombèrent.

Cinq femmes et une ribambelle d'enfants s'y trouvaient et firent une réception cordiale aux arrivants, dont Nonosyim fut immédiatement le point de mire. Les membres de sa famille qui l'avaient accompagné furent également accaparés et pressés de questions par ceux qui les avaient attendus. Par discrétion ou par indifférence, ces derniers n'accordèrent aucune attention aux trois étrangers, qui furent abandonnés dans un coin près de la porte où ils s'installèrent avec leurs sacs.

Profitant de l'oubli dans lequel ils étaient relégués, Gunni, Karl et Neil purent examiner à loisir l'étonnant habitat et en apprécier le confort : au centre de la mamateek, une longue fosse à feu creusée dans le sol projetait une belle lumière et une agréable chaleur ; le plancher était couvert de plusieurs couches d'écorce lattées et calfeutrées par de la mousse, ce qui coupait efficacement le froid provenant du sol terreux ; les murs, depuis leur base jusqu'au trou de cheminée, étaient tendus de peaux de renne sur lesquelles étaient accrochés, à différentes hauteurs, des outils, des ustensiles, des paniers, des tablettes supportant des objets comme des lampes ou des bols. Au-dessus de l'ouverture servant de porte, quantité d'arcs et de lances étaient suspendus entre deux panaches de cervidé. Empilés le long des parois et déployés de façon circulaire par rapport au foyer, des bancs et des coffres de bois délimitaient les espaces qui servaient de couche et d'aire de travail pour chaque occupant.

« Pardi, il fait bon ici ! soupira Gunni.

— On est presque mieux que dans la longue maison, ajouta Neil en étendant les jambes avec contentement.

— As-tu une idée du nombre de bêtes qu'il faut abattre pour arriver à faire une hutte aussi grande avec leurs peaux ? Je renonce à les compter. Pour sûr, ces Béothuks sont de fameux chasseurs », dit Karl, en balayant l'habitacle d'un regard admiratif et expert. La remarque fit sourire Gunni, qui reporta cependant son attention sur les occupants de la maison.

Dans une cohue enjouée, ceux-ci se départagèrent les arrivants en les entraînant dans les différentes sections de la mamateek afin qu'ils déposent leurs effets de voyage et se dévêtent. À ce moment-là, les femmes qui avaient fait partie de l'expédition funéraire attirèrent l'attention des autres sur les étrangers et, de nouveau, ceux-ci firent l'objet d'une curiosité impudente. Manifestement, les cheveux de Gunni attiraient plus de commentaires que n'importe quel aspect des deux autres captifs. Quant aux hommes de la maison, ils se contentaient de jeter un œil désabusé dans leur direction tout en poursuivant leurs occupations. Chaque fois que Gunni interceptait un regard, il s'appliquait à sourire d'un air engageant, sans toutefois obtenir le moindre signe de sympathie en retour. Avares dans leurs manifestations envers les étrangers, les Béothuks semblaient calquer leur attitude sur celle de leur chef, lequel s'obstinait à ignorer la présence des représentants du clan Gunn. Gunni aurait apprécié revoir Oubee, mais elle s'était dirigée vers une autre hutte en arrivant dans le village. Il se demandait comment il arriverait à communiquer efficacement avec Nonosyim au moment opportun, sans l'aide de la jeune fille.

«Messire, fit tout à coup Neil, regardez la femme là-bas : elle fait bouillir des cailloux dans son seau !» Gunni étudia le surprenant manège durant un instant. Accroupie près du feu, une femme y prélevait des pierres à l'aide d'une louche en bois et les plongeait ensuite dans de grands bacs en écorce, disposés sur les roches plates le long de la fosse. Chaque galet immergé provoquait un nuage de vapeur et le «pfft» caractéristique de l'eau au contact du feu. «Ce ne sont pas les cailloux qui sont cuits, expliqua Gunni, mais le contenu des récipients qui cuit à leur contact. Voilà comment on fait de la soupe sans chaudron, Neil. Les pierres brûlantes font bouillir le liquide au lieu d'avoir à exposer le contenant à la flamme vive pour obtenir le même résultat.

— Ce doit être long de procéder ainsi, sans compter toute la cendre qui doit entrer dans le mélange, constata le jeune homme.

— Les efforts et les menus inconvénients en valent largement la peine pour concocter un breuvage chaud, ne penses-tu pas ?

— Assurément ! En ce moment, je gloutirais une pleine tasse de soupe assaisonnée à la suie pour peu qu'elle soit fumante. Croyez-vous qu'ils vont nous donner à manger, messire ? J'ai un mal de ventre poignant…

— J'en suis certain, Neil. Ne t'inquiète pas : s'ils n'avaient pas voulu nous nourrir, ils ne l'auraient pas fait ces derniers jours et ne nous auraient pas amenés ici», répondit Gunni, sur un ton rassurant.

Le chef du clan Gunn, nullement inquiet, vit son estime pour les Béothuks grandir d'heure en heure. Chaque détail de construction, chaque particularité vestimentaire, chaque technique domestique observée depuis son entrée dans la mamateek, renforçaient le sentiment enthousiaste qu'il avait spontanément accordé aux visiteurs à Leifsbudir et qui s'étendait maintenant à toute leur tribu. Alors que Nonosyim s'était très peu soucié des trois étrangers, l'heure du repas pris en famille le ramena vers ceux-ci. Il leur indiqua une place au bout de la fosse à feu en leur faisant signe de s'y asseoir, puis il demanda à un garçon de les pourvoir en bols. Tandis que Gunni, Karl et Neil étaient servis, Nonosyim les présenta à ses gens et profita de l'occasion pour raconter l'histoire de son voyage à Leifsbudir et de l'échange avec la vache « fiikine ». À l'évidence, tous les occupants de la mamateek connaissaient déjà l'anecdote et appréciaient de la réentendre.

Ne comprenant pas grand-chose aux propos de Nonosyim, les membres du clan Gunn se concentrèrent sur ce qu'ils mangeaient. La cuisson aux pierres chaudes avait produit une soupe étonnamment délectable dans laquelle flottaient des petites feuilles verdâtres, des languettes de viande de renne et des os à moelle. Le goût du bouillon était très doux, presque onctueux sur la langue, et les représentants de Leifsbudir se glissèrent des regards d'appréciation éloquents. Vint ensuite le partage de longues tripes animales bourrées avec de la viande marine que Gunni associa au phoque ou à la baleine : les morceaux hachés fin avaient été mélangés à de la graisse avant d'être introduits dans le boyau, puis possiblement fumés afin d'en assurer une longue conservation. Une jarre contenant de l'huile et des baies séchées circula entre les convives qui y plongèrent une cuillère en bois pour se servir, puis ce fut un bac d'eau qui passa de main en main, chacun y puisant une ration à l'aide d'une coupelle.

Neil ouvrait de grands yeux chaque fois qu'un mets lui passait sous le nez et il frémissait de délectation en mastiquant, tellement il avait faim. «Messire Gunni, parvint-il à dire entre deux bouchées, si les Béothuks veulent échanger ces délicieuses saucisses contre nos couteaux, je ne m'y opposerais point.

— Je me demande ce qu'ils ont fabriqué avec notre vache, glissa Karl. S'ils l'ont tuée, sa peau n'apparaît nulle part dans ce lieu. En tout cas, ils ne boivent pas de lait… Oh Odin! j'avalerais bien un pichet de bière! Le nectar d'orge me manque cruellement: je donnerais mon épée pour une seule gorgée…

— N'évoque pas la bière, Karl, c'est une torture pour moi aussi, supplia Gunni. Dans mes pires rêves, je suis entouré de tonneaux, mais sans poinçon pour les percer et je crève de soif… Par Thor, comme je voudrais être à Helmsdale, ce soir, avec ma bien aimée Moïrane!» Karl dévisagea son ami et reconnut l'étrange mélange de force et de vulnérabilité qui rendait l'homme singulièrement attachant. «Comme il est différent de Gudlaugson! Je suis choyé de faire partie de son clan», pensa-t-il, avec un certain émoi.

À la fin du repas, entra dans la mamateek un homme porteur d'une convocation chez le shaman pour Nonosyim. Les hommes de Leifsbudir le comprirent en captant le mot «shaman» dans l'appel. Le chef se leva et invita les étrangers à le suivre, sous le regard ébahi des membres de sa famille. Ils sortirent dans la nuit étoilée et marchèrent silencieusement jusqu'à la maison voisine, précédés par l'émissaire. Un vent très doux chuintait dans la cime des arbres et se mêlait au gargouillis de la rivière. Gunni leva les yeux au ciel et fixa la lune décroissante, coupole translucide sur un voile de velours noir. «Dernier quartier de mars, une nouvelle année qui vient», murmura-t-il en songeant à sa petite communauté aux prises avec la disette et la maladie des enfants. «Plaise à Dieu que nous revenions vite parmi les nôtres avec les victuailles», soupira-t-il.

Une bonne partie du village s'était rassemblée dans la mamateek du shaman pour assister à la rencontre. Nonosyim dut écarter du bras nombre de personnes pour ouvrir le passage aux membres du clan Gunn, jusqu'au centre de la place où trônait le sage sur un amoncellement de peaux. Celui-ci attendit que Nonosyim, flanqué des étrangers, se soit assis en face de lui avant de prendre la parole. Sa tête, toute blanche, était coiffée d'une toque en fourrure de renard roux et sa bouche, complètement édentée, ressemblait à une pomme séchée. Le plissement de ses yeux et le regard fixe qu'il portait au-dessus de ses interlocuteurs laissaient penser qu'il souffrait de cécité. Son visage, aussi ridé que cuir de morse, était couvert de dessins à l'ocre rouge et ses mains émaciées agrippaient des baguettes surmontées de figurines sculptées. Une lourde cape en fourrure blanche, qui pouvait être celle d'un ours polaire, l'enveloppait depuis les épaules jusqu'aux pieds, dont elle ne laissait entrevoir que la pointe des mocassins.

La harangue du shaman fut longue et lorsqu'elle prit fin, l'assemblée tendue retint sa respiration. Intrigué, Gunni jeta des coups d'œil furtifs à sa dextre et à sa sénestre*, pour s'apercevoir que tous les regards étaient tournés vers Nonosyim. Dans un geste plein de dignité, ce dernier inclina la tête puis la releva et, sur un ton magistral, il réclama la présence d'Oubee. La jeune fille,

223

que ni Gunni, ni Karl, ni Neil n'avaient encore repérée, se détacha d'un groupe et vint prendre place entre Nonosyim et Gunni. Elle salua discrètement ce dernier, puis écouta les instructions du chef. Elles furent brèves et émises sur un ton modéré. Ensuite, Nonosyim s'adressa au shaman en entrecoupant son débit de pauses régulières, destinées à faciliter le travail de truchement de la jeune fille. « C'est un grand honneur que Nonosyim fait à Gunni Tête Rouge d'entendre la discussion avec le shaman », dit-elle à voix basse en penchant la tête vers l'épaule de l'Écossais. « Oubee est aussi surprise que le reste de la tribu. Aucun étranger n'est autorisé à paraître devant le shaman normalement. Nonosyim impose vous comme ses invités… c'est un grand honneur, vraiment. » Gunni acquiesça avec une mimique de gratitude et se concentra sur les lèvres de la jeune fille, qui traduisait les paroles du chef le plus promptement et fidèlement possible.

Dans un premier temps, Nonosyim exprima sa version sur les causes de la mort de son épouse, manifestement en réponse aux propos précédents du shaman. Il disculpa la vache incriminée en faisant valoir qu'il avait bu et vu boire son lait par un grand nombre de personnes, tant ici qu'au campement des étrangers, et que rares avaient été ceux et celles à s'en être trouvés mal. Il exposa ensuite les motifs qui avaient amené les trois « fiikines » à marcher jusqu'au village d'été et il décréta qu'ils étaient recevables. Enfin, Nonosyim affirma son désir de faire de la traite avec Gunni Tête Rouge en vantant la valeur de ce qu'il offrait en échange. Quand Nonosyim se tut, le shaman reprit la parole en reprochant au chef la confiance qu'il accordait trop facilement aux « fiikines » et il se perdit dans un long et laborieux commentaire sur le caractère belliqueux et sournois des étrangers venus du nord. Il rappela à l'assemblée les circonstances dans lesquelles lui-même, alors guerrier accompli, avait été attaqué et spolié par ces envahisseurs et le nombre de Béothuks qui avaient été massacrés dans sa suite. Nonosyim ne releva pas la pertinence de ce fait passé qui, à l'évidence, avait cessé de fasciner les membres de la tribu. Il insista plutôt sur la réception amicale dont il avait bénéficié dans la longue maison des Écossais à la pointe nord de l'île, et à ce chapitre, il suscita l'approbation des deux hommes qui l'avaient accompagné cette fois-là. Ces derniers validèrent l'affirmation de leur chef sans difficulté.

Cette partie de la discussion apprit à Gunni que l'expédition du chef béothuk dans les eaux de Leifsbudir, au début de décembre, avait eu pour but de reconnaître la présence de son groupe, laquelle avait été repérée bien plus tôt, soit dès son arrivée sur l'île, à la fin octobre. Cette information frappa Gunni en lui dévoilant à quel point rien n'échappait aux habitants d'Alba et que Leifsbudir était loin d'être aussi isolé qu'il y paraissait à première vue. Le shaman était-il las ou convaincu de l'inutilité de sa charge contre les « fiikines » ? Il décida soudainement de mettre fin à l'entretien et de dissoudre l'assemblée. Il se leva de son petit promontoire et écarta les pans de sa cape en élevant haut les bras. Par ce geste autoritaire, il obtint le silence dans la mamateek tout en exposant son corps frêle aux regards. C'est alors que Gunni, Karl et Neil découvrirent avec stupeur qu'il portait la tunique en lin rouge de Herulf.

Chapitre X

La marcheuse

Quatre jours de redoux, dans la dernière semaine de mars, avaient suffi à libérer les eaux de la baie de Leifsbudir de son couvert de glace et à dégager le knörr de son carcan de neige. Sur la courte grève, la fonte créait de multiples rigoles qui mouillaient les cailloux en les faisant briller au soleil, signe tangible de l'arrivée du printemps pour la petite communauté affamée et épuisée. Depuis le jour de l'An, elle ne savait plus vers lequel des deux événements tourner ses espoirs afin de retrouver son équilibre : le retour du chef du clan Gunn ou celui du moine.

Tandis qu'Arabel et Ingrid organisaient une excursion de cueillette aux œufs avec les enfants, les hommes, sous l'impulsion énergique de Gudlaugson, s'échinèrent sur le navire pour le remettre à l'eau. Malgré leur opposition à une nouvelle expédition de chasse, Cinead, Markus et Jon avaient consenti à prêter la main à la manœuvre. «Aidons-les, avait plaidé Markus auprès de ses deux compagnons. Je n'en peux plus d'avoir à les surveiller du soir au matin, de les voir tourner autour des femmes, de me demander quel mauvais coup ils préparent de l'autre côté de la cloison, de me battre pour une répartition équitable de la nourriture, et surtout, de les entendre ânonner que Gunni, Karl et Neil sont perdus...

– Et si Gudlaugson s'avisait de ne pas revenir, contrairement à ce qu'il prétend ? Si lui et ses hommes décidaient de faire leur chasse aux morses, puis de repartir pour l'Islande sans repasser par Leifsbudir, en nous abandonnant avec Comgan au Vinland ? Le knörr est notre seul moyen de nous en sortir et ce n'est pas à l'aide des outils que nous possédons que nous réussirons à en bâtir un autre, avait argumenté Jon.

– On se débrouillera bien, avait répondu Cinead. Je suis du même avis que Markus, plus vite et plus loin Gudlaugson déguerpira, mieux on respirera ici, et plus il nous restera à manger. Pour ma part, je suis convaincu que Gunni va arriver... » C'est donc avec une résignation tout en apparence que les membres du clan Gunn laissèrent les Islandais prendre la mer sans y faire obstacle ni en geste ni en parole. Ils s'assurèrent seulement qu'ils n'emportaient pas de provisions de bouche dans leur cargaison.

Sur le sommet des falaises, Ingrid et ses deux fillettes, Arabel et son fiston, s'installèrent confortablement sur des rochers protégés du vent et chauffés par le soleil timide pour assister à l'éloignement du grand knörr islandais de la baie de Leifsbudir. Avec sa voile rayée rouge et blanc gonflée comme une baudruche, le navire glissa lentement en direction de l'ouest, entre les banquises et les icebergs à la dérive, puis, au tournant du cap, il disparut. À la fin de ce spectacle, les femmes et les enfants redescendirent vers le campement. Chemin faisant, ils relevèrent plusieurs pistes de lièvre et se promirent de tendre des collets. Jon et Markus, singulièrement soulagés par le départ de Gudlaugson, se réjouirent à la perspective de se régaler d'un ragoût de petit gibier et ils offrirent leur concours pour fabriquer les pièges. Ce soir-là, la communauté se réunit autour du chaudron qui contenait toujours le même bouillon de poisson clair, mais elle avait le cœur ragaillardi par l'harmonie retrouvée. Pour distraire les enfants, Cinead raconta une histoire fantastique dans laquelle des voleurs de bétail étaient pourchassés par la vindicte du bouvier, un ogre aux dimensions de géant. Le conte captiva les trois petits et amusa leurs aînés : le sourire, depuis longtemps disparu des visages, éclairait de nouveau les habitants de Leifsbudir.

Pendant la nuit, délivrés de l'ambiance oppressante qui avait régné sur la longue maison, Markus et Arabel se retrouvèrent dans l'obscurité de la salle commune et se donnèrent l'un à l'autre. Seul témoin de leur union, Jon se coucha discrètement face contre le mur, offrant son dos au rougeoiement du foyer et au lit de son ami enfin récompensé de son assiduité auprès de la veuve. Avant de s'endormir, le jeune homme fouilla sa mémoire à la recherche d'images de Herulf, le mari d'Arabel disparu en mer, mais il ne parvint pas à reconstituer les traits de l'homme. Incongrûment, l'unique souvenir que Jon avait gardé de l'Écossais était sa haute taille mise en valeur par une tunique rouge.

Dans les premiers jours de la nouvelle année, au camp d'hiver des Béothuks du Rocher-de-l'Aigle, deux expéditions s'élaboraient en même temps et leurs participants s'affairaient aux préparatifs. À l'intérieur de la mamateek du chef Nonosyim, les représentants de Leifsbudir s'apprêtaient à se séparer : deux d'entre eux retournaient à leur établissement en transportant un chargement de denrées, et l'autre restait avec des membres de la tribu béothuk, dans l'espoir de partir à la recherche des vestiges du knörr écossais.

Assise près du feu, Oubee glissa un œil au jeune Neil et lui sourit. La candeur et la vivacité de l'adolescent lui plaisaient beaucoup, ses cheveux châtains et l'absence de poils à son visage la séduisaient et son intérêt pour la langue béothuk le lui rendait sympathique. Elle regrettait son départ, et c'est un peu à cause de ce sentiment qu'elle laissa tomber son austérité naturelle durant cette dernière heure du séjour des étrangers. « Ne te moque pas de moi », ronchonna Neil en interprétant l'attitude avenante de la jeune fille comme un signe de raillerie. D'un geste un peu brusque, il sangla son sac. « Pourquoi me moquerais-je ? dit Oubee.

– Je sais ce que tu penses, mais tu as tort, répondit Neil. Je ne suis pas si jeune que cela pour être traité de la sorte : je ne suis pas seulement bon à tirer une charge comme un mulet, alors que mon chef continue son équipée avec toi et Nonosyim pour aller, de surcroît, sur les traces de mon propre père. Voilà qui est injuste !

– Ainsi, maintenant que ton ventre est plein, tu te préoccupes davantage d'une épave que de la santé des gens de ton clan », remarqua malicieusement Oubee, en soutenant le regard brouillon de Neil. La critique de la jeune fille rembrunit l'adolescent comme une huître qui s'enferme dans sa coquille. « Si j'avais eu le choix, poursuivit néanmoins Oubee, j'aurais fait partie de ton expédition plutôt que d'accompagner notre chef à la rivière Nanik : s'il reste quelque chose du naufrage de votre navire là-bas, ce ne sont pas des vifs.

— Qu'en sais-tu ? Personne de ta tribu n'y est allé. D'ailleurs, sommes-nous certains que la tunique de mon père a été trouvée près de cette rivière ? Celui qui connaît la vérité sur la vêture n'est pas des vôtres : comment peut-on croire ce qu'il raconte ?

— Cet homme est un Béothuk de la tribu de la Baie-aux-Baleines. Il ne peut pas mentir sur un objet qu'il a troqué contre l'un des bâtons magiques de notre shaman. Cela serait une grave offense », répliqua Oubee, d'une voix cassante. Neil nota la pointe d'acidité dans le ton de la jeune fille et il tempéra son humeur. Pour la centième fois, il détailla Oubee avec concentration, appréciant son étrange beauté tout en finesse, puis il accrocha un sourire enjôleur sur ses lèvres. « Nous nous reverrons peut-être, Oubee, dit-il gentiment. Je compte bien me joindre à la chasse commune de nos hommes avec les vôtres, promise à messire Gunni par votre chef. En feras-tu partie, toi aussi ?

— Je ne chasse pas le morse, répondit Oubee, radoucie. J'apprête sa viande, je fais bouillir son huile ; je gratte sa peau, la tanne et la couds, mais je ne tue pas l'animal.

— Pour une chasse avec mon clan, tes services de truchement seront nécessaires, insista Neil. Nonosyim acceptera sûrement que tu viennes…

— À la chasse, point besoin de parler », glissa Oubee, d'une voix suave qui fit fondre le jeune Neil comme motte de beurre au chaudron.

Après la découverte de la tunique de Herulf sur le shaman, Gunni avait vécu une semaine infernale de désarroi et d'appréhension. Les informations obtenues des Béothuks sur la provenance du vêtement étaient si minces que la survivance de rescapés lui avait semblé improbable. Cependant, le chef du clan Gunn s'était senti incapable de ne pas essayer de vérifier le fait. « Un vêtement coule avec le corps qu'il enveloppe ou il flotte avec lui, avait-il pensé. Celui qui a trouvé la tunique a forcément trouvé Herulf : qu'en a-t-il fait ? » Repérer la dépouille de membres de l'équipage écossais ou simplement retrouver quelques vestiges du knörr, aussi insignifiants fussent-ils, était devenu une obsession pour lui. En fin observateur, Nonosyim avait compris l'état d'esprit de son invité et il avait proposé de le conduire à la rivière Nanik une fois que sa tribu aurait regagné son site d'été. Soulagé et reconnaissant, Gunni avait interprété l'offre du chef béothuk comme un geste d'amitié plus solide encore que son ouverture à faire du troc. C'est donc en toute confiance qu'il avait laissé Karl et Neil retourner seuls à Leifsbudir pour approvisionner la communauté.

Ce 28 mars 1027, Gunni salua ses congénères avec émotion en leur faisant les recommandations d'usage : « Mes amis, ne vous attardez pas, leur dit-il, gravement. Soyez vigilants et gardez-vous des bêtes : n'oubliez pas que vous n'êtes plus maintenant armés que de vos arcs pour ce voyage. À Leifsbudir, assurez-vous que la distribution des victuailles favorise les femmes, les enfants et ceux qui tiendront la place. Avertissez Gudlaugson de l'entente conclue pour la chasse au morse avec les Béothuks ; montez à bord du knörr et indiquez-lui l'endroit du campement d'été, où je vous attendrai. Qu'il prenne tous les chasseurs de notre expédition et qu'il me rejoigne le plus tôt possible! Allez, maintenant... à la grâce de Dieu!»

Karl et Neil empruntèrent un itinéraire à travers bois suggéré par leurs hôtes, et Gunni demeura au camp d'hiver durant les quelques jours nécessaires aux Béothuks pour lever celui-ci et s'ébranler vers leur village côtier. Le grand déplacement saisonnier des Béothuks marquait la fin de leur hibernation, et il était l'occasion pour eux de se réjouir et de se divertir. Chaque soir, pendant l'exode qui dura une quinzaine de jours, des offrandes, des danses et des chants furent exécutés en l'honneur des esprits protecteurs qui avaient favorisé un hiver clément pour la tribu. Pendant la journée, la caravane, chargée de tout l'équipement transportable, progressait avec lenteur et majesté, comme s'il s'agissait d'une procession rituelle.

Gunni, que ce délai exaspérait par moments, marcha plus souvent en compagnie d'Oubee que de Nonosyim, lequel était requis en tête de colonne, avec les chefs de famille. Ainsi, l'Écossais eut-il le loisir de s'entretenir longuement avec la jeune fille et de s'initier aux rudiments de la langue des Béothuks, à leurs us et à leurs coutumes. Il put également se renseigner sur des détails qui avaient jusqu'alors piqué sa curiosité: il apprit, notamment, ce qu'il était advenu de la vache, laquelle avait été sacrifiée; que les Albains responsables de l'enseignement du gaélique à Oubee étaient des gens associés à L'Envoyé de Frederik; et que ce dernier habitait le sud-ouest de l'île. «Moïrane est bel et bien sur le littoral ouest, comme je le pensais», songea-t-il, avec nostalgie.

Quand, à la mi-avril, le contingent béothuk déboucha enfin sur le site du campement estival, dans la grande baie, Gunni se sentait intégré aux membres de la tribu, lesquels lui manifestaient ouvertement leur acceptation parmi eux. Conformément à sa parole, Nonosyim maintint son offre d'amener le chef du clan Gunn à la rivière Nanik et il convint de prendre la mer dès leur arrivée. À travers la cohue de la réinstallation des familles dans les mamateeks, les bateaux furent sortis de la longue construction en planches qui leur servait de remise durant l'hiver, et Nonosyim en choisit un pour l'expédition. Il y monta avec son invité, la jeune Oubee et son père, Masduwit, et deux autres hommes. Par une brise douce et humide, l'embarcation d'écorce quitta la baie en se frayant un chemin sinueux entre les glaces flottantes. Après la marche en forêt, lente et éreintante, les passagers prisèrent fort l'aise et la vélocité offertes par le bateau stable et facile à manœuvrer : d'eux tous, Gunni fut indéniablement le plus charmé par ce nouveau voyage en mer.

Brude sortit et la tenture, qui faisait office de porte, retomba avec un bruit mat. Je la regardai onduler, d'un air absent, puis je rabattis ma chemise sur mes jambes. Je savais que les servantes attendraient quelques minutes avant de revenir dans la pièce et je voulais savourer pleinement ce moment de solitude. Je me levai, me chaussai et me rendis à la fenêtre pour contempler la nuit et rêvasser à Gunni, comme je le faisais chaque fois que Brude me prenait. Constatant que la lune d'avril était sur son déclin, je réalisai tout à coup que je n'avais pas saigné ce mois-là. Instinctivement, je portai les mains à mon bas-ventre, que mon amant venait de labourer avec ardeur, et je sentis mes tempes bourdonner d'une fièvre subite : étais-je enceinte ?

Je fus longue à trouver le sommeil, cette nuit-là. Tantôt remplie d'un fol espoir, tantôt tenaillée par la panique, je roulai sur ma couche à la recherche d'une solution à mon dilemme : s'il s'avérait qu'un enfant germait dans mon giron, devais-je l'annoncer à Brude, ou tenter de le camoufler pendant les quelques semaines qu'il me restait à passer en sa présence ? À mesure qu'avancèrent les heures et que je jonglais avec cette question troublante, la grossesse, qui avait d'abord été aléatoire dans mon esprit, devint peu à peu une certitude. « Cet enfant est à moi : je le garderai et Brude n'en saura jamais rien, quoi qu'il prétende. Je vais même demander à Gunni de retourner à Helmsdale avant le jour de l'enfantement », projetai-je, avec témérité. Au matin, je n'avais plus qu'une idée : celle de dissimuler le mieux possible mon supposé état de femme enceinte.

Les habitants de Gleanlin se préparaient à partir pour Camasuaine, leur village côtier, dont était revenu Cormac en assurant que le déménagement pouvait avoir lieu. Il y avait donc peu de chance que les Albains et Albaines prêtent attention à ma personne, particulièrement la perspicace Julitta, qui dirigeait l'opération du déplacement des familles. Une fois le départ sonné, j'avais l'intention de me glisser dans le groupe des mères et des enfants, où ma condition passerait certainement inaperçue. Un problème se posait toutefois du côté du frère Comgan. Ne sachant pas le degré d'estime que l'Irlandais avait pour Brude, je décidai de lui taire mon secret. Par ailleurs, l'activité d'évangélisation jouerait tôt ou tard en ma faveur. En effet, les prédications du moine avaient commencé à réformer les comportements des Albains sur la notion du mariage chrétien. Plusieurs d'entre eux avaient déjà renoncé à entretenir plus d'une épouse et j'anticipais la possibilité de voir bientôt triompher les préceptes d'indissolubilité du couple marié et de fidélité des époux, conventions qui, une fois adoptées par tous, condamneraient mon union factice avec Brude. Pour l'heure, rien n'était totalement garanti et il fallait en appeler à la plus grande prudence, surtout du côté de la tenace Julitta, dont la fixation sur mon ventre n'avait pas faibli.

Les Albains choisirent le 23 avril, jour de la saint George, pour fermer le village de Gleanlin. Voulant marquer l'événement par une cérémonie religieuse digne d'intérêt, le frère Comgan décida de bénir le lac en lui attribuant le nom de « George », en l'honneur du saint dont c'était l'anniversaire et de l'évêque de Limerick, commanditaire de notre mission en Alba. Ne voulant pas être en reste en matière de commémoration, le chef albain avisa son clan qu'il reprenait son ancien nom d'« Ari Marson ». Il le fit avec une certaine gravité, sans pour autant élaborer les explications qui amenaient une telle décision. Si d'aucuns ne virent rien d'extraordinaire dans cette annonce, d'autres enregistrèrent la subordination implicite de leur chef au frère Comgan. Cette impression me fut confirmée par le long regard lumineux que celui-ci me coula au moment de la déclaration solennelle du vieil homme, et j'éprouvai de nouveau fierté et admiration pour l'évangéliste.

La première partie du trajet m'apparut très abordable, en comparaison de la piste forestière malcommode entre Hòp et Gleanlin empruntée avec la troupe de Brude, au début de l'hiver. Le chemin conduisant à Camasuaine quittait la vallée vers l'ouest en tournant le dos au lac George. Assez dégagée et sèche pour y faire circuler les bêtes et les petits chariots en une cohorte regroupée, la route serpentait le long d'une belle rivière peu profonde. Dans les fourrés les moins exposés au soleil se tapissaient des plaques de neige durcie, dont la blancheur contrastait avec le noir du sol spongieux. Chemin faisant, les bambins s'amusaient à briser ces croûtes glacées à coups de bâton. Je respirais profondément avec bonheur et appréciais tout ce que je voyais. De l'air brassé par les hautes cimes des arbres aux pousses nouvelles, tout sentait bon et était doux. La marche, aisée et bienfaitrice, m'apparut des plus agréables.

Comme prévu, je voyageai dans le groupe des femmes et des enfants qui commençait le cortège alors que les hommes et les bêtes le terminaient, en ajustant le rythme de leur avancée sur le nôtre. Pour soutenir sa belle bannière brodée, le frère Comgan s'était trouvé des porte-étendard chez les garçons plus vieux et il s'était posté à la tête du défilé, juste derrière les éclaireurs qui ouvraient le chemin. Il psalmodiait du soir au matin en tenant à deux mains son précieux crucifix, et les quelques femmes qui avaient appris les oraisons, dont moi, lui répondaient avec une ferveur un peu essoufflée par moments. La vieille Julitta, en sa qualité d'aînée et d'épouse du chef, faisait le voyage à cheval, aux côtés de son mari, au centre de la file, entre le groupe des hommes et nous. Quant à Brude, il chevauchait avec les éclaireurs à mille yards de mon peloton en s'activant à débroussailler et à élargir la piste.

Durant le jour, j'allais d'un pas leste en toute quiétude, coupée de l'entourage immédiat de la mère et du fils, mes deux tourmenteurs. Le soir venu, afin d'éviter leur présence, j'accaparais le frère Comgan, lequel ne demandait pas mieux que de profiter de mon concours pour stimuler ses fidèles à la prière. Nous priions à haute voix et parfois même, nous reprenions quelques chants entonnés plus tôt, sur la route. Ces heures tranquilles passées auprès des Albaines et de leurs petits contribuaient beaucoup à m'apaiser. Dans cette forme de recueillement, il me semblait reprendre possession de moi-même et redevenir Moïrane de Helmsdale.

Les campements de fortune que les Albains érigeaient au cours du voyage les obligeaient à vivre une promiscuité n'offrant aucune intimité aux couples. Ainsi, je fus exemptée de coucher avec Brude. D'ailleurs, celui-ci négligea ma compagnie, si ce n'est pendant le repas du soir, pris en famille. Je m'assoyais alors avec lui dans le cercle formé par son père, sa mère et leurs gens. Me méfiant de nausées éventuelles qui auraient pu me trahir, je m'appliquais à très peu manger. Mais cette précaution s'avéra assez vite inutile : l'exercice de la marche me creusait tellement l'appétit que je ne pouvais me retenir de gloutir avidement les vivres qu'on me tendait, sans égard aux malaises spécifiques à la grossesse, lesquels me restèrent d'ailleurs étrangers.

Dans les derniers jours d'avril, nous abordâmes la seconde partie du périple, beaucoup plus exigeante physiquement, tant pour les quelque cent cinquante marcheurs que pour la centaine de bêtes qui les suivaient. La rivière que nous longions depuis notre départ de Gleanlin s'enfonçait maintenant dans une gorge creusée dans les méandres d'une chaîne de montagnes abruptes. La colonne se rétrécit alors considérablement, ne permettant le passage qu'à deux ou trois personnes de front. En quelques endroits, nous fûmes même forcés de traverser le cours d'eau à gué, en portant les plus jeunes enfants dans nos bras. Mes souliers devinrent aussi mouillés que ceux de mes compagnes, et mes pieds, perpétuellement froids et gercés. Ces difficultés de parcours me firent beaucoup réfléchir au choix de Gleanlin comme résidence d'hiver par la communauté albaine. « N'existe-t-il pas un emplacement plus près de Camasuaine pour lequel le déplacement serait moins fastidieux, à l'automne et au printemps? demandai-je à Brude, une fois.

— Certes, répondit-il, il y en a plusieurs, mais aucun n'égale Gleanlin par son site protégé, tant des rigueurs de l'hiver océanique que des indésirables…

— Quels indésirables? m'enquis-je, curieuse.

— Vous, les Vikings… Le village de Gleanlin a été établi en 1002, la même année où le poste de Leifsbudir a été érigé à la pointe nord d'Alba. Ma mère et ses frères, qui abhorraient les incursions des Greenlandais, ont convaincu mon père de trouver un endroit isolé dans l'arrière-pays, où le clan pourrait vivre de son activité paysanne sans être repérable depuis les eaux côtières. Il a donc déniché la vallée de Gleanlin, y a fait bâtir des crofts et le clan s'est installé. Notre communauté y a passé quinze ans avant de revenir habiter Camasuaine, après l'abandon de l'île par les Vikings. Nous sommes restés très attachés au village de Gleanlin, malgré son accès difficile, et c'est pourquoi nous continuons à le fréquenter. Qui sait si, un jour, une nouvelle menace de pilleurs ne nous contraindra pas à retourner y vivre? »

Le même émerveillement étonné que celui éprouvé en découvrant Gleanlin me gagna quand m'apparut la plaine de Camasuaine, qui portait bien son nom gaélique signifiant « baie verte ». Au sortir de la forêt, quittant le creuset de la rivière qui poursuivait sa course vers le sud, notre cohorte piqua vers l'ouest en descendant à travers champ, vers une immense baie aux eaux miroitantes qui ouvraient sur l'infini océanique. Près du littoral aux contours doux, face à un étroit isthme sablonneux, le village d'été des Albains s'étalait en une série de maisons en bois flanquées de leurs dépendances. À chaque extrémité de l'agglomération, comptant une trentaine de constructions, se dressait un broch imposant qui servait autant de balise pour les navigateurs que de tour de protection pour les habitants. Juxtaposés en demi-cercle à ce site impressionnant, de nombreux pâturages verdoyants frémissaient déjà de leurs herbes neuves ; une multitude de petits jardins en jachères attendaient docilement la houe et la bêche ; et plusieurs prés destinés à la culture de céréales montraient leurs sillons retournés. Cette fois, Helmsdale ne souffrait pas la comparaison avec ce lieu magnifique : je n'avais jamais rien vu de plus beau.

Comme pour faire écho à mon ébahissement, les femmes poussèrent une exclamation de joie, aussitôt reprise par les hommes, et c'est dans une allégresse frénétique que les Albains s'empressèrent de réintégrer le joli hameau de Camasuaine. En parcourant la place centrale aux côtés du frère Comgan, j'avisai une petite bâtisse munie d'un beffroi ressemblant beaucoup à un clocher. Le chef Ari nous signala qu'il s'agissait de la chapelle des Albains, inhabitée, et que nous pouvions y élire domicile, si cela nous agréait. Le frère Comgan en fut immédiatement enchanté. Nous y entrâmes et déposâmes toutes nos affaires avec un certain soulagement. « Nous voici logeant sous le même toit, Moïrane. C'est heureux, car nous allons pouvoir nous concentrer sur notre mission plus commodément », me dit l'Irlandais, en attachant sa bannière sur le mur, face à l'entrée. « Pas très longtemps, frère Comgan, lui fis-je remarquer. C'est le mois de mai demain et je devrai vous quitter pour retourner à Leifsbudir. D'ailleurs, avez-vous obtenu la confirmation de mon départ auprès de Brude ?

— Justement : il voulait attendre Belteine[1] avant de se mettre en route. Il paraît que les Albains célèbrent cette fête dans la plus pure tradition celtique, en allumant les feux sacrés pour la bénédiction des troupeaux et des couples. Vous comprendrez que je ne peux souscrire à un acte aussi païen et mes réticences seront faciles à admettre. Mais, mieux encore, je songe à utiliser la fête pour amener la communauté vers une pratique plus digne. À cette fin, il est dommage que je ne puisse m'appuyer sur un anniversaire de notre calendrier chrétien. Cependant, je ne renonce pas. Cherchons quelque chose qui soit proche de l'esprit de Belteine… un phénomène qui ait un rapport avec la fécondité, par exemple. »

Je ne répondis rien à la suggestion du frère Comgan. Afin qu'il ne surprenne pas mon trouble, je me dirigeai vers la porte restée ouverte et m'absorbai dans la contemplation de la commune grouillant des familles affairées à leur réaménagement dans les logis : les appels des femmes,

---

1. Belteine : fête païenne de la fécondité, consacrée durant la première lune de mai.

la bousculade des enfants et la cohue des hommes dans le transbordement des coffres faisaient penser à un jour de marché. Les abords de la maison réservée au chef Ari et à Julitta étaient particulièrement achalandés par leurs gens, mais je ne vis pas Brude. Je supposai qu'il devait s'occuper des chevaux et des troupeaux dans les enclos.

Je me doutais bien que le projet du moine visant à modifier l'événement païen en une cérémonie chrétienne se heurterait principalement à la vieille Julitta. Cette maîtresse femme devait certainement être la plus acharnée propagatrice de la fête de Belteine, spécifiquement dédiée à la fertilité humaine et animale. Malgré mon désarroi face aux préoccupations religieuses du moine, je souris en pensant à mon ventre probablement fécondé. «Pendant combien de semaines une femme peut-elle masquer son état à son entourage?» me demandai-je.

Gunni et Oubee ne furent pas autorisés à entrer dans le camp des Béothuks de la Baie-aux-Baleines et ils durent attendre le retour de Nonosyim et de ses hommes sur la grève. Comme les recherches à la rivière Nanik n'avaient donné aucun résultat, Gunni avait obtenu la permission de pousser l'enquête jusqu'à la tribu d'où provenait l'information sur la tunique de Herulf. Quinze jours s'étaient écoulés depuis le début de l'expédition avec Nonosyim et la tension ressentie par Gunni était allée en augmentant. Il fixa d'un œil morne le sentier par lequel étaient montés les membres de son groupe, derrière les guerriers Béothuks de la Baie-aux-Baleines venus les accueillir. « Pourquoi sommes-nous tous les deux interdits ? Je ne comprends pas : ils agissent exactement comme si quelque chose devait nous être caché, dit Gunni à la jeune fille, sur un ton exaspéré.

— Il est normal qu'un fiikine ne soit pas le bienvenu ici, répondit posément Oubee.

— Comment pourrai-je poser des questions au Béothuk qui a troqué la tunique rouge si nous restons là et qu'il ne vient pas à nous ?

— Gunni Tête Rouge doit laisser le chef Nonosyim faire l'enquête qui nous a amenés à la Baie-aux-Baleines : c'est la règle de politesse chez les Béothuks.

— Dis-moi, Oubee, cette tribu est-elle amie ou ennemie de la vôtre ?

— Les Béothuks ne sont pas ennemis entre eux. Ni les Albains avec les Béothuks. Ni les Tunits avec les Béothuks. L'île est grande : tous y font bon ménage et s'approvisionnent des animaux et des fruits que les dieux ont mis à leur disposition. Les seuls ennemis connus en Alba sont les fiikines. Il n'y en a pas d'autres.

— Alors, à ton avis, quel sort ton peuple réserverait-il à des naufragés vikings échoués sur ces côtes ? » demanda anxieusement Gunni. Oubee promena un regard méditatif sur la plage pendant quelques minutes, avant de répondre. « Cela dépend des rescapés, expliqua-t-elle. Ils sont démunis et humbles : ils seront secourus ; ils sont arrogants et menaçants : ils seront dépêchés* ; si des femmes se trouvent parmi eux, elles seront gardées en esclavage. Toutes les possessions des fiikines seront ensuite partagées entre les membres de la tribu.

— Leur bateau… qu'en adviendrait-il ? Le réparerait-on ?

– Non pas. Il serait démonté. Son bois bien taillé est utile dans la construction des entrepôts. Les navires fiikines sont solides, mais peu maniables dans les eaux tumultueuses des rivières. Ils ne sont pas bons comme embarcations pour les Béothuks. »

L'absence de Nonosyim fut longue. Jusqu'à son retour avec ses hommes, Gunni eut tout le loisir de se morfondre, perdu dans des réflexions inquiétantes, alimentées par les propos objectifs de Oubee, en réponse à ses interrogations. Les quatre Béothuks du Rocher-de-l'Aigle revinrent sur la plage, sans escorte, en affichant un air sombre. Par le truchement de la jeune fille, Nonosyim fit à Gunni un compte rendu succinct de la rencontre avec son vis-à-vis de la tribu de Baie-aux-Baleines. Le chef du clan Gunn entendit ce récit avec effarement : le naufrage du knörr écossais avait bel et bien eu lieu à la rivière Nanik ; deux rescapés avaient été retrouvés, un homme – vraisemblablement Herulf – et une femme, qui ne pouvait être qu'Elsie. Cette dernière avait été amenée au campement béothuk, mais il avait été impossible de savoir ce qu'était devenu l'homme. Un grand nombre d'objets récupérés dans les débris du knörr ainsi qu'une bonne partie de sa charpente étaient visibles un peu partout sur le site de Baie-aux-Baleines.

« La femme est de mon clan : c'est Elsie, fille de Devorguilla et épouse de Pelot de Helmsdale. Je veux lui parler. Elle me révélera ce qui s'est passé et où se trouve l'homme rescapé, celui qui était probablement propriétaire de la tunique rouge, mon ami Herulf », argua Gunni en dévisageant Nonosyim avec intensité. Oubee traduisit à ce dernier la demande, puis transmit la réponse à Gunni. « Le chef dit que ce n'est pas possible. La femme

Elsie appartient au shaman de la tribu maintenant. Si tu veux la récupérer, tu devras offrir des armes de fer en échange, celles restées à ton poste de Leifsbudir. En ce qui concerne ton ami Herulf, Nonosyim peut obtenir la permission que je parle avec la femme Elsie et que je te rapporte ensuite sa version de leur capture, mais il faudra faire vite, car tu dois avoir quitté cette plage avant la nuit.» Complètement ahuri, Gunni considéra longuement Nonosyim et comprit l'impasse dans laquelle ce dernier se trouvait : respecter son vis-à-vis béothuk tout en venant en aide à son protégé écossais s'avérait une opération de marchandage extrêmement délicate.

«D'accord», fit Gunni, excédé, en s'adressant à Oubee. «Rencontre Elsie et essaie d'en apprendre le plus possible sur le naufrage et sur l'autre rescapé, et assure-la que je vais tout faire pour la ramener à Leifsbudir.» La jeune fille sourit, puis rapporta les propos à Nonosyim. Celui-ci opina d'un air grave et donna des instructions à Masduwit afin qu'il demeure avec Gunni pour le protéger, puis, d'un pas altier, il remonta en direction du camp en compagnie d'Oubee et des deux autres hommes de son escorte. Le visage tendu, Gunni les regarda s'éloigner jusqu'à ce qu'ils disparaissent derrière un bosquet. «Ces Skrealings de Baie-aux-Baleines ont tué Herulf. J'en ai le pressentiment. Que la foudre de Thor s'abatte sur eux si j'ai vu juste!» songea-t-il en serrant les mâchoires.

Si la première attente avait paru interminable à Gunni au début de la journée, la seconde fut à la limite du supportable. Alors que le soir tombait, Oubee revint seule, si discrètement qu'on aurait dit qu'elle se cachait. Elle portait un panier de victuailles qu'elle partagea avec son père et Gunni, puis elle s'éloigna pour manger tranquillement. Comme Gunni la pressait de questions, elle le rejoignit en lui signifiant de parler plus bas. Elle lui relata l'essentiel de son entretien avec Elsie, lequel se résumait à peu de chose : la femme et l'homme trouvés à la rivière Nanik étaient bien les seuls ressortissants du naufrage. Leur bateau avait été mystérieusement déporté par une lame de fond qui l'avait éloigné du knörr islandais, puis il avait longtemps erré en mer, affronté une violente tempête et s'était échoué sur des récifs à l'embouchure de la rivière. Sauf eux deux, tous les membres de l'équipage avaient péri et presque toute la cargaison avait été perdue ou gâtée. Depuis leur capture par les Béothuks de Baie-aux-Baleines, Elsie avait été séparée de Herulf et elle ignorait où celui-ci se trouvait.

Oubee tut à Gunni l'état d'égarement d'Elsie et son affolement quand elle lui avait appris la présence du chef écossais dans la baie. « Nonosyim pense qu'il sera difficile de faire libérer Cheveux-de-Paille, conclut Oubee. Elle est trop tourmentée et agitée, en plus d'être très faible. Nous pensons qu'elle refuse de se nourrir. Jusqu'à la nuit, le chef Nonosyim va tenter de découvrir ce qu'il est advenu de l'homme Herulf, puis il va revenir ici. À ce moment-là, il dira ce qu'il convient de faire pour notre départ.

— Je ne repartirai pas sans celle que tu appelles Cheveux-de-Paille, ni sans connaître la vérité sur Herulf », soutint Gunni, avec un air buté.

La fonte des neiges avait considérablement ralenti le retour de Karl et du jeune Neil à Leifsbudir. Cependant, la route empruntée, sur la suggestion des Béothuks, fut passablement plus directe que le parcours à l'aller et les deux hommes atteignirent le site de la petite colonie à l'issue d'une quinzaine de jours de marche astreignante. Ils trouvèrent les membres de clan Gunn moins affamés qu'à leur départ, et surtout nettement plus paisibles. Karl et son jeune compagnon s'étonnèrent de la remise en fonction de la forge et, évidemment, de l'absence de Gudlaugson et de ses hommes. Celle-ci compliquait indéniablement le projet de chasse au morse prévu par Gunni avec les Béothuks, et ils s'en inquiétèrent. «Nous devons incessamment retourner là-bas, à la rencontre de messire Gunni, clama Neil. Et puis, il aura peut-être retrouvé père…

– Qu'est-ce à dire? Herulf est vif?» fit aussitôt Arabel, sur un ton alarmé. Tandis que le jeune homme relatait son séjour chez les Béothuks du Rocher-de-l'Aigle et la découverte de la tunique rouge, Markus s'enfonçait dans l'ombre de la salle commune, en proie à un grand embarras. Saisissant son bouleversement, Karl reprit à son compte le récit de Neil et il eut soin de minimiser les motivations de Gunni dans la poursuite de son périple avec les Béothuks, ce qui soulagea l'émoi des membres de la communauté. À la fin, il fallut cependant décider de la marche à suivre concernant le rendez-vous au camp d'été de la tribu du Rocher-de-l'Aigle. «Je crois qu'il nous faut renoncer à la chasse avec les Béothuks dans l'immédiat. Sans le knörr, ce n'est plus possible, dit Jon. Et puis, Gudlaugson va peut-être rapporter quelque chose, cette fois. Enfin… s'il revient.

– C'est juste! renchérit Cinead. Il faut tous espérer que sa chasse soit fructueuse et qu'il rapplique à Leifsbudir. Entre-temps, nous devons envoyer un émissaire à Gunni chez les Béothuks…

– J'y retourne! s'écria aussitôt Neil.

« – Non pas ! Tu restes ici, mon fils, s'interposa Arabel, avec véhémence. Que Karl reparte en emmenant Markus avec lui. C'est mieux ainsi… pour la communauté. »

Au même moment, au large du littoral ouest de l'île d'Alba, croisait le knörr islandais à la recherche du fameux archipel que les Albains tenaient pour le sanctuaire des morses et qui représentait, pour Gudlaugson, le paradis de l'or blanc. Depuis maintenant sept jours, l'équipage avait perdu de vue les côtes de l'île d'Alba et naviguait à l'aveuglette dans le brouillard, n'ayant pour cibles que les icebergs dressés sur l'horizon plat et gris. Les monstres blancs aux formes inouïes se déplaçaient majestueusement sur l'eau tout en captant les rares rayons de soleil. Ils se mettaient alors à miroiter comme des voiles de navire. Ces visions surprenantes faisaient toujours frémir Gudlaugson, nerveux, qui pensait secrètement être doublé par quelque knörr greenlandais voguant vers le territoire de chasse convoité.

Le matin du premier mai, une nouvelle apparition de cette nature le fit sursauter, et son gendre Hans le remarqua. S'ensuivit une âpre discussion sur l'itinéraire de l'expédition qui tâtonnait. Les cousins Ketilson et Anderss se déclarèrent unanimement las de fouiller en vain la mer intérieure d'Alba, sans meilleures indications que les informations nébuleuses du capitaine. Ce dernier finit par admettre son ignorance en s'excusant de sa trop grande hâte à chasser. Pour ne pas perdre la face ou la confiance de ses compatriotes, Gudlaugson proposa de mettre le cap sur la grande île afin d'aller requérir l'aide des Albains. Ce jour-là, la voile rayée rouge et blanc se gonfla en direction de l'est. Le knörr islandais se trouvait alors à la hauteur de Camasuaine.

Chapitre XI

La démasquée

Le deuxième matin, je m'éveillai au son ronflant de la marée montante. Pour ne pas déranger le sommeil du frère Comgan, je sortis sans faire de bruit et courus jusqu'à la grève toute proche, attirée par la mer comme par un aimant. La certitude d'être enceinte et la perspective de revoir bientôt Gunni m'emplissaient d'allégresse: une envie irrépressible de chanter me tenaillait et je me laissai aller devant le paysage mouvant de l'océan.

Brude, que je n'avais pas vu et entendu approcher, me surprit dans cet état d'euphorie. «Qu'est-ce qui te réjouis tant? dit-il. Serait-ce de me quitter sous peu ou bien d'être grosse?» Ébahie, je me retournai. Sa présence et, plus encore, sa question me stupéfiaient. Je le dévisageai en cherchant une réponse, alors que mon cœur battait autant de joie et de peur que d'espoir et d'amertume. Une lueur de malice traversa le regard de Brude et un sourire se dessina sur ses lèvres. «Les deux, je parie, ajouta-t-il, narquoisement.

— Comment savez-vous que je suis enceinte? balbutiai-je.

— Je peux compter. La dernière fois que tu m'as refusé ta couche à cause de ton saignement, c'était en mars. J'ai été très assidu à t'honorer par la suite, jusqu'à notre départ de Gleanlin, et je sais que tu n'as plus souillé de linge. Julitta a également décelé ton état, à des signes plus subtils qu'elle est seule à savoir déchiffrer. Voilà pourquoi nous te laissons loger à la chapelle... chastement. » Se détournant de moi, Brude promena sur le village un regard empreint de tristesse et de lassitude, état d'âme peu conforme à sa personnalité. Je me troublai. « Brude, je regrette cet arrangement condamnable pour m'engrosser, dis-je. Vous avez fait preuve de beaucoup de tact à mon endroit, de respect, même. D'autres hommes y auraient mis cent fois moins de délicatesse. Sachez que je vous en suis sincèrement reconnaissante. Malgré tout, je demeure honteuse d'avoir failli à mon serment de fidélité envers mon mari. Si je suis enceinte, comme vous le pensez, ainsi que votre mère...

— Le penses-tu aussi ? m'interrompit-il.

— Il est souvent arrivé que mon flux n'ait pas suivi les lunes... Cependant, c'est très probable que mon ventre soit fécondé. Vous avez raison de croire que cette idée me plaît, car, en vérité, je veux intensément être mère, ce que plusieurs femmes au village ont remarqué. Mais je me languis de mon mari. J'ajouterais que, des deux espoirs, c'est celui des retrouvailles avec lui qui m'exalte le plus.

— Heureux est donc celui que tu chéris si ardemment, Moïrane. J'aurais beaucoup aimé être cet homme-là, mais, sur ce plan, le destin se joue constamment de moi... » Puis, me prenant de court, Brude m'enlaça. Il scruta mon regard en me tenant serrée contre lui un long moment, pendant lequel je ne tentai pas de lui échapper. La chaleur de ses bras et de son torse pénétra le lainage de ma tunique et m'enveloppa d'une douceur suave qui me fit frémir. « Si je suis enceinte, disais-tu tout à l'heure, avant que je ne te coupe la parole… qu'arrivera-t-il ? Poursuis, Moïrane : je t'écoute », reprit-il, sans ciller ou desserrer son étreinte. Je le dévisageai avec appréhension. « Si je suis grosse et que je mène à terme l'enfant, je ne pourrai pas vous le donner après la délivrance. Je m'y refuse : j'en serai incapable.

– C'était à prévoir, répondit-il, en se dégageant. Je dois t'avouer que cela n'a jamais été mon intention, mais celle de Julitta. Je me sentirais odieux d'enlever un rejeton à sa mère, surtout si la mère est toi, même si le rejeton est mien. De plus, le rapt d'enfant est indigne d'un chrétien. »

Le stoïcisme de Brude, plein de regret et de renoncement, m'apaisa. Avec néanmoins une pointe de remords, je le regardai s'éloigner vers les étables où l'attendaient ses hommes. Le cœur allégé, je repris la contemplation de la mer. Sur fond de chuintement du ressac entre les galets, les bruits du village qui s'éveille se détachèrent et me parvinrent distinctement : les cris d'enfants qui s'interpellent, le cognement d'un seau que l'on descend le long du puits, le jappement d'un chien, le craquement du bois qu'on fend, la harangue aiguë d'une commère ou les ordres gutturaux d'un bouvier. Tous ces sons familiers à mon oreille me ramenèrent à Helmsdale par la pensée, où je me vis avec un enfant au creux des bras. Cette image sublime me rasséréna. Mes yeux se fixèrent au large, dans l'observation des filets de brume qui montaient tranquillement au-dessus des vagues, tels des voiles vaporeux soulevés par une brise légère. Soudain, mon attention fut captée par une forme élevée et droite qui perçait l'horizon. Je crus d'abord à un iceberg, mais, à la différence de celui-ci, la masse blanche était striée de pans rouges. J'écarquillai les yeux de stupeur en découvrant qu'il s'agissait du knörr de Gudlaugson qui entrait dans la baie de Camasuaine.

Presque au même moment, des appels provenant des maisons accueillirent l'apparition et, en un rien de temps, une petite foule de villageois hébétés, à peine sortis du lit, s'agglutina autour de moi sur la grève. Brude rappliqua à mes côtés et confirma l'identité des arrivants d'une voix autoritaire. «Allez aviser Ari Marson et Comgan que l'Islandais est de retour», tonna-t-il à ses compagnons les plus près. Puis, en baissant la voix sans me regarder, il ajouta, douloureusement: «Il semble que tu sois exaucée, Moïrane. Voilà les gens de Leifsbudir qui viennent te reprendre…»

Dans les minutes qui suivirent, mon emballement me rendit muette et sourde à tout ce qui n'était pas le gros navire. Je n'entendis rien des commentaires des Albains sur cette arrivée inopinée, ni ceux de leur chef, ni ceux du frère Comgan. Je n'eus d'yeux et de concentration que pour l'équipage, en cherchant Gunni avec fébrilité parmi les hommes affairés aux manœuvres d'accostage. De nervosité, je pressais mes mains sur ma poitrine, comme pour apaiser l'affolement de mon cœur qui cognait plus fort au fur et à mesure qu'approchait le moment du débarquement et que, désespérée, je ne voyais Gunni nulle part. Évidemment, Gudlaugson fut le premier à sauter à terre, avec un entrain qui m'apparut un peu forcé. Il marcha directement jusqu'au chef albain, demeuré en retrait avec Julitta sur le talus herbeux qui surplombait la plage. Sur un ton quelque peu pompeux, le capitaine islandais salua celui-ci en lui donnant son ancien nom d'Envoyé de Frederik, ce que personne ne rectifia, puis, tout en tançant son équipage qui achevait de descendre, il admira Camasuaine en des termes exagérément élogieux. Avec l'intention évidente d'accaparer l'attention et d'empêcher des formules d'accueil possiblement truffées de reproches, Gudlaugson commenta les conditions de navigation et son parcours. Il s'adressa indistinctement à tout l'attroupement, sans accorder de préséance à Ari Marson, qui n'avait cessé de l'examiner avec dédain.

«Voilà enfin le village dont vous m'avez parlé l'an dernier, lors de notre rencontre, fit Gudlaugson. J'avais un peu deviné l'emplacement de votre camp estival, mais j'étais loin de m'imaginer un site aussi beau! Heureusement que la brume s'est levée, car j'aurais pu manquer les brochs.» Avisant le moine, qui se frayait un passage au premier rang, il enchaîna, de but en blanc: «Ah, Comgan! Avez-vous progressé dans votre mission au cours de l'hiver? Quoi qu'il en soit, vous semblez du meilleur allant… Où est donc dame Moïrane?» Me repérant au milieu du groupe, il marcha dans ma direction d'un pas de conquérant. Il me tendit ses grosses mains baguées avec un air paternel, tout en ignorant ostensiblement Brude à mes côtés. «Très chère, lança-t-il benoîtement, quelle mine superbe! Je vois que la morte-saison a été plus prodigue chez nos amis albains qu'elle ne l'a été à Leifsbudir, où nous avons tous failli crever de faim…

– Gunni n'est pas avec vous? coupai-je, avec nervosité.

« — Ne vous inquiétez pas : il ne lui est certainement rien arrivé. Il est parti en expédition chez les Béothuks à la mi-février avec Karl et le jeune Neil, afin de remédier à la disette qui sévissait. À cette heure, ils sont probablement revenus au poste. De notre côté, nous l'avons quitté voilà à peu près un mois pour une chasse au morse. Hélas, nous n'avons rien trouvé jusqu'à maintenant… Où diable se cachent les bêtes dans cette mer intérieure ? »

Alors que j'ouvrais la bouche pour répliquer, il coupa court à mon intervention, qu'il soupçonnait probablement porteuse d'interrogations embarrassantes, et il reporta sa verve du côté d'Ari Marson. En deux enjambées, Gudlaugson rejoignit le vieil homme, dont il s'empara du bras pour l'entretenir de ses plans. J'entendis avec mécontentement que la sortie des Islandais ne visait nullement à nous ramener à Leifsbudir, le frère Comgan et moi. Je glissai un œil à ce dernier, qui ne broncha pas, et je revins au capitaine et à son hôte. Probablement ahuri par l'avalanche de paroles de son importun visiteur, Ari Marson se dégagea de son emprise et regagna le village d'un pas raide, en maugréant. Il entraîna dans son sillage Julitta, les gens de sa maison et le frère Comgan. Perplexe, les bras ballants, Gudlaugson se tut. Durant un instant, il sembla hésiter sur le comportement à adopter, puis, vivement, il fit signe à Hans de s'amener et courut sur les talons du chef albain. Anderss et les cousins Ketilson leur emboîtèrent le pas et je les suivis avec Brude, qui, tout comme moi, semblait retenir de nombreuses questions sur ses lèvres.

Nous nous entassâmes dans la salle commune de la maison du chef pour entendre ce que l'Islandais avait à raconter. Plusieurs villageois curieux se massèrent devant la porte ou sous les fenêtres restées ouvertes. Guidée par Brude, je trouvai aisément une place près de ses parents, qui présidèrent l'assemblée en arborant un air courtois, mais fermé. En écoutant Gudlaugson pérorer sur l'objet de sa convoitise et requérir, à mots voilés, l'aide des Albains pour connaître l'endroit exact où abondaient les morses, je notai qu'il évitait soigneusement de regarder dans ma direction. Il voulait probablement taire les nouvelles concernant la colonie de Leifsbudir, ce qui me fit craindre quelque mauvais coup de sa part. Mon angoisse latente monta d'un cran. « Les Béothuks sont-ils dangereux ? demandai-je tout bas à Brude.

– Pour des Vikings, ils peuvent l'être. Les Greenlandais les appellent "Skrealings" et leur ont fabriqué une réputation de sanguinaires. Mais à la vérité, les Béothuks sont aussi pondérés que les Albains. Cependant, à la différence de nous, ils ne se sont jamais cachés sur l'île afin de ne pas croiser les étrangers. Au contraire, ils sont allés au-devant d'eux, soit pour faire du troc, soit pour les épier ou encore, pour riposter à des attaques. Disons qu'avec le temps, les Béothuks sont devenus méfiants vis-à-vis des fils de la mort autant que nous, sinon plus.

– Les Écossais de Helmsdale ne peuvent certes pas être assimilés aux fils de la mort qui vous ont pourchassés durant tant d'années, et nous n'entretenons de liens avec aucun Viking, alors Gunni n'est pas en péril, soupirai-je.

– Tout est question de perception, de part et d'autre, Moïrane. »

Cette remarque m'intimida et nourrit mes appréhensions pour Gunni, Karl et le jeune Neil, partis à la rencontre des indigènes. Comme mes tentatives pour obtenir plus d'informations auprès de Gudlaugson, en m'immisçant dans la conversation chaque fois que cela était possible, restèrent vaines, je me rabattis sur les membres de l'équipage. Compatissant à mon alarme bien légitime, Hans se fit un peu plus loquace. Ensemble, nous échangeâmes à voix basse durant un long moment. J'appris ainsi le décès du petit Jakob, la visite d'une délégation béothuk, la perte de la vache, les conditions de subsistance pitoyables, la courte expédition de chasse qui n'avait pas amélioré le sort de la colonie et enfin, la décision de Gunni d'aller en quête des habitants de l'île d'Alba. Le rapport, que j'écoutai d'une oreille attentive, m'affligea. Les regards fuyants, les hésitations et les plissements de front du gendre de Gudlaugson laissaient planer quelque cachotterie révélant un climat détérioré entre les Islandais et les Écossais, ce qui acheva de m'alarmer.

À la fin de mon conciliabule avec Hans, je cherchai le frère Comgan des yeux et le repérai de l'autre côté de l'estrade du chef. À son air revêche, je devinai qu'il fulminait à cause de ce qu'il venait d'entendre et que j'avais vaguement perçu : le récit de Gudlaugson sur le quotidien de la communauté à Leifsbudir et l'étalage de ses projets de chasse, en contradiction avec la recommandation du moine, avaient de quoi enrager. Sentant probablement qu'il avait perdu son pouvoir sur l'Islandais, le moine feignit l'indifférence. Il ne l'interpella qu'au moment où les relations établies par Gunni avec les Béothuks furent abordées. Le frère Comgan insista pour en connaître tous les détails. Pensait-il les mettre à profit dans une nouvelle entreprise de conversion à la religion de Christ ? «Si jamais il demande de nouveau mon aide pour "percer le cœur" des Skrealings, je n'accepterai qu'à la condition d'être secondée par Gunni dans la mission », me dis-je, avec un certain ressentiment.

L'entrevue entre les Albains et les visiteurs islandais ne dura pas longtemps. Ari Marson et Brude ne furent pas dupes des flatteries de Gudlaugson, qui était fort désireux d'organiser une expédition à « l'or blanc » avec les Albains. Je savais que la chasse au morse faisait partie de leurs habitudes et aussi, que les îles où le mammifère foisonnait constituaient un territoire dont le clan se gardait l'exclusivité. Je pressentis qu'Ari Marson tenterait de camoufler les vraies raisons de son refus à l'Islandais. En effet, il déclina l'offre en arguant qu'il y avait beaucoup d'ouvrage à Camasuaine, que les curraghs n'étaient pas prêts à prendre la mer et que ses hommes refuseraient de monter à bord du knörr, si l'invitation leur en était faite. « Consentirais-tu, alors, à me donner les indications, le parcours pour que je m'y rende par moi-même ? demanda Gudlaugson, anxieusement.

— Les eaux ne sont pas sûres dans la mer intérieure au printemps, et il n'est pas aisé d'expliquer la route précise pour atteindre les îles aux morses. Je ne me risquerais pas à te conseiller un itinéraire », répondit le vieux chef, sur un ton neutre dans lequel une pointe d'ironie perçait. L'Islandais dut flairer le mensonge, car, après une longue observation silencieuse de son vis-à-vis, il présenta une contre-proposition. « Dans ce cas, nous allons attendre que vous soyez prêts, dit-il. Permets que nous mettions la main à la pâte pour gréer vos navires : ils seront en ordre plus vite avec notre concours et nombre d'entre vous pourront se consacrer à vos autres tâches, au lieu d'investir leurs énergies à besogner aux bateaux. Ainsi, nous pourrons lever nos voiles en même temps vers le paradis de l'or blanc et chasser tous ensemble, Islandais et Albains réunis!»

Comme je m'y attendais, Ari Marson rejeta également cette suggestion. Il secoua sa tête blanche en guise de dénégation, puis, avec une moue désabusée, il fit signe à son fils de répondre, lui laissant le soin de trouver un nouvel argument. Brude se jeta dans la mêlée avec d'autant plus de délectation qu'il abhorrait Gudlaugson. Il me glissa un œil énigmatique avant de s'adresser à ce dernier. «Nous, Albains, aimons bien nous occuper seuls de nos bateaux, fit-il. Ne le prends pas mal, Gudlaugson, mais nous n'avons pas besoin de ton aide. Nous ferons peut-être cette chasse, mais plus tard... Après la fête de Belteine, au milieu du mois. Pourquoi, entre-temps, ne retournerais-tu pas à Leifsbudir pour raccompagner Moïrane et le frère Comgan?

— Oh! je suis certain qu'il n'y a pas de presse de leur côté, n'est-ce pas, Comgan? Votre devoir ici peut se prolonger quelque peu sans vous affecter ou affecter les habitants de Leifsbudir privés de vos offices, répondit Gudlaugson, sur un ton faussement débonnaire.

— Ce n'est pas mon avis, dis-je, en élevant la voix. Ma mission chez nos amis albains est terminée, et même si le frère Comgan souhaite poursuivre la sienne, il ne requiert plus ma collaboration. Aussi suis-je libre de repartir et de rejoindre mon mari et les membres de notre communauté.

— Sans doute, sans doute, répliqua sèchement Gudlaugson. Je comprends bien votre empressement, mais il contrarie le mien, qui est d'aller chasser. Les morses ne sont plus bien loin, ma dame, et je ne veux pas ajouter un fastidieux détour à l'expédition pour le seul plaisir de vous rendre à votre sire. Vous regagnerez Leifsbudir quand nous y retournerons avec notre butin d'or blanc, principal but de mon équipée au Vinland. Soyez raisonnable…

— Messire Gudlaugson, coupa le frère Comgan, ne vous étiez-vous pas engagé à nous ramener à Leifsbudir dès que les eaux redeviendraient navigables? Or voilà l'occasion de remplir votre promesse. Messire Brude a entièrement raison de vous la rappeler: dame Moïrane demande à retourner à notre campement et c'est à vous de l'y reconduire. En vous adonnant à la chasse, vous désobéissez à la consigne que j'avais fixée au préalable. J'espère que vous allez vous conformer aux autres ententes concernant l'expédition au Vinland et honorer votre parole, désormais.

— Soyons clairs, Comgan, répondit Gudlaugson, les règles ne sont plus tout à fait les mêmes qu'à notre arrivée à Alba. J'estime avoir rempli ma part de contrat en vous y transportant et en vous menant chez les Albains, alors que je dois encore attendre votre permission pour accéder à ma récompense. Moi et mon équipage en sommes extrêmement contrariés. Mais il y a pire: de chef d'expédition que j'étais, vous m'avez relégué à subalterne de Gunni d'Helmsdale, sans raison défendable. Dans ces circonstances, vous admettrez que c'est justice pour moi de conserver mes prérogatives de capitaine et de prendre les décisions visant l'utilisation de mon knörr. Dans l'immédiat, j'ai décidé de le consacrer à la chasse…

— Fais donc, Viking! lança rudement Brude. Remonte sur ton bateau et va écumer tous les territoires de chasse que tu trouveras. Nous ne te retenons pas, au contraire, nous avons grand hâte de te voir déguerpir... N'est-ce pas, père ?

— N'insulte pas messire Gudlaugson, fils, tu sais pertinemment qu'il n'est pas viking, répondit tranquillement Ari Marson. Tu as cependant raison sur un point : son arrogance, son obstination et son désistement envers Comgan et Moïrane nous le rendent particulièrement déplaisant. » Puis, s'adressant directement à l'Islandais, qui tremblait d'indignation, le vieux chef trancha : « Je t'invite donc à partir, Gudlaugson, mais comme tu es un compatriote, je m'abstiens de t'expulser. Tu hisseras la voile quand il te conviendra, pour retourner ou non à Leifsbudir, avec ou non Moïrane à ton bord. Si, après la fête de Belteine, tu es toujours dans les parages et qu'une chasse conjointe m'agrée, j'y donnerai peut-être mon aval. Je dis bien "peut-être".

— Dois-je déduire que tu ne m'offres pas l'hospitalité au village et que nous sommes confinés à bord du knörr ? demanda Gudlaugson, sur un ton aigre.

— Certes pas ! Il ne sera pas dit que Ari Marson traite des invités chichement, fussent-ils désagréables : vous pouvez loger à la chapelle avec vos congénères, qui ont bénéficié de notre accueil durant tout l'hiver. » À ces paroles, Gudlaugson se tourna, interrogatif, vers le frère Comgan, avec lequel j'échangeai un regard de dépit.

Alors que l'arrivée de l'Islandais à Camasuaine aurait normalement dû nous satisfaire, elle nous désappointait fort. « Allons, messire, suivez-moi », fit le moine à Gudlaugson, pour mettre fin à l'entretien. Avant de sortir, l'Irlandais et l'Islandais passèrent devant moi et je saisis, à leur expression, que l'animosité entre eux n'avait pas reculé d'un poil. Évidemment, la perspective de vivre en promiscuité avec l'équipage islandais n'augurait rien de bon pour moi et le frère Comgan. Ma déconvenue devait se peindre éloquemment sur mon visage, car Julitta me sourit. Je me composai aussitôt une mine résignée et pris congé à mon tour. Pendant toute la journée, je combattis la vive déception de ne pas rejoindre incessamment Gunni à Leifsbudir, lieu où le fruit de mon ventre serait définitivement soustrait aux machinations de la vieille Albaine. Je n'y parvins pas facilement.

Après la longue nuit de fuite à travers bois, sous la conduite experte et taciturne de Masduwit, leur guide béothuk, Gunni et Elsie s'écroulèrent de fatigue en pénétrant dans la petite grotte. Durant les dernières heures de marche, Gunni avait dû porter la jeune femme dans ses bras, tant celle-ci était sans force. Il jeta un regard reconnaissant à leur protecteur, qui consentait enfin à une halte. Masduwit, que la course ne semblait pas avoir beaucoup affecté, signifia à l'Écossais qu'il ne fallait pas faire de feu et qu'il allait assurer le guet jusqu'au lever du jour, moment où il faudrait reprendre la route. Mettant à profit ses rudiments en langue béothuk, Gunni acquiesça aux propos de l'homme. Il s'assura ensuite qu'Elsie avait compris et il la laissa s'étendre au fond de l'abri. Puis, accablé, il se pelotonna à son tour, afin de profiter le mieux possible du moment de repos enfin accordé.

Le fil des événements qui les avaient conduits jusqu'à cet antre de roches, depuis la grève de la Baie-aux-Baleines, occupa l'esprit enfiévré de Gunni, déserté par le sommeil. Il revit le visage grave de Nonosyim, celui inquiet d'Oubee, tous deux occupés à échafauder le plan d'évasion de «Cheveux-de-Paille»; il revécut la douleur ressentie devant l'ignorance de ce qu'il était advenu à Herulf; puis, il se remémora le départ du canot à la nuit tombée, afin que les membres de la tribu de Baie-aux-Baleines ne remarquent pas sa propre absence à bord ni celle de Masduwit; il se souvint de l'attente interminable, aux côtés du Béothuk, précédant la sortie d'Elsie de la mamateek du shaman; de l'air éperdu de la jeune femme qui tentait de le repérer dans le sous-bois avoisinant; de la difficulté qu'il avait éprouvée à lui imposer le silence; de la peur qui l'avait tenaillé durant le trajet accidenté en forêt, parcouru presque à l'aveuglette, sur les talons de leur guide. Gunni se rappela aussi les mots d'encouragement de la jeune Oubee, avant qu'ils ne se quittent: «Gunni Tête Rouge peut entièrement se fier à Masduwit, qui est le fils aîné de notre shaman. Il est aussi le meilleur guerrier de notre tribu. Il connaît parfaitement l'île et le lieu du campement d'été des Albains. Herulf est peut-être perdu pour toi, mais tu vas bientôt retrouver ta femme. Prépare ton cœur à la joie plutôt qu'à la tristesse.» Arrivé à cet épisode du périple nocturne, Gunni s'endormit en évoquant sa bien-aimée.

Dès qu'ils furent assurés de n'être pas poursuivis par les membres de la tribu de Baie-aux-Baleines, le lendemain, les trois fuyards progressèrent plus lentement vers leur destination. Leur marche se fit plus légère, leurs pauses, plus fréquentes et l'aménagement de leur abri nocturne, plus élaboré. Le nouveau rythme rendit ses forces à Elsie. À la fin de chaque journée, tandis que Gunni et Masduwit vaquaient à l'installation du campement et à l'approvisionnement pour le repas du soir, la jeune femme s'affairait à l'entretien du feu de cuisson, avec une minutie obsessive. Cette activité coutumière l'absorbait tout en favorisant le retour de son aplomb naturel, mis à mal par le naufrage et ensuite, par sa captivité. Au fur et à mesure que toute menace s'effaçait de son esprit, l'Écossaise redevint causante.

À l'occasion de ses bavardages, elle reparla souvent de la tragédie, mais elle le fit d'une façon si tourmentée que son récit s'avéra trop confus pour que Gunni en tire quelque compréhension. Quand elle touchait le sujet délicat de la noyade de Pelot, Elsie s'abandonnait à une crise de larmes dont elle était toujours longue à sortir. Compatissant à l'affliction de la jeune femme, Gunni avait la décence de ne pas insister; jamais il ne la questionna pour élucider les points nébuleux de l'événement. Ainsi n'apprit-il rien de précis sur les causes de la déroute du knörr écossais en pleine mer; sur le largage du tonneau scellé; non plus que sur la course solitaire du navire vers les côtes d'Alba, où il s'était finalement abîmé. Quant à la disparition de Herulf, Elsie affichait une ignorance désespérante. Gunni finit par conclure à un état d'hébétude profonde, qui avait trompé la vigilance de la jeune femme à propos de son compagnon d'infortune durant les heures critiques de leur capture à la rivière Nanik.

Lorsqu'elle rapportait sa séquestration chez les Béothuks de la Baie-aux-Baleines et ses relations avec le shaman, qui l'avait prise en servitude, Elsie n'était qu'invectives, usant à profusion du mot « skrealing » avec hargne et mépris. Soucieux de ménager la susceptibilité de Masduwit, manifestement indisposé par le terme, Gunni tentait, chaque fois, de reprendre la jeune femme en imposant le mot «béothuk», mais il n'avait pas beaucoup de succès. Il se félicitait alors que le guide n'entendît rien à leur langue, car les propos d'Elsie l'auraient indéniablement outragé.

La nuit, prétextant sa peur incontrôlable des Béothuks, Elsie venait se blottir sous la cape de Gunni afin de prévenir toute tentative de contact avec Masduwit. Pourtant, dans tous les déplacements du trio, le Béothuk évitait soigneusement de se rapprocher de la jeune femme, pour laquelle il n'éprouvait qu'aversion, et il ne lui traversa jamais l'esprit de la toucher sous le couvert de leur promiscuité obligée. De son côté, ému par l'accablement d'Elsie et par le souvenir de son homme d'armes Pelot, Gunni se pliait à son manège et l'accueillait de bonne grâce sous sa fourrure de couchage en la tenant enserrée contre lui. De nuit en nuit, une chimère se forgea ainsi dans la tête troublée de la veuve et elle remplaça son défunt mari par le chef du clan Gunn. Comme elle se comportait tout à fait normalement durant le jour, le transfert inquiétant dont Gunni faisait secrètement l'objet lui échappa complètement. S'il l'avait soupçonné, il aurait certainement refréné les quelques caresses prodiguées furtivement et à son corps défendant, quand ses pulsions naturelles le portaient vers la femme alanguie à ses côtés.

Au bout d'une semaine et demie d'une marche contraignante, le groupe atteignit la tête d'un long lac. Avec une étonnante simplicité, Masduwit dénicha une petite embarcation d'écorce, remisée avec d'autres dans une hutte de branchages. Il expliqua aux Écossais que les canots n'appartenaient à aucune tribu en particulier, mais étaient à la disposition de n'importe quel Béothuk qui en avait besoin. «Grâce à la route de l'eau, la même distance franchie à pied depuis la Baie-aux-Baleines va être doublée en deux jours seulement», précisa-t-il. Dans la voix de l'homme, Gunni perçut du soulagement et comprit que sa mission lui pesait plus qu'il ne le laissait paraître. Il eut de nouveau une bouffée de reconnaissance envers Nonosyim et son guerrier Masduwit, sans l'assistance desquels Elsie n'aurait jamais été retrouvée et libérée.

Le soleil était à son zénith et, de la terre gorgée d'eau, montait en fumerolles transparentes la vapeur odorante du sol. Je m'arrêtai un moment pour observer le jeu de la lumière les traversant et m'émerveillai de la constellation de couleurs qui en émanait, puis le bruit des Islandais qui jouaient de la cognée à l'orée de la forêt me fit dresser la tête. Assis à même un fagot de bois mort, Gudlaugson s'épongeait le front. Il avait retiré sa cotte, et sa chemise laissait entrevoir de larges cernes de sueur sous les aisselles et au milieu du dos. Les cousins Ketilson sortirent du couvert boisé en tirant derrière eux un amoncellement de troncs secs et de branches qu'ils foulèrent au bord du chemin, suivis aussitôt par Hans et Anderss, pareillement chargés, qui déposèrent leur fardeau au même endroit. Tous les quatre, en proie à une grande suée, la hache rangée à la ceinture, rejoignirent le capitaine auprès duquel ils s'affaissèrent en exhalant des soupirs d'épuisement.

Trop loin d'eux pour entendre leurs propos, j'en devinai cependant la teneur. Ils se questionnaient vraisemblablement sur la quantité de bois nécessaire à l'érection des bûchers pour la fête de Belteine. Voilà dix jours qu'ils attendaient l'événement avec impatience, tout en cherchant à se rendre utiles aux villageois de Camasuaine et aimables aux yeux de Ari Marson, dont ils voulaient se gagner l'estime. Il faut dire que les Islandais n'avaient pas chômé. Ils avaient remplacé des piquets de clôture pour l'enclos des chevaux ; réparé des filets de pêche ; approvisionné en bois de chauffage la maison du chef albain ; refait un toit de chaume qui s'était écroulé durant l'hiver et empierré le pourtour du fumoir à poisson. Avec un malin plaisir, Brude s'était employé à désigner à Gudlaugson les corvées les plus ardues dont les Albains repoussaient l'exécution. Sachant que ce dernier accepterait tout afin d'obtenir les précieux renseignements concernant le territoire de chasse au morse, il s'ingénia à faire payer cher la récompense attendue.

Voyant l'air exténué de Gudlaugson et de ses hommes, je souris. « Qu'ils travaillent ! pensai-je. Cela ne leur fera pas tort. » Puis, me détournant du groupe, je repris ma montée vers les alpages où mes compagnes étaient déjà rendues avec leur panier, à la cueillette de cèpes. Les babillages et les rires aigus des enfants qui les accompagnaient guidèrent mes pas vers le sous-bois où elles devaient se trouver, mais je ne les aperçus point. M'avançant plus profondément, je me retrouvai bientôt au milieu d'une clairière inondée de soleil. L'air qui fleurait les herbes mouillées, les premières fleurs et l'humus ravit mes narines. Prise par un bonheur subit, je tendis mon visage aux rayons chauds et défis ma coiffe : mes cheveux s'échappèrent de ma toque et se répandirent dans mon dos en un mouvement souple comme une caresse. Immobile dans cette lumière magnifique, que je goûtais avec extase, je ne vis pas le temps passer et lorsque, au bout d'un moment, je revins à mon activité, je constatai que les craquements de branches sèches sous le pas des cueilleuses et les appels des enfants s'étaient tus. Alors, les yeux fixés sur les coins ombragés au pied des arbres afin de glaner quelques champignons, je refis le chemin inverse en direction du sentier menant à Camasuaine. À ma grande satisfaction, je trouvai une abondance de bolets cachés dans les fougères nouvelles, et, un bosquet me guidant vers un autre, je remplis mon panier sans me soucier de l'endroit où mes pas me conduisaient. C'est ainsi qu'en moins d'une heure je dus parcourir une distance appréciable, car en apercevant l'éclaircie du chemin à travers la futaie, je réalisai que ce dernier n'était plus qu'une piste étroite, comme tous les sentiers le devenaient au-delà d'un mile de Camasuaine. Je le rejoignis prestement en me demandant dans quelle direction il fallait l'emprunter pour revenir au village. Cette interrogation m'emplit d'une angoisse sourde. «Quelle imprudente je fais! Où diable avais-je la tête en ramassant les cèpes? Me voilà incapable de distinguer la bonne voie, maintenant», me gourmandai-je, pendant l'instant de panique qui suivit ma sortie du bois.

D'un côté, le sentier sinuait sur une longueur de quelques yards avant de disparaître dans un tournant, et de l'autre, il descendait en pente très douce, en une ligne presque droite. Je choisis cette dernière option, me disant que la dénivellation devait normalement conduire à la mer. Or, au bout de quelques minutes, je me rendis compte de mon erreur: non seulement la piste remontait-elle, mais elle s'amincissait au point de s'effacer par endroits. J'allais rebrousser chemin quand me parvinrent des voix assourdies. Remplie d'espoir, je m'immobilisai, tendis le cou et scrutai l'horizon, l'oreille aux aguets. J'aperçus alors, se détachant peu à peu du fond feuillu, un groupe de trois personnes qui avançaient l'une derrière l'autre dans l'ombre des hauts arbres qui bordaient la piste. Instinctivement, je retins mon souffle en attendant d'être vue par elles. Lorsqu'une raie de lumière vint éclairer le marcheur de tête, je découvris qu'il arborait une tignasse rousse et mon cœur s'affola : « Gunni ! »

Laissant choir mon panier, je m'élançai vers mon bien-aimé, lequel, me reconnaissant aussitôt, se précipita à ma rencontre en une course échevelée. Nous nous étreignîmes longuement, la gorge nouée d'émotion, puis, éperdus de bonheur, nous desserrâmes les bras afin de mieux nous regarder. Durant cet intermède exquis, où je m'enivrai de l'odeur de mon homme retrouvé, de son visage adorable et de ses yeux rieurs, les deux autres marcheurs nous avaient rejoints. Me retournant pour les saluer, je distinguai d'abord un individu sombre et affreusement tatoué que je pris immédiatement pour un Skrealing, et, à quelques pas derrière lui, je tombai sur la figure roide d'Elsie qui me fixait avec un regard dur. Interloquée par cette apparition, qui avait les allures d'un spectre, je ne pus prononcer une parole. Tandis que je détaillais les cheveux affreusement sales et la tenue épouvantablement dépenaillée de la femme de Pelot, que je tenais pour trépassée, Gunni m'expliquait le périple, aussi inattendu qu'extraordinaire, qui l'avait amené à retrouver Elsie et à venir jusqu'ici. Mon état d'ahurissement m'empêcha de capter la moitié de ce qu'il raconta alors. Ce n'est que plus tard, quand le récit fut répété devant l'assemblée des Albains, que je compris l'incroyable histoire qui avait retranché Elsie du monde des morts.

Dès le moment où Ari Marson apprit notre arrivée à Camasuaine, il nous convoqua chez lui et la rencontre eut lieu au milieu d'une foule compacte composée des membres de sa maison, dont Brude et Julitta, évidemment, ainsi que des Islandais et du frère Comgan. Parmi les trois arrivants, ce fut le Skrealing, nommé Masduwit, qui reçut le meilleur accueil du vieux chef. Ce dernier le connaissait de longue date et l'entretint dans une langue indigène que Gunni, à mon grand étonnement, comprenait. Par ailleurs, Ari Marson employa le gaélique pour s'adresser à mon mari, et c'est ainsi que je ne manquai aucun détail des événements incroyables survenus après le départ de l'expédition des membres de la communauté de Leifsbudir pour atteindre le camp béothuk du Rocher-de-l'Aigle, trois mois plus tôt.

Incapable de m'éloigner de Gunni, ne serait-ce que d'une coudée, je demeurai collée à son flanc durant tout l'interrogatoire, lui tenant la main bien serrée et buvant avec émerveillement chacune de ses paroles. À quelques reprises, je croisai le regard scrutateur de la vieille Julitta ou celui, fermé, de Brude, ce qui me faisait presser les doigts de mon aimé, lequel me répondait de la même façon. Quand l'épisode concernant le naufrage du knörr dirigé par Herulf fut exposé, mon attention se porta sur Elsie. Toute l'horreur du drame se lisait encore dans son attitude tourmentée. L'expression de son visage exsangue me frappa, tant par la douleur qu'on y décelait que par l'égarement qui semblait encore l'habiter. J'allais m'abîmer de compassion devant cette souffrance manifeste quand Elsie tourna la tête dans ma direction et me toisa. Dans ses yeux pâles, je surpris un éclair malveillant qui me sidéra et je me détournai, vaguement inquiète.

Tout obnubilée par le périple de Gunni, je ne m'attendais pas à ce que ma participation à la mission d'évangélisation soit abordée, aussi sursautai-je quand j'entendis Ari Marson dévoiler les espérances que le clan avait fondées sur moi en me reconnaissant pour une chrétienne exceptionnelle. Les propos furent suffisamment flous pour ne pas préciser la nature exacte des attentes albaines, au demeurant fort condamnables, mais je pressentis que la curiosité de Gunni avait été piquée et que j'aurais inévitablement à fournir des éclaircissements. À ce chapitre, j'entendais bien être soutenue par le frère Comgan, auquel je coulai un regard insistant.

Il n'était pas opportun de développer ce sujet dans la maison du chef albain, et Gunni attendit d'être dans la chapelle pour déclencher la discussion qui s'imposait avec Gudlaugson, d'abord, sur sa sédition; puis avec le frère Comgan, sur son comportement équivoque envers moi. Le premier se défila de toute responsabilité en défendant son sempiternel projet de chasse, qu'il élevait au rang de dette; tandis que le second justifia ses manœuvres avec opiniâtreté, en appelant à la volonté divine comme ultime dirigeante de ses actions. Alors que je désirais ardemment que le moine passe sous silence mon union factice avec Brude afin de pouvoir la révéler moi-même à Gunni, il l'exposa en des termes assez clairs pour dissiper toute ambiguïté.

« Comment, Comgan, s'insurgea Gunni, me dis-tu que tu as encouragé Moïrane à me tromper pour amadouer tes Albains?

— C'est une façon plutôt stricte de voir la chose, répondit l'Irlandais.

— Ne monte pas aux barricades pour si peu», intervint Gudlaugson, avec un air encanaillé dans lequel je lisais de la jubilation, ce qui m'horripila. «Tu te serais volontiers plié au même exercice s'il s'était agi de sauver ta peau. D'ailleurs, qui nous dit que tu n'as pas culbuté la grande Elsie? Ne fais pas le surpris, Gunni: tous ceux qui ont des yeux pour voir ont remarqué que la jolie veuve te contemple comme une chatte surveille son fromage...» Le commentaire sur Elsie dut prendre Gunni de court car, au lieu de se ruer sur Gudlaugson qui se l'était attiré par ses insinuations, il ne dit mot et regarda fixement la jeune femme durant un long moment. Aussi étonnée que lui, j'avais reculé d'un pas, mais, au lieu d'observer Elsie vers laquelle tous les regards convergeaient, je dévisageai Gudlaugson avec toute la haine dont j'étais capable.

Pour faire diversion, le frère Comgan prit la parole sur un ton qui avait retrouvé ses intonations impérieuses de représentant d'évêque, et il réclama de l'assemblée une action de grâces afin de remercier le Ciel pour avoir épargné la vie de notre compagne. Il prolongea l'oraison de façon très opportune, permettant ainsi aux esprits échauffés de mon mari et du capitaine de se calmer. Sourde aux litanies du moine, je priai ardemment dans le secret de mon cœur afin que Gunni ne me tienne pas rigueur de mon infidélité involontaire et que les suppositions de Gudlaugson concernant la sienne soient sans fondement.

La soirée, qui aurait dû normalement bruire de la joie des retrouvailles, fut morne et tendue. Alors que j'aurais dû me rapprocher de la veuve Elsie, seule autre femme dans la chapelle, je fus rebutée par son visage

271

hostile et m'en tins éloignée. Soucieuse, je demeurai également en retrait des hommes, lesquels discoururent âprement à propos de la chasse et du retour à Leifsbudir. Fort de son contingent de chasseurs, Gudlaugson ne céda pas d'un pouce aux arguments du frère Comgan et de Gunni qui, pour des raisons différentes, s'opposaient à la chasse au morse sur le territoire des Albains. Même si le moine fit valoir l'opposition prévisible de ceux-ci au projet, même si Gunni brandit l'entente conclue pour la chasse commune avec les Béothuks, Gudlaugson n'en démordit pas : « Je ne retournerai pas à Leifsbudir sans avoir d'abord rempli ma cale d'or blanc !

— Messire, fit le frère Comgan, dois-je considérer votre attitude contrariante comme une insurrection par rapport à l'autorité que j'exerce au nom du bailleur de fonds de cette expédition, son Éminence George de Limerick ?

— Jusqu'à présent, moi et mes hommes avons servi ta mission, Comgan, conformément à notre engagement dans une expédition qui, je le rappelle, est tout autant religieuse que commerciale. Je vois que, du côté évangélisation, tu n'as guère à te plaindre et ta récolte d'âmes est substantielle. Par contre, côté marchandise, j'attends toujours le moment de ramasser : notre équipée au Vinland est désespérément infructueuse et j'ai toutes les raisons de pester. Pour répondre à ta question, l'Irlandais, je te dirai ceci : je respecterai ton autorité dans la mesure où tu ne négligeras pas la mienne. » Ce disant, Gudlaugson se leva et sortit en entraînant ses hommes. Par la porte restée ouverte, nous vîmes les Islandais se diriger vers le knörr en un groupe serré et ténébreux, sous le dôme de la nuit étoilée. Nous crûmes, un instant, qu'ils allaient appareiller, mais ils montèrent à bord sans avoir déplacé la coque pour la descendre à l'eau. «Ils ne s'en vont pas ce soir, dit Gunni. Demain, peut-être…

— Pas sans nous, j'espère! s'écria Elsie.

— Rassurez-vous, mon enfant, fit le frère Comgan, la nuit porte conseil et nos amis ne pourront faire autrement que de revenir à de meilleurs sentiments.» Le cœur battant, je me glissai contre Gunni et lui pris la main avec ferveur. Il ne réagit pas à mon geste: ses doigts demeurèrent froids et mous autour des miens, et il évita mon regard tendu vers lui. Alors, ma gorge se noua avec une telle violence que j'en suffoquai presque et c'est au prix d'un effort inouï que je refoulai un afflux de larmes.

Chapitre XII

L'impunie

Placé en arrière à cause de son poids supérieur, Markus ramait en se concentrant sur les mouvements de Karl, installé à la proue du canot. De temps à autre, il jetait un œil par-dessus l'épaule de celui-ci, afin de repérer l'embarcation des Béothuks. Elle précédait la leur en fendant mieux les flots, grâce à la dextérité de ses rameurs. Les deux hommes désignés par le chef Nonosyim pour raccompagner Karl et Markus à Leifsbudir jouissaient d'une musculature serrée et d'une parfaite maîtrise du bateau d'écorce. Depuis trois jours, les reins rompus et les mains gercées, les Islandais peinaient à pagayer dans les eaux houleuses semées de récifs des côtes d'Alba, en enviant l'efficacité de leurs guides béothuks.

Le 14 mai, par un temps clair et lumineux, la baie de Leifsbudir apparut enfin à l'horizon. Toutes les pensées de Markus revinrent aussitôt à Arabel. « Elle est bien veuve, se dit-il pour la énième fois. Herulf n'est plus. La jeune Oubee l'a suffisamment affirmé. Comment pourrait-on croire à autre chose qu'à son décès ? Il faut maintenant que mon Arabel l'admette. » Malgré lui, le forgeron prononça la dernière phrase à voix haute et son compagnon l'entendit. « Que dis-tu ? lança Karl.

– Rien… Je pensais à la femme de Pelot, revenue d'entre les morts, et je me demandais quelle tête feront Ingrid et Arabel en apprenant la nouvelle, répondit Markus.

– Je crois plutôt que tu songes à l'accueil que te réservera Arabel quand elle saura que son mari, lui, n'est pas revenu d'entre les morts… »

Est-ce par discrétion ou par contrariété ? Gunni ne me toucha pas durant la nuit qui suivit son arrivée à Camasuaine. Il est vrai que l'étroitesse de l'unique salle de la chapelle, même libérée de la présence de l'équipage islandais, enlevait toute intimité à un couple. Je m'appuyai sur cette raison pour expliquer la froideur de mon bien-aimé, dans le dos duquel je me pelotonnai, en vain, durant mon sommeil. Mais, au fond de mon cœur, je n'étais pas dupe : mon aventure avec Brude avait indéniablement blessé Gunni, ne serait-ce que dans son honneur d'époux.

Au matin, cette impression se confirma. Alors que je préparais la bouillie d'orge sur le feu de la petite fosse, Gunni interrogea le frère Comgan, sur un ton bourru que je ne lui connaissais pas :

« Dis-moi, Comgan, où peut-on trouver ce Brude, en ce moment ?

– Que lui voulez-vous, messire ? répondit le moine, d'une voix où perçait l'inquiétude.

– Affaire entre hommes ! Et tu sais laquelle, répliqua Gunni. Tu as disposé de ma femme d'une façon qui ne plairait pas à ton évêque, et qui m'offense personnellement. Si ton disciple albain a joué un rôle dans cette intrigue, il devra en répondre.

— Ne vous emportez pas, mon fils. Vous pourriez causer un dommage irréparable à notre expédition au Vinland en vous attaquant à Brude, prévint le frère Comgan.

— Je trouve que tu as mené bien hardiment ta mission, cet hiver ; de son côté, notre associé islandais fait cavalier seul avec le knörr ; et moi, pauvre hère, je cours en tous sens sur cette maudite île afin que notre expédition ne se disloque pas. J'y ai perdu mon épée, beaucoup de temps, le renom de ma femme et le mien.

— Vos reproches sont insensés et votre orgueil de mâle vous aveugle, Gunni. Je vous enjoins de rester calme, insista le frère Comgan.

— Tu te sers honteusement de Moïrane pour amadouer un clan idolâtre dont tu es supposé redresser les mœurs, tu l'absous de sa faute et, du même souffle, tu me recommandes de ne pas réagir sous peine de faire échouer l'entreprise ? Il est heureux que tu portes la bure, Comgan, car tu aurais été la cible toute désignée pour apaiser mon ire ! »

Gunni partit en claquant la porte avec une telle violence que le modeste édifice trembla. Quelques brindilles de paille se détachèrent des poutres au plafond et tombèrent dans mon chaudron, ce qui provoqua le rire niais d'Elsie. Je glissai à cette dernière un œil furieux, puis, abandonnant la louche dans le récipient, je m'amenai à la fenêtre. D'un regard anxieux, je suivis Gunni jusqu'à ce qu'il disparaisse dans la maison du chef Ari. Dans mon dos, le frère Comgan commenta sa sortie intempestive avec Elsie, et je me mordis les lèvres pour ne pas répliquer vertement.

Depuis la veille, moment où l'infidélité de son épouse lui avait été révélée, le chef du clan Gunn faisait des efforts inouïs pour contenir son désarroi, sa peine et sa colère. Tout, dans l'expédition au Vinland, semblait lui échapper comme une poignée de sable qui se désintègre en glissant entre les doigts. Quand il franchit le seuil de la maison du chef Ari, sans arme à la ceinture, il se demanda si le choix de Brude pour déverser son courroux était le bon.

Dans le village norvégien où Gunni avait grandi, le châtiment encouru par une épouse infidèle pouvait aller jusqu'à la répudiation, et l'offense entraînait une réprimande par un combat avec le félon; dans les cas où le cocu faisait preuve d'indulgence, la femme adultère s'en tirait avec une bonne rossée et l'amant, avec une sévère fâcherie. En dépit de circonstances qui plaidaient pour la clémence envers Moïrane, Gunni ne pouvait se résoudre à la battre, une faiblesse singulière dont il avait honte. Même si le moine apparaissait comme le principal responsable de l'affront en ayant incité Moïrane à se compromettre, il était interdit à Gunni de lever la main sur lui, sous peine d'excommunication. Ne restait plus au chef du clan Gunn que Brude sur lequel passer sa rage et laver son honneur. En cet instant critique où il allait demander réparation, la douleur d'être désarmé et bafoué submergea Gunni.

Ari Marson avait mal dormi. Plusieurs problèmes l'assaillaient, dont la présence de l'équipage islandais à Camasuaine, lequel occupait la première place dans son esprit harassé. La mission du frère Comgan avait bousculé irrémédiablement le fragile échafaudage que le vieil homme avait érigé autour de son image, durant sa vie d'exilé à Alba. Les prêches de l'Irlandais l'avaient forcé à rectifier sa foi et celle de sa communauté, et ils l'avaient obligé à lever le voile sur sa véritable identité. Ce matin-là, Ari Marson se sentit particulièrement accablé, n'aspirant plus qu'à une chose : retrouver sa sérénité d'antan et se délester de sa charge de chef. Pour en arriver à cela, il fallait que les étrangers quittent Camasuaine et que Brude occupe les fonctions de dirigeant et de chef spirituel des Albains.

Lorsqu'on fit entrer l'Écossais dans sa chambre, Ari Marson prit sa décision : puisque l'homme commandait apparemment le poste de Leifsbudir, c'est à lui qu'il signifierait l'expulsion des membres de son expédition. «Approche, chef du clan Gunn, que je distingue autre chose que ta tignasse rousse, fit-il sur un ton impératif. Nous avons à discuter, tous les deux.» Gunni avança de quelques pas dans la pièce sombre en direction du lit défait où se tenait le vieil homme, simplement vêtu de sa chemise. Du côté opposé, trois femmes, dont l'épouse Julitta, s'affairaient autour de la fosse à feu où rougeoyaient des braises. Les lueurs qu'elles projetaient étaient assez hautes pour éclairer les murs en torchis et, pendant une minute, Gunni examina le décor. Il détailla une imposante croix celtique en bois, deux boucliers en cuir bouilli et, pendue à un crochet, une cotte de mailles passablement rouillée. Chose étrange pour la chambre d'un chef, aucune épée, hache de guerre ou hallebarde n'était exposée, ce qui lui rappela un détail noté la veille : la rareté du fer dans les outils et les armes des Albains.

À quelques pas du lit, Gunni s'immobilisa et reporta son attention sur le vieillard. Celui-ci se déplaça de façon à faire dos au groupe des femmes et il prit la parole en baissant le ton pour ne pas être entendu d'elles. Gunni dut même tendre l'oreille pour ne rien perdre : «Hier, la présence de Gudlaugson et de Comgan m'a retenu de dire tout haut ce que moi-même et mon clan pensons tout bas : votre expédition au Vinland nous dérange. Nous admettons vos motifs religieux dans la mesure où ceux-ci ne sont pas prétexte à l'incrustation de l'Irlandais parmi nous. Quant à votre projet de chasse, nous le tolérons, mais sans le soutenir. Si les Béothuks consentent à vous aider, c'est leur affaire. En clair, personne d'entre vous n'a plus rien à obtenir à Camasuaine. Ois bien cela, l'Écossais : ramène ton groupe à Leifsbudir et oublie les Albains. C'est le conseil que j'ai donné à Gudlaugson l'an dernier, et je te le donne à toi aussi. Plaise au Ciel que tu le retiennes mieux que lui!

— Messire Ari, je ne m'oppose pas au départ, dit prudemment Gunni. Je constate que notre venue sur l'île d'Alba n'est pas appréciée et je comprends fort bien votre désir de préserver l'harmonie de votre clan. Si aucun membre de notre expédition ne l'a exprimé jusqu'à maintenant, je me permets de le faire : veuillez excuser notre intrusion chez vous. Nous allons appareiller et notre route ne recroisera pas celle de vos gens : je vous en donne ma parole. Cependant, j'ai un différend à régler avec votre fils Brude avant de quitter Camasuaine.

— Paix, paix, l'ami! Ne vois pas un affront de Brude où il n'y en a pas. Entends plutôt les explications de

Julitta, l'ancienne de notre clan. Tu saisiras le respect dans lequel nous avons tenu ton épouse Moïrane devant Dieu et tu sauras que le comportement de mon fils, qui ne l'a jamais forcée*, ne peut en rien t'humilier. »

Ne pouvant s'imaginer le rôle qu'une vieille femme ait pu jouer dans la séduction de Moïrane par Brude, Gunni se tourna vers Julitta avec étonnement. Celle-ci accéda à la demande de son mari sans sourciller et, se détachant de ses compagnes, elle livra ses commentaires avec assurance, dans son vieux gaélique difficile à comprendre. Le principe des sangs mêlés, inédit et invraisemblable, fut laborieux à saisir pour Gunni et demeura inadmissible à ses yeux comme justification de l'adultère de sa femme. À la fin de l'entretien, lorsque Julitta révéla que Moïrane était enceinte, Gunni en fut tellement ébranlé qu'il renonça aux arguments qu'il s'était forgés durant le discours de la vieille pour manifester son désaccord. « Tu admettras que l'enfant, s'il venait à terme, appartient aux Albains », conclut Julitta avec juste ce qu'il fallait de menace dans le ton pour que le chef du clan Gunn le perçoive.

Complètement abasourdi, Gunni prit congé et s'en alla, gagnant machinalement le knörr où les Islandais venaient de se lever. En cet instant de grande déroute, l'image de Moïrane copulant avec l'Albain déchirait son cœur comme les dents d'un ours dans la chair d'une proie. Il dut se faire violence pour ne pas s'effondrer devant ses congénères. Gudlaugson interpréta l'air égaré de son ami et le tremblement de sa voix comme des signes de grande colère contre le chef albain. S'il accueillit sans surprise la décision de leur éviction de Camasuaine, le capitaine islandais revint à la charge concernant l'information sur le territoire de chasse, mais Gunni se fit explicite sur le refus des Albains. Convaincu, Gudlaugson finit par abandonner ses espérances et se rabattit sur la perspective de la chasse avec les Béothuks.

Ainsi, en ce 15 mai 1027, jour de Belteine, après une longue discussion grâce à laquelle tous deux sentirent l'importance d'accorder leurs vues, l'Écossais et l'Islandais convinrent de lever l'ancre et de mettre les voiles sur Leifsbudir.

Incapable de retenir plus longtemps Elsie, qui brûlait d'aller rejoindre Gunni sur le pont du knörr, prétendant que l'équipage allait nous abandonner à Camasuaine, elle, le frère Comgan et moi, je la suivis dehors. Je ne redoutais certes pas la même chose que la veuve de Pelot. Au contraire, j'avais éprouvé un grand soulagement à voir Gunni se diriger vers la plage en sortant de chez Ari Marson, plutôt que vers les champs, où se trouvait Brude. Quand nous ne fûmes plus qu'à une vingtaine de yards du navire, engoncé dans la vase et le varech laissé par la marée basse, Gunni apparut à la proue. Il enjamba le plat-bord et sauta à terre. Aussitôt, Elsie s'élança à sa rencontre et se précipita dans ses bras, de la façon la plus inconvenante qui soit. Trop loin pour entendre ce qu'elle lui dit, je ne pus que l'imaginer. L'épanchement d'Elsie ne dura qu'une minute, mais son comportement m'agaça prodigieusement. Mon arrivée auprès d'eux les fit se détacher et je notai, sur les traits de la femme, un air de défi, et sur ceux de mon mari, un air de morosité. «Nous partons, me lança-t-il, de but en blanc. Les Albains nous ont assez vus et je me suis engagé auprès de leur chef à ce que nous nous rembarquions pour Leifsbudir. Montes-tu avec nous ou préfères-tu finir ici ce que tu as commencé avec Brude?

— Gunni, échappai-je, pétrifiée, que veux-tu dire?

— Ce que j'ai dit et qu'il n'est point besoin d'élaborer.

— Au contraire, il faut en parler: je peux tout t'expliquer à ce sujet. Je t'en prie, écoute-moi», implorai-je, d'une voix éperdue. Je crois que le ton de supplique émut Gunni. Il s'avança vers moi en signifiant à Elsie de nous laisser seuls et il me prit le bras avec brusquerie. N'ayant d'autre lieu d'isolement que la plage, Gunni m'entraîna jusqu'à un amoncellement de roches plates, où il me fit asseoir tout en évitant de croiser mon regard, puis il pivota face à la mer. «Parle, maintenant, je t'écoute! siffla-t-il.

— Non, pas comme ça, Gunni, le dos tourné et le cœur fermé. Regarde-moi...», balbutiai-je.

Devant son immobilisme et son silence, je me levai et m'approchai de lui. En touchant sa joue, je le forçai à me dévisager. Le rictus de sa bouche et l'ambiguïté de son air m'informèrent qu'il luttait contre de sombres pensées. Était-ce le dégoût, le chagrin ou la rancœur? Je ne pouvais le savoir. Tremblante, je pris mon courage à deux mains et lui exposai ma version. Je décrivis la situation odieuse vécue dès mon installation chez les Albains, situation qui était devenue intolérable depuis un mois, me sachant grosse. Je ne cachai pas à Gunni l'attirance que j'avais d'abord éprouvée pour Brude et le plaisir que j'avais pris dans les premières étreintes, mais j'insistai sur le remords qui s'en était suivi après avoir réalisé combien mon attachement pour lui était profond. «Tu occupais toutes mes pensées, sans cesse, Gunni. Même aux moments précis où Brude me couvrait... Il faut me croire, dis-je.

— Cela ne te gênait ni ne t'empêchait de forniquer avec lui, jour après jour...

— Qu'aurais-je pu faire pour me soustraire à cette épreuve? demandai-je. J'ai préjugé qu'il en allait de mon devoir de me soumettre, et même, de notre survie, au frère Comgan et à moi. Mais c'est fini, maintenant, même si les Albains ont obtenu ce qu'ils voulaient de mon ventre. Brude ne me retient pas ici et il ne me poursuivra pas à Leifsbudir : il m'en a fait la promesse, en dépit des visées de sa mère sur l'enfant à naître. Mon désir, Gunni, est de repartir avec toi, te chérir à jamais, retourner vivre avec les nôtres et, si Dieu le veut, enfanter...

— Et moi, bien sûr, je dois te reprendre amoureusement, toute grosse que tu es des œuvres d'un autre et visiblement ravie de l'être! Je dois m'interdire de lever la main sur le religieux fourbe qui t'a emberlificotée en te poussant dans cette absurdité; sur ton amant hardi, dont les gens ne feraient qu'une bouchée de moi si je le navrais; et finalement sur toi, épouse infidèle et intouchable à cause de son giron fécondé. » Avant que j'aie eu le temps de poser un geste ou de dire quelque chose pour apaiser son tourment, Gunni se détourna, le visage fermé et les poings serrés. Il fit quelques pas en direction du knörr, les bras ballants, s'arrêta, pivota et me considéra avec détresse. «Moïrane, ce que tu espères de moi dépasse mes capacités. Je ne possède pas le cœur magnanime des chrétiens quand il est question d'amour et de pardon : je suis encore trop viking dans l'âme, je suppose... Puisque tu ne veux pas rester chez les Albains, je vais t'emmener. Ensuite ? Je ne sais pas… J'ai besoin de temps pour réfléchir. Tu es toujours mon épouse, alors nous verrons ce que le destin nous réserve. »

J'aurais voulu, en cette minute poignante, courir me blottir contre son torse et m'imprégner de sa chaleur bienfaisante en le serrant de toutes mes forces, mais, privée subitement de vigueur, mes pieds demeurèrent enfoncés dans le sable et un grand frisson me parcourut. Les yeux baignés de larmes, je regardai Gunni marcher avec accablement jusqu'à la chapelle, dans laquelle il entra. Grelottant de tous mes membres, j'attendis un long moment avant d'aller le rejoindre.

Malgré son insistance, le frère Comgan ne fut même pas reçu par Ari Marson. Il ne put ainsi défendre son projet de baptême collectif et de consécration de Brude comme prêtre de la communauté albaine. C'est avec une vive déception et bien à contrecœur qu'il quitta Camasuaine avec les membres de l'expédition. Si ces derniers s'en rendirent compte, au moment du départ, ils ne firent aucune remarque. Le moine et les deux femmes s'installèrent sur les coffres près du foyer de stéatite et les hommes, que la présence de Gunni à bord satisfaisait, s'activèrent avec efficacité et discrétion. Un bon vent s'engouffra dans la voile rayée et le knörr glissa vers le large toutes rames levées, laissant, derrière lui, la baie verte de Camasuaine et ses habitants soulagés.

Sauf Brude et ses compagnons, les Albains imitèrent leur chef et son épouse en n'assistant pas à l'appareillage du knörr, lequel se fit au mi-temps du jour, au plus haut de la marée. Ils s'affairèrent plutôt à bâtir, sur la colline dominant la baie, le bûcher de Belteine qu'on allait allumer au couchant. Ils y travaillèrent avec d'autant plus d'enthousiasme qu'ils étaient délivrés des opinions entêtées du moine irlandais qui, les derniers jours, avait voulu remanier la fête païenne afin d'obtenir une pratique plus conforme à la religion de Christ. Les jeunes femmes du village, particulièrement émoustillées à la perspective de vivre librement la célébration de la procréation, observèrent l'éloignement du navire islandais non sans déplaisir : le départ de l'intrigante Moïrane les apaisait toutes, en ce sens qu'il rendait de nouveau disponible le très convoité Brude.

La vieille Julitta, qui allait présider le déroulement de la fête comme une grande prêtresse, se divertissait aussi de ce départ. Elle ne s'était pas opposée à la fuite de Moïrane, car elle était confiante dans les moyens à sa disposition pour récupérer l'enfant, s'il advenait qu'il naisse. Son instinct sûr et son sens aigu de l'observation l'avaient convaincue que le mari trompé ne ferait pas obstacle à ses plans ; peut-être même finirait-il par désavouer l'infidèle et la lui retournerait-il. Quant à Brude, indécis entre son attachement pour Moïrane et l'exaltation due à sa foi religieuse et à ses nouvelles responsabilités, il éprouva de la difficulté à fixer son esprit. Au moment de l'embarquement, il lui suffit de croiser le regard acéré de l'époux trompé et celui, mortifié, de l'épouse, pour mesurer le drame que la séduction blâmable avait provoqué chez ceux-ci. La dernière image qu'il saisit de Moïrane l'emplit de regrets et, pour la première fois, il songea à l'enfant qu'elle portait en des termes très concrets.

Depuis l'arrivée du printemps dans la baie de Leifsbudir, le soleil se levait plus tôt et se couchait plus tard. Les adultes avaient trop à faire pour s'occuper des trois enfants et ceux-ci profitaient pleinement de l'entière liberté de leurs journées. La jeune Elena, sa sœurette Vigdis et leur compagnon Martein s'adonnaient à leurs jeux favoris, en toute quiétude. Ils parcouraient la lande recouverte d'une herbe haute et grasse, à la recherche de petits mulots qu'ils s'amusaient à débusquer ; ou encore, ils escaladaient le pic à la pointe de la baie et se gavaient d'œufs qu'ils chipaient dans les nids des petits oiseaux de mer, les plus accessibles. Parfois, ils se confectionnaient des caches avec des branches afin d'échapper à Neil, lancé à leur poursuite par Arabel et Ingrid lorsqu'elles s'avisaient de leur disparition. Le soir venu, les bambins s'écroulaient de fatigue, quelquefois au beau milieu du repas, le nez dans leur écuelle. Alors, l'extinction subite de leur babillage enveloppait les adultes d'un silence inattendu, parfois gênant.

Si le retour de Karl et Markus à Leifsbudir avait créé un certain malaise en raison des nouvelles qu'ils rapportaient de l'expédition de Gunni à la rivière Nanik, il insuffla une nouvelle énergie à leurs compagnons. Ce jour marqua finalement la reprise des gros labeurs : semailles, binage, tannerie et vannerie pour les femmes ; construction, forgement, pêche avec l'embarcation cédée par les Béothuks et chasse au collet pour les hommes. Afin d'oublier les déconvenues de l'hiver ou pour éviter d'aborder les sujets douloureux, Cinead, Ingrid, Arabel, Markus, Karl et Jon s'abrutirent de travail d'un soleil à l'autre, tout en espérant, sans grande conviction, le retour rapide de leurs compatriotes. Ce qu'ils n'osaient s'avouer mutuellement, c'est le profond trouble dans lequel les plongeait l'absence des trois têtes dirigeantes de l'expédition : le capitaine, le chef du clan Gunn et le moine. De Gudlaugson, ils regrettaient le knörr, qui incarnait à leurs yeux leur retour en Écosse ; de Gunni, ils regrettaient le jugement sûr et adéquat ; et du religieux, ils regrettaient la conduite spirituelle.

Par un bel après-midi ensoleillé de la dernière semaine de mai, Neil et Cinead poussèrent le canot au-delà de la pointe de la baie aux oiseaux. Ils descendirent leur filet de pêche dans les eaux peu profondes d'une crique, jusque-là jamais explorée, et ils s'adossèrent aux parois souples de l'embarcation en exposant leur visage aux rayons chauds du soleil. Le moment était propice aux confidences, loin des oreilles indiscrètes. « Savez-vous pourquoi ma mère s'entête dans son veuvage au lieu d'accepter Markus ? avança Neil.

— Je n'en sais rien, répondit Cinead. Les femmes ont parfois des comportements bien mystérieux. Tu dois l'avoir remarqué, toi qui as courtisé une jeune Béothuk, à ce que l'on dit…

— Ne vous gaussez pas de moi, messire. Ce qu'a raconté Karl de la belle Oubee ne me vaut certainement pas d'être considéré comme un galant. Tout au plus si la damoiselle ne voit pas autre chose en moi qu'un jeunot à peine bon pour pagayer dans son bateau.

— C'est déjà ça, garçon ! Moi, je ne m'en plaindrais pas, à ta place. Il n'y a pas de mauvaises occasions pour se faire valoir auprès d'une fille, il n'y a que des occasions ratées.

— Ah, si seulement messire Gunni pouvait revenir! La grande chasse au morse commencerait avec le clan du Rocher-de-l'Aigle et j'aurais une deuxième chance de revoir Oubee, se lamenta Neil.

— D'après Karl et Markus, la saison serait déjà bien avancée pour songer à organiser cette fameuse chasse.

— Pas avec les Béothuks : ils savent où trouver les troupeaux de femelles qui mettent bas, pas très loin au large, objecta Neil, avec emphase.

— Peut-être bien, mais ces animaux-là n'ont pas les dents de la longueur voulue», fit remarquer Cinead, en souriant devant la candeur de son jeune compagnon. «Alors, nous les tuerons pour leur graisse et pour leur cuir, en attendant de nous attaquer aux rennes, plus tard dans la saison. De toute manière, sur cette île, il n'y a que ça à faire : chasser… et pêcher», grommela Neil, en se penchant au-dessus de l'eau pour examiner le contenu du filet.

«Tiens, tiens, vois un peu ce qui nous arrive… N'est-ce pas le knörr, là-bas? fit Cinead en plaçant sa main en visière.

— Par Thor, vous avez raison : c'est lui! s'exclama Neil en se dressant sur ses jambes, ce qui fit tanguer le canot.

— Depuis quand invoques-tu le dieu viking, toi? Prends garde à une habitude qui chagrinerait ta mère et qui ne ferait pas honneur à ton clan. Un Gunn est un chrétien, n'oublie jamais ça», avertit Cinead, sur un ton sévère. Le jeune homme accusa la remarque avec contrition, mais sa joie était trop grande pour conserver une humeur austère. Avisant un rocher à portée de saut, Neil s'élança hors de l'embarcation et atterrit sur celui-ci sans trop se mouiller. De là, il en gagna un autre et, en un rien de temps, il se retrouva escaladant la paroi du pic jusqu'à une plate-forme surélevée. Neil s'y posta et, à grand renfort de cris et de gestes des bras, il salua le retour des membres de l'expédition à Leifsbudir. Son manège dura tout le temps de l'approche du knörr. Plus amusé que contrarié, Cinead remonta tranquillement le filet, puis il s'empara de l'aviron pour revenir seul à la baie. En son for intérieur, il partageait entièrement l'allégresse du jeune homme.

L'exubérance teinta l'accueil formidable que les membres de la communauté réservèrent à notre arrivée. À peine fûmes-nous descendus du knörr que mes amies et les fillettes s'emparaient d'Elsie et de moi, en nous serrant les bras, tandis que les hommes assaillaient de questions Gunni et le frère Comgan, en les portant presque, tellement ils se pressaient à leur suite.

Tout me frappa dans les premiers instants qui suivirent notre débarquement: la couleur vive du pré; celle, limpide, du ciel bleu; le fumet de cuisson s'échappant par la trappe de la toiture; l'odeur âcre du fer en fusion, émanant de la forge; la douceur du vent et celle des mains amicales qui me cajolaient en me guidant; jusqu'au pur contentement qui illuminait chaque visage. Submergée de bonheur, je me laissai emporter par la liesse et goûtai chaque minute de ces retrouvailles chaleureuses, en enfouissant mes désillusions au plus profond de mon cœur. Je savais bien qu'elles ne tarderaient pas à refaire surface, mais j'espérais que cela adviendrait le plus tard possible, au moment ultime d'aller dormir à côté d'un Gunni implacablement distant.

Rien n'avait changé dans la grande salle commune, si ce n'est l'ajout de quelques objets en bois ou en jonc tressé, une couverture en fibre d'ortie et des coussins de banc en toile de lin. Deux ou trois coffres m'apparurent neufs, ainsi que des crochets et des étagères fixés aux murs. Par contre, ce qui différait de mon souvenir, c'est l'allure de mes compatriotes : Ingrid et Arabel avaient les traits tirés et les yeux cernés dans une face émaciée ; les enfants avaient les cheveux et les vêtements sales ; Cinead et Neil étaient dépenaillés dans leur tunique déchirée et leurs souliers troués. Même si l'on ne pouvait me tenir responsable de l'allure négligée ou de la condition maladive des membres du clan Gunn, je ne pus m'empêcher de considérer mon exil hivernal comme un abandon de ma part. Ce sentiment injustifiable s'incrusta pourtant en moi et atténua beaucoup ma joie.

Bientôt, les hommes et les enfants ressortirent de la longue maison, les uns entraînés par Markus qui voulait montrer la forge, les autres accompagnant le frère Comgan dans l'inspection des vestiges de l'une des maisons, réservée pour la future chapelle et que Cinead avait commencé à nettoyer. En l'espace d'une minute, nous nous retrouvâmes entre femmes dans la vaste pièce, et le silence tomba. Tandis qu'Arabel s'isolait dans un coin avec Elsie pour l'accabler de questions sur le naufrage et sur la disparition de Herulf, je m'assis avec Ingrid. « Comme tu vois, fit-elle, en pinçant le coussin sous son séant, mes petites ont rempli la promesse qu'elles t'avaient faite à ton départ. Bourrer ces coussins n'a pas été une mince tâche, on a manqué de plumes… mais Elena n'en avait cure : elle parle maintenant de fabriquer un matelas !

— Elle tient de toi, celle-là : rien ne la rebute », dis-je, avec une note mélancolique dans la voix et un sourire forcé qui n'échappèrent pas à mon amie. « Qu'as-tu, Moïrane ? Ton petit air penaud m'inquiète. Quelque chose de malencontreux est arrivé chez les Albains ? Est-ce avec le moine ? » Lisant sur mon visage le trouble que son interrogation avait soulevé, Ingrid prit ma main dans la sienne et la pressa tendrement. « Parle-moi : je peux tout entendre sans rien rapporter à personne. Tu sais cela, chuchota-t-elle en se penchant à mon oreille.

— Ma brave amie, il n'y a rien de ce qui s'est passé là-bas que je pourrai cacher bien longtemps à la communauté, lui répondis-je, en soupirant.

— Alors, raconte-moi, je t'écoute. »

Comme un barrage qui cède sous la pression des eaux, je livrai mon récit sans interruption, sans ambiguïté et sans lacune. Je narrai tout, du début de ma séquestration chez les Albains jusqu'à ma libération, quinze jours plus tôt. Si Ingrid fut scandalisée par l'épisode du concubinage avec Brude, elle n'en laissa rien paraître. Cependant, elle manifesta une joie sincère à me savoir enceinte. Lorsque je lui confiai la peine que Gunni m'infligeait en rejetant mon affection, Ingrid se fit rassurante : « Ne te tourmente pas inutilement, il va te revenir. Les hommes ont toujours l'orgueil prompt et la conciliation lente ; ton Gunni mieux qu'un autre parce que c'est un chef. » Sa remarque aurait pu me convaincre si je n'avais pas ressenti la douleur de mon bien-aimé comme la mienne propre. Je savais bien que mon infidélité bafouait davantage son amour de moi que sa fierté de chef.

«Allons, allons, Moïrane, ne fais pas une tête d'oie plumée comme ça: tu as un si joli minois quand tu souris…», glissa Ingrid, avec bonhomie. Cette fois, je m'inclinai devant son conseil et me ressaisis: je n'allais certainement pas reconquérir Gunni avec une mine chagrine.

La réunification des membres de l'expédition après la dure épreuve de l'hiver fut couronnée par un retour à l'optimisme et par la solidarité qui se manifestèrent dès notre première soirée. La paix entre les trois dirigeants, que les événements avaient passablement ébréchée, était le souhait de chacun de nous. Qu'on se réclamât du clan Gunn ou de l'équipage islandais, notre survie dépendait de notre capacité à nous accorder, de notre volonté à nous entraider et à concilier nos ambitions personnelles. Un projet pouvait souder l'entente parmi les hommes: la chasse à l'or blanc avec les Béothuks. Gunni le présenta avec beaucoup d'habileté en faisant valoir au frère Comgan l'occasion idéale pour lui de jeter les prémices d'une mission évangéliste chez les indigènes, en se joignant à l'expédition.

Assise avec mes compagnes et les trois enfants, je me réjouis de voir la conversation dériver sur ce sujet qui enflammait les hommes, car je redoutais qu'on ne s'attarde trop sur le récit épineux de mon séjour chez les Albains. Gunni, qui devait certainement partager ma crainte, parlait plus souvent qu'à son tour: il raconta sa portion d'aventure en laissant peu de place au frère Comgan pour relater la sienne. Ainsi, la question embarrassante responsable du froid entre Gunni et moi fut-elle éludée, ce soir-là, à mon grand soulagement. Chaque fois que mon regard croisa celui de Gunni, je m'appliquai à lui sourire, comme Ingrid me l'avait recommandé, mais, malheureusement, je ne fus pas payée en retour. Lorsqu'il posait les yeux sur moi, c'était pour les détourner aussitôt. Son visage se fermait et un grand soupir soulevait sa poitrine. Pour ignorer le serrement de mon cœur, j'affichais une attitude sereine en martelant mon esprit d'un message obsessif : « Je n'aime et n'ai jamais aimé que toi, Gunni. »

Le soleil était encore haut dans le ciel quand la petite communauté remonta de la plage avec les bagages des arrivants. Le coffre du frère Comgan fut transporté dans son ancienne chambre et les Islandais déposèrent leurs sacs dans leur logis, puis tous les membres de l'expédition au Vinland se rassemblèrent dans la salle commune de la longue maison. Y régnait une touffeur moite, provoquée par le brasier intense du foyer, qui chassa bientôt les hommes et les enfants dehors. Soulagé de laisser Moïrane avec ses compagnes retrouvées, Gunni sortit sur les talons de Markus. Fort désireux de montrer sa production, le forgeron entraîna la moitié du groupe vers la forge. Le moine se joignit à l'autre moitié, menée par Cinead au bout du site, puis les deux groupes se refondirent pour parcourir l'ensemble des bâtiments.

Dès les premiers échanges entre hommes, Gunni sentit une vague de sympathie à son endroit. Gudlaugson se tint coi et observateur, maintenant presque une attitude de subordination envers le chef du clan Gunn, calquée par son gendre et ses compagnons. En fin stratège, le moine manifesta la même réserve respectueuse, afin de ne pas se mettre à dos celui qui apparaissait manifestement, aux yeux de tous, comme le manieur d'hommes qui n'avait pas failli à sa tâche. À la façon d'un commandant qui inspecte un poste de garde, Gunni déambula dans Leifsbudir en écoutant ses compagnons lui présenter l'état des travaux entrepris depuis que les neiges avaient fondu. Plusieurs petits signaux, ici la quête de son assentiment, là l'approbation à ses commentaires, l'amenèrent à comprendre qu'il incarnait la nouvelle autorité à Leifsbudir.

Lorsque, à la veillée, Gunni prit la parole, le silence se fit et l'attention convergea vers lui. Dès cet instant, il sut que le pouvoir était entre ses mains, et que, désormais, ni l'Irlandais ni le capitaine islandais ne lui contesteraient le titre de chef d'expédition au Vinland. Ce sentiment jeta un peu de baume sur son cœur affligé. « Mes amis, des temps meilleurs nous attendent, dit-il. Les jours de disette sont enfin derrière nous. Tout repousse et reverdit sur la péninsule, les animaux reviennent et une belle chasse nous est offerte avec des habitants d'Alba qui acceptent d'être nos alliés. J'ai nommé les Béothuks du Rocher-de-l'Aigle. Avec ce que Markus a obtenu en battant le fer des marais, nous avons de quoi nous armer et nous pouvons enfin œuvrer à notre objectif premier. Ceci dit, Comgan, tu pourras continuer à servir ton évêque en nous accompagnant, car il y a autant d'âmes à convertir chez les indigènes qu'il y a de cailloux sur la grève. »

Ce discours, pour optimiste qu'il était, avait un grand effet rassembleur. Gunni le savait et il en usa résolument. Le temps et l'intérêt accordés à l'élaboration du projet de chasse se firent donc au détriment de la narration des péripéties hivernales des membres de la communauté, dont le rapport du religieux sur sa mission chez les Albains. Les mines distraites des auditeurs de Comgan le renseignèrent sur l'impopularité de son propos, qu'il abrégea d'autant plus volontairement qu'il se reprochait d'être à l'origine du désaccord entre le chef et son épouse. Ceux-ci, légèrement tendus, furent les seuls, avec Ingrid, à écouter le moine attentivement. Ce faisant, Gunni épia Gudlaugson et ses hommes, qui étaient tout aussi ennuyés que le reste de l'assemblée par ce que racontait Comgan, et il respira d'aise : «Que je sois cocu n'intéresse personne! Aucun d'eux ne songerait à s'en moquer», pensa-t-il pour apaiser son irritation. Puis, discrètement, il jeta un œil du côté de Moïrane. Leurs regards se croisèrent un bref instant avant que Gunni ne tourne la tête. Il eut cependant le temps de remarquer le sourire figé de son épouse et la petite veine qui battait sous sa tempe, en signe de nervosité. Il vit aussi la mèche de cheveux, sortie de la coiffe, bouger dans son cou au rythme de sa respiration. Gunni se crispa sous le choc que l'image évocatrice fit jaillir en lui : la peau fine à cet endroit, frémissant sous les baisers de l'amant albain. Une bouffée d'exaspération lui monta au visage et il fixa de nouveau son épouse, décidé à ne pas détourner les yeux le premier. Il lut une sorte d'affirmation tranquille dans le regard de Moïrane, qui le troubla. «Je n'ai jamais aimé que toi, Gunni», crut-il entendre, alors que les lèvres de la femme n'avaient pas remué. Désemparé, Gunni baissa le front et contempla ses mains qui se tordaient. «Pourquoi t'es-tu si bien donnée à cet homme?» se dit-il, avec détresse.

La journée avait été chargée d'émotions pour les habitants de Leifsbudir. Ingrid et Arabel se retirèrent tôt, avec les enfants accablés de sommeil. Les Islandais et le moine, également rompus, quittèrent l'assemblée sitôt après les femmes. Tandis que le jeune Neil, Markus, Jon et Karl, qui logeaient dans la salle commune, dressaient leur couche, Elsie, indécise, hésita devant la toile qui fermait la chambre. «Où vais-je dormir?» demanda-t-elle. Croyant qu'il lui incombait de répondre à la question, Moïrane allait ouvrir la bouche, mais elle fut interrompue par Gunni qui s'adressa directement à Elsie: «Tu partages la couche de Moïrane; moi, je vais dormir avec les hommes, ici. Vous serez plus à l'aise dans la chambre, les femmes et les enfants ensemble...» Le ton sec embua les yeux de Moïrane et surprit Cinead, qui s'apprêtait à passer dans l'autre pièce pour rejoindre son épouse. Il dévisagea son ami sans comprendre, puis, avec un haussement d'épaules, il emboîta le pas à Moïrane et à Elsie. «S'il en est ainsi, dit-il, je vais chercher mes fourrures: laissons les femmes entre elles, grommela-t-il.

— Rapporte mon couchage en même temps», dit Gunni, d'une voix radoucie.

La toile retomba derrière Cinead. Gunni fit le tour de la salle des yeux et avisa un espace libre sur les bancs dressés le long des murs, dans l'encoignure qui protégeait la porte. L'emplacement était loin de la fosse à feu et passablement obscur, mais il suffisait pour aménager deux couches, tête bêche. Il s'y dirigea sans enthousiasme, sous les regards indifférents de Karl, Markus, Jon et Neil, déjà enroulés dans leurs couvertures. Soudainement, la brusque décision de ne pas partager le lit de Moïrane écrasa Gunni de remords. Il se laissa choir sur le banc et enfouit son visage entre ses mains en s'admonestant, en son for intérieur: «Pourquoi diable ai-je dit ça? Qu'est-ce qui m'a pris?»

CHAPITRE XIII

LA DÉCHUE

La peine, bien plus que la présence d'Elsie à mes côtés, m'avait empêchée de dormir. J'attendis qu'elle quitte le lit pour me retourner et observer le lever des enfants, dont j'épiais le babillement joyeux depuis quelques minutes. Nu sous sa chemise élimée et debout au milieu de leur couche, Martein soulevait les draps pour découvrir Elena et la petite Vigdis qui s'agrippaient à l'étoffe en poussant des cris de plaisir. Les pieds courts et les jambes maigres du bambin m'émurent tout autant que les têtes blondes des fillettes, qui émergeaient des couvertures pour s'y replonger aussitôt. Malgré mon humeur triste et préoccupée, le jeu des enfants me tira un sourire attendri.

«Comment ça va? s'enquit Ingrid, avec bienveillance.

– Bien, bien», répondis-je, en essayant de me composer un air dégagé. Après un bref coup d'œil lancé en direction d'Elsie, qui s'habillait dans un coin de la chambre sans nous prêter attention, mon amie vint s'asseoir sur le lit. «Je suis sûr que ton mari regrette sa décision : c'était une maladresse de sa part, chuchota-t-elle.

— Je voudrais bien que tu aies raison, dis-je. J'ai l'impression de n'avoir pas dormi une heure, à force de ruminer son rejet.

— Il faut pourtant que tu te reposes, Moïrane, surtout en ce moment. Les premiers mois de grossesse sont les plus exigeants…

— Je le sais bien, hélas», soupirai-je. Ingrid me sourit et se leva promptement, comme si elle venait de trouver la solution à un problème. Avec des gestes énergiques, elle rassembla les couvertures d'Elsie et les transporta sur sa propre couche. «Qu'est-ce qu'il y a? Que fais-tu céans? fit Elsie.

— Tu vas dormir avec moi durant quelques nuits, en attendant qu'on t'aménage un lit», répondit Ingrid. Puis, sans se soucier de la réaction d'Elsie, mon amie se tourna vers ses fillettes qu'elle houspilla gentiment, tandis qu'Arabel tentait d'attraper son gamin pour l'habiller.

Elsie vint vers moi en ajustant son bliaud et, prenant un air doucereux, qui contrastait avec la mine revêche qu'elle affichait habituellement à mon endroit, elle s'enquit des raisons du soudain changement: «Ai-je trop remué dans mon sommeil, Moïrane? T'ai-je empêchée de dormir?

— Peut-être un peu, fis-je distraitement en sortant des draps.

— À moins que tu n'aies perdu l'habitude de coucher avec quelqu'un… Mais j'y songe: un homme a réchauffé ton lit durant tout l'hiver, tu n'as donc pas coutume de dormir seule.

— Tais-toi donc, insolente! Tu ne comprends rien à la situation que j'ai vécue là-bas, répliquai-je en me levant brusquement.

— Mais si, bien au contraire, poursuivit Elsie. Les aléas des expéditions nous contraignent, nous, femmes soumises, à satisfaire les besoins des hommes, qui sont toujours en plus grand nombre que nous sur les routes. Le libertinage est pratique courante pendant les voyages qui séparent les époux, et il n'y a rien à redire. Ton mari n'est pas fait différemment des autres hommes, ma chère, et il n'a certainement rien à te reprocher sur ta conduite chez les Albains…

— Qu'est-ce à dire ? sifflai-je, en la foudroyant du regard.

— Demande-le-lui : quinze jours de périple à travers bois, ton époux et moi, presque seuls avec ce Skrealing… Tout ce que je peux affirmer, c'est que mon veuvage ne l'a pas dérangé. »

La gifle retentit sur le visage d'Elsie avec une telle force que la paume de ma main en brûla, puis mon bras fut empoigné et je chus sur le lit. Folle de rage et vociférant, je cherchai à égorger l'impudente et elle, attisée par son fiel, me bourra les côtes de coups si durement que je dus lâcher prise pour protéger mon ventre. Si Ingrid et Arabel n'étaient pas intervenues afin de nous séparer, le conflit aurait certainement tourné au drame. Laquelle, entre moi et mon adversaire, en serait ressortie sauve ? J'aimai mieux ne pas y penser. Recroquevillée sur les draps, je repris mon souffle en pressant mes mains sur mon giron endolori, alors qu'Ingrid forçait Elsie à se tenir loin du lit et qu'Arabel bousculait les enfants vers la salle commune. Quand le pan de toile fut retombé derrière eux, j'entendis Ingrid gronder Elsie sur un ton agressif, ce qui me calma instantanément : « Je t'interdis de toucher à Moïrane, petite empoisonneuse, sinon tu vas me trouver sur ton chemin. Elle est grosse et vulné-rable et, foi d'Ingrid, personne ne lui cherchera noise, toi moins qu'une autre. Voilà pourquoi j'ai insisté pour qu'elle dorme seule. Maintenant, je ne veux pas d'histoi-res ici : compris ? Et ne t'imagine pas nous attendrir, moi ou Arabel, avec ton veuvage… » Dans les yeux d'Elsie, je vis passer une vague d'étonnement, qui laissa vite place à son animosité. Puis, d'un mouvement agacé des épaules, elle se défit d'Ingrid. La tête haute, Elsie se dirigea vers la porte, poussa la toile et sortit, sans avoir jeté un seul regard dans ma direction. Encore ébranlée par la que-relle, je me relevai péniblement et enfilai mon bliaud sur ma chemise, sans mot dire. Tandis que, les doigts trem-blants, je laçais les cordons de l'encolure, Ingrid s'appro-cha dans mon dos et tressa mes cheveux en une natte, silencieusement. Elle me tendit ensuite ma coiffe ; incapa-ble de prononcer une parole, je la remerciai d'un faible sourire. Elle y répondit avec un air d'une telle bonté que je faillis me réfugier dans ses bras en sanglotant.

Les préparatifs de la chasse occupèrent la conversa-tion des hommes pendant le repas matinal. Même si Gunni feignit d'ignorer la discorde qui avait éclaté dans la chambre des femmes, Cinead, Karl, Markus et Jon en furent affectés, sans néanmoins aborder le sujet. Seul le petit Martein claironna son intérêt pour ce qu'il appelait « la bataille des femelles » en rapportant inlassablement, et à grand renfort de qualificatifs belliqueux, ce qu'il avait entrevu de l'escarmouche. Lassée, Arabel lui intima de se taire, mais le bambin revenait à la charge quelques minutes plus tard, avec la même verve. Il fallut la poigne énergique et la voix bourrue de Markus pour convaincre l'enfant d'obéir. Les femmes apprécièrent l'intervention du forgeron et le lui signifièrent par des œillades reconnaissantes.

Neil était soucieux. Il appréhendait d'être mis à l'écart des chasseurs et obligé, par le chef ou par sa mère, de rester avec les femmes, à Leifsbudir. Bien que l'équipage n'eût pas encore été formellement constitué, il craignait d'être du nombre de ceux qui garderaient le poste pendant l'expédition de chasse au morse. Devinant ses inquiétudes, Markus se promit de lui parler. Dès que les hommes quittèrent la longue maison pour vaquer aux occupations du jour, Markus entraîna Neil à la forge pour le préparer à la décevante perspective qui l'attendait vraisemblablement. «Moi, je demeure à Leifsbudir, dit Markus, c'est décidé. D'ailleurs, je n'ai pas d'arme, puisque j'ai donné la mienne au chef Gunni. Karl ne va probablement pas partir, à moins que Cinead lui prête son épée. Mais ça m'étonnerait : en tant que gardien du poste en l'absence du chef, Cinead ne peut pas accepter d'être désarmé. Toi aussi, tu t'es fait chiper ton couteau par les Béothuks... c'est normal que tu restes.

— C'était un échange, pas un larcin, objecta Neil.

— Je veux bien, concéda l'homme. Cependant, à cette chasse-là, un couteau n'aurait pas servi à grandchose : ça prend une épée ou une hache. Tu ne sais manier ni l'une ni l'autre...

— Faux! Karl m'a montré à me battre avec une épée, au cours de notre voyage chez les Béothuks. Messire Gunni m'a même complimenté sur mon coup d'estoc, une fois. Et puis, j'ai déjà enferré* un loup qui nous pourchassait…

— Vraiment? Alors, il faudra me faire une démonstration de ton habileté, mon fils…

— Je ne suis pas ton fils, Markus, et tu n'es pas encore le mari de ma mère…», répliqua farouchement Neil. Voyant que l'homme accusait le coup durement, le garçon poursuivit sur un ton radouci: «… mais tu as le moyen de le devenir, si tu le veux.

— Je suis curieux d'entendre cela», grommela Markus, en s'emparant d'une pince pour se donner contenance. Tandis que Neil l'observait en gardant le silence, le forgeron suspendit l'outil à un crochet, en saisit un autre, qu'il replaça aussitôt, puis il s'activa à chauffer son foyer en y enfournant un fagot de branches sèches. «J'ai eu treize ans, fit Neil, après un moment. À cet âge-là, Herulf m'aurait armé s'il avait été encore vif. Il n'en tient qu'à toi de le faire à sa place, Markus… Tu es forgeron, alors fonds-moi une longue épée. Ce cadeau remplira ma mère d'aise, car elle reconnaîtra ta valeur par ce geste envers moi: la valeur d'un père.

— Honte à toi, Neil, fils de Herulf de Helmsdale, dit Markus, d'une voix sévère. Si ton cœur est à vendre, ne présume pas de celui d'Arabel. Je ne te fabriquerai pas d'épée, à moins que le chef Gunni le commande. Le fer que j'extirpe des marais est si précieux et si difficile à travailler que je le réserve pour les biens nécessaires. Ce n'est pas moi qui dois prouver ma valeur d'homme, ici, mais toi. Une arme, plus que tout autre objet, se mérite chèrement: sache cela!»

Malgré l'air outré qu'il affichait en quittant la forge, Neil se sentit vaguement indigne, car il n'était pas fier des propos qu'il avait tenus à Markus au sujet de sa mère. Il reconnaissait que l'homme avait eu raison de lui parler comme il l'avait fait. « Je veux bien mériter une arme, songea-t-il, mais je ne sais pas du tout comment y parvenir. Il me faut vite accomplir un exploit, sans quoi je vais rater l'expédition. » Résolu à se faire valoir rapidement, Neil se dirigea vers le knörr, là où il savait trouver le chef Gunni et le capitaine Gudlaugson.

Les deux hommes n'étaient pas seuls sur le pont du navire. Comgan, Jon, Anderss, Hans et les cousins Ketilson s'étaient entassés sur des coffres, en arc de cercle devant Gunni, qui se tenait debout, flanqué de Gudlaugson, qui s'appuyait au mât en lissant sa moustache. Le chef du clan Gunn entretenait l'assemblée des us et croyances des Béothuks, en soulignant leurs qualités de guerriers qui appelaient, selon lui, estime et respect. Avant de s'asseoir derrière le moine, au centre de la rangée, Neil nota l'absence de Karl et de Cinead. Il en déduisit que Markus avait vu juste dans la composition probable de la future équipée. « J'espère que je n'arrive pas trop tard », pensa-t-il, en se mordant les lèvres.

S'avisant de sa présence, Gunni le prit à témoin en lui demandant de commenter une ou l'autre information sur le campement des Béothuks et sur leur mode de vie. Neil s'enorgueillit de l'attention dont il était l'objet et, donnant plus qu'il n'était demandé, il commença à lancer, çà et là, des mots en langue béothuk, pour émailler le discours du chef. Bien que le manège agaçât ce dernier, Neil ne s'en rendit pas compte. « Je ne savais pas que tu connaissais le langage des Skrealings, jeune homme, fit Comgan en se retournant vers Neil.

– Si fait, mon père, répondit celui-ci, flatté. Je le comprends mieux que je le parle, mais tout est question de pratique, n'est-ce pas ?

– Certes, certes », répondit le moine, en reportant son attention sur Gunni. Comme l'exposé s'orientait vers les techniques de chasse, Comgan revint à Neil. Abandonnant son banc, il se glissa aux côtés du garçon, qu'il dévisagea avec pénétration. « Je décèle en toi un grand talent dont j'aimerais me servir, dit-il, à voix basse.

– Lequel ? fit Neil, interdit.

– Celui de truchement.

– Qu'est-ce à dire ? Le truchement de quoi ?

– Tu ois le Béothuk, moi pas. Or, j'aurai besoin d'un interprète chrétien pour communiquer avec cette tribu. Messire Gunni aurait pu m'aider, mais il accompagnera les chasseurs, alors que je resterai au village. Il est toujours préférable de commencer une mission évangélique avec les femmes, les enfants et les vieillards d'une communauté. Si tu remplis les fonctions de truchement chez les Béothuks, mon mandat sera grandement facilité. J'ai entendu que tu n'étais pas invité à prendre part à l'expédition ; mais tu as grand désir de l'être. Ai-je raison ?

– En effet : je veux participer à cette fameuse chasse, mais je ne possède pas d'arme, concéda prudemment Neil.

– Cinead croit que tu souhaites retourner au campement du Rocher-de-l'Aigle davantage pour y séjourner que pour faire la chasse avec les hommes de la tribu. C'est ce qu'il dit, du moins. Quel est ton sentiment là-dessus ? » Rouge de confusion, Neil tenta désespérément d'échapper au regard scrutateur, en se demandant jusqu'où étaient allées les confidences de Cinead, mais Comgan le tenait sous son emprise. Celui-ci posa une main ferme sur le bras du jeune homme et rapprocha son visage du sien. «Tes motivations sincères à te mêler aux Skrealings ne m'intéressent pas, Neil, dit le moine, d'une voix mesurée. Ce qui me séduit, par contre, c'est le rôle que tu peux jouer à mes côtés, un peu semblable au soutien que dame Moïrane m'a apporté chez les Albains. Si je le demande, sans l'exiger cependant, je parle au nom de l'évêque de Limerick et si tu acceptes, tu agis indéniablement comme un chrétien consciencieux de ses devoirs.

— Mon père, si vous arrivez à convaincre ma mère et messire Gunni de m'envoyer au camp des Béothuks avec vous, j'accepte très volontiers d'être votre truchement», répondit Neil, en balbutiant d'émotion. Le visage de Comgan s'épanouit d'un large sourire satisfait. D'une main tendre, cette fois, il tapota le bras du garçon. «Je ne vois aucune difficulté à obtenir ces permissions, mon fils», assura-t-il. Neil inclina la tête en signe de reconnaissance, autant pour échapper à l'examen du religieux que pour masquer son allégresse. «En voilà un autre qui m'appelle "fils", le deuxième de la journée, et l'heure de tierce n'est pas encore passée», songea le jeune homme, avec humour.

Durant l'interminable jour suivant celui de notre arrivée à Leifsbudir, je n'arrivai pas à m'isoler avec Gunni, malgré mes efforts répétés dans ce sens. Il passa son temps en palabres sur le knörr de Gudlaugson avec les hommes. Même le frère Comgan ne fit que de brèves apparitions dans la salle commune, pour manger et pour dire les prières, avant de retourner au bateau avec empressement. Par contre, l'assiduité de Markus à son enclume, la présence de Karl dans les champs et la sortie en mer de Cinead avec ses filets nous informèrent, mieux que toute autre annonce, que c'était là les seuls effectifs mâles dont les femmes bénéficieraient au campement pendant l'expédition des chasseurs. Le cas du jeune Neil, incertain jusqu'à none, fut réglé entre le frère Comgan et Arabel, autour de nos marmites. Notre amie, qui n'était pas de taille à s'opposer aux désirs incontournables du religieux, dut lui céder son fils, requis pour faire office de truchement avec les Béothuks. Bien qu'Ingrid et moi doutions de la maîtrise de la langue indigène par le jeune homme, notre opinion était de peu de poids face aux desseins du moine. Nous ne pûmes seconder Arabel avec cet argument en nous immisçant dans la discussion. De nouveau, je reconnus le pouvoir subtil et inflexible du frère Comgan en matière de persuasion.

À vêpres, lorsque la communauté réintégra le logis, il n'y avait plus de tergiversation quant à la sélection des membres de l'expédition. Apparemment, chaque homme, qu'il parte ou reste, y trouvait son compte. Mais, du côté des femmes, le choix de Cinead, Karl et Markus comme gardiens de Leifsbudir, ne nous comblait pas toutes. Arabel aurait préféré retenir son fils, et, de plus, elle demeurait ambivalente face à la présence de Markus dans les parages ; Ingrid se désolait du nombre insuffisant de bras masculins laissés au poste alors que tout était à faire en cette période de l'année ; et l'insupportable Elsie eut le culot de se plaindre de la séparation d'avec Gunni, qu'elle appelait exagérément «son sauveur» et qui, selon elle, aurait pu se faire remplacer par Karl afin de prendre un repos bien mérité.

Sur ce point, j'aurais peut-être été encline à partager son avis, mais je connaissais trop l'importance du rôle joué par Gunni dans ce projet pour concevoir qu'il ne le dirige pas. En outre, je trouvais excessive la hâte du frère Comgan à repartir en mission, alors que les besoins spirituels de notre communauté étaient peu ou pas comblés. J'avais cru que les travaux de Cinead pour aménager une chapelle auraient retenu le moine quelque temps, mais hélas, il était aussi avide d'âmes à sauver que Gudlaugson était vorace d'or blanc à accumuler.

Au repas du soir, je ne sais pourquoi, Elena et Vigdis s'étaient mis en tête de m'accaparer. Elles rivalisèrent de gentillesse à mon endroit, s'offrant à m'apporter à boire ou à manger avec une ténacité émouvante. Elles se pressèrent à mes côtés au point de me gêner dans mes mouvements et de s'asseoir sur les pans de mon bliaud. Ainsi, je ne pus ni côtoyer Gunni, ni le servir comme je le faisais normalement, et c'est avec grand déplaisir que je vis Elsie s'acquitter de cette tâche, à l'autre bout de la table. Lorsque je fus enfin libérée de la présence des fillettes, que leur mère menait au lit, je décidai de reprendre mes droits sur mon mari.

Après avoir replacé la table au fond de la pièce, Gunni s'installa sur un banc de mur avec Anderss et Hans. Ensemble, ils parlaient d'armes en soupesant des haches de guerre et des épées. Ayant repéré Elsie, affairée à nettoyer les écuelles au fond de la salle, je rejoignis Gunni.

«Veuillez m'excuser, dis-je en souriant aux Islandais, je dois m'entretenir avec mon mari.» Puis, tendant le bras dans sa direction, je lui demandai de m'accompagner dehors. Il déposa la hache qu'il inspectait, fit une mimique contrite à Hans et Anderss et se leva. Prenant ma main offerte, il me suivit. Nous sortîmes dans la fraîcheur du soir, sans prononcer un mot. Désireuse de n'être pas dérangée par les hommes qui venaient se soulager contre la dépendance, souvent deux par deux, comme s'ils devaient pisser devant témoin, j'entraînai Gunni vers l'extrémité de la colline. Au fur et à mesure que nous nous éloignions de la longue maison, le bruit des voix s'estompait et le silence entre nous prit une épaisseur gênante. J'inspirai à fond pour réprimer ma nervosité et resserrai la pression de mes doigts sur la main de Gunni. L'air était particulièrement vif et un reste de clarté pâlissait encore le ciel en donnant aux objets un contour flou. Quelques étoiles piquetaient déjà la voûte céleste et je m'arrêtai pour les contempler.

Gunni retira sa main de la mienne et tourna la tête vers la longue maison, avec un air irrité dans lequel je décelai de l'impatience. «J'espère que tu n'avais pas l'intention de m'ennuyer avec l'altercation de ce matin entre toi et Elsie, fit-il, sur un ton sec. La pauvre fille a plus d'une raison d'être irritable : il faut la comprendre et la tolérer.» Je refrénai la révolte que la remarque soulevait en moi et je rassemblai mon courage pour répondre. «J'ai autre chose en tête, Gunni. Je veux savoir pourquoi tu ne veux plus partager la couche de ta femme, dis-je. Est-ce que je te répugne ?

— Non, fit-il, contrarié.

— Préférerais-tu dormir avec une autre ?

— Moïrane, enfin, où veux-tu en venir ?

— As-tu couché avec Elsie ? lâchai-je.

– Pas exactement… Il m'est arrivé de la caresser, une ou deux fois, mais je ne l'ai pas prise, comme l'a fait l'Albain avec toi », répondit-il, en me jetant un regard lourd de reproches. Cet aveu, qui aurait dû me rassurer, eut l'heur de m'insulter. « Ainsi, pensai-je, la démone n'a pas menti : elle a coqueliné avec Gunni durant leur voyage. » Le dard qui me transperça le cœur, à cet instant précis, me coupa le souffle. De façon irréfléchie, je m'en pris à Gunni, dont je martelai la poitrine en geignant. « Pourquoi avoir agi comme cela ? Pourquoi ? Je te croyais amoureux de moi… comme moi je l'étais de toi. Cette sotte d'Elsie, cette étourdie… qui ne souhaite rien d'autre que de m'humilier devant le clan ! Comment as-tu pu ? » Excédé, Gunni m'empoigna par le bras et reprit notre avancée vers la limite nord du site. « Je n'ai rien à t'expliquer, Moïrane, dit-il, en marchant. D'ailleurs, je doute que tu veuilles comprendre. Il ne s'est rien passé de sérieux entre Elsie et moi, du moins, de mon point de vue. Je ne sais pas ce qu'elle t'a raconté, mais j'espère que, des deux versions, tu choisiras la mienne.

– Je suppose que tu vas me dire qu'en la cajolant tu pensais à moi, sifflai-je, choquée.

– Nullement ! En fait, tu ne m'as pas traversé l'esprit à ces moments-là. Je n'ai pensé qu'à moi, à mon plaisir, à ma détente. Un homme traqué, épuisé et angoissé trouve un délassement nécessaire dans ce qui est à portée de sa main…

– …et maintenant que tu es en sécurité, tu n'as plus besoin de t'ébattre, bien sûr : tu préfères me tenir loin de la portée de ta main… D'abord sur le knörr, où tu as soigneusement maintenu tes distances, puis ici, en allant coucher dans une autre pièce. Ai-je mérité que tu me fuies comme une pestiférée ?

— Tu exagères, Moïrane : je ne te fuis pas… », grommela-t-il.

Chemin faisant, nous avions atteint l'emplacement de la future chapelle, une maison carrée, sans toit. Les parois de briques de tourbe montaient à hauteur d'homme et une porte permettait d'y pénétrer. Laissant mon bras, Gunni me précéda dans le lieu humide, plongé dans la pénombre. Il fit mine de l'examiner durant une minute, puis il alla s'écraser dans un coin, sur le sol herbeux, en soupirant comme un condamné soumis à la question. Nullement démontée par son attitude peu engageante, je m'accroupis à ses côtés et repris ma plaidoirie, sur un ton plus modéré. « Tu penses que j'exagère, c'est bien cela ? Tu trouves tout à fait normal d'éviter le moindre contact avec moi, jusqu'au plus insignifiant frôlement de nos tuniques ; tu t'évertues à me répondre du bout des lèvres quand je te parle et tu t'organises pour ne plus fréquenter notre lit. Comment dois-je interpréter ce comportement ? Admettons que j'accepte tes explications sur ton aventure avec Elsie…

— Tu vas les admettre, coupa Gunni, comme j'admets ton infidélité avec Brude !

— Vraiment ? Tu l'admets ? Donc, tu me pardonnes, alors. Voilà une excellente nouvelle qui devrait sceller définitivement notre réconciliation ! fis-je, avec emphase.

— Je ne te pardonne pas encore, Moïrane. De toutes les règles chrétiennes, c'est sûrement celle de l'union exclusive des époux qui a été la plus difficile à comprendre pour moi et celle sur laquelle tu as tellement insisté en voulant ma conversion. Pourtant, c'est toi, la première qui violes ce commandement. Cet accroc à ma confiance continue de me miner. Chaque fois que je te regarde, je me sens doublement trahi : comme homme et comme chrétien… »

Gunni se tut brusquement, interrompu par un bruit de pas sur le sol caillouteux et un appel lancé à voix basse, tout près de nous. Nous reconnûmes Elsie par son intonation. Elle nous cherchait et avait probablement repéré l'endroit où nous nous étions réfugiés. Fort contrariée, je m'attendais à la voir apparaître d'un instant à l'autre dans la chapelle et je tentai de percevoir le sentiment de Gunni dans son expression, mais il faisait trop noir pour que je distingue bien son visage. Il tourna la tête vers la porte et son profil se découpa dans la faible lueur jetée par la lune. Cette vue, je ne sais pourquoi, me chavira. Profondément troublée par son aveu, je fus incapable de poursuivre ma plaidoirie. Une impulsion me poussa soudainement vers lui, vers son front tourmenté, vers ses yeux douloureux, vers ses lèvres crispées dans sa moustache. Sans réfléchir, je saisis sa tête et embrassai sa bouche avec avidité. Il répondit à mes avances immédiatement et nos langues se cherchèrent. Les baisers que nous échangeâmes enflammèrent nos sens, nous pressant l'un contre l'autre avec fièvre. Je perdis vite contact avec la réalité et oubliai la présence de l'intruse aux aguets. Je m'abandonnai entièrement à l'ardeur de Gunni à me prendre.

Il me bascula dans l'herbe, me couvrit de son corps avec fougue et troussa mes jupes d'une main empressée. La précision de ses caresses à mon entrejambe, la volupté de sa bouche dévorant la mienne et l'odeur fauve émanant de son col me firent trembler d'excitation. Quand son vit durci frôla mon intimité, je m'agrippai à ses épaules en criant son nom. Il me pénétra d'un seul coup, puis, ahanant, il me besogna puissamment. Il atteignit vite le paroxysme de sa jouissance alors que j'étais encore tremblante de désir. Tandis que Gunni roulait sur le côté, je tournai la tête en direction de la porte, mais ne vis nulle trace d'Elsie. Avait-elle surpris nos ébats? Je me pris à l'espérer. Pendant que Gunni refermait ses braies, étendu sur le dos, je me redressai et lissai mon bliaud sur mes jambes en souriant. «Dormirons-nous dans le même lit, maintenant? demandai-je, pleine d'espoir.

– Ce n'est pas nécessaire. L'arrangement, tel que je l'ai fait, est adéquat pour tous. Inutile d'en changer, répondit-il.

– À ta guise, je n'insiste pas. Mais il faudra recommencer cet agréable divertissement tous les jours, jusqu'à ce que tu partes. Il me faut ramasser une grosse provision de caresses pour affronter une nouvelle séparation de toi, mon bien-aimé.

– Tu l'auras, ne t'inquiète pas», fit-il en se levant.

Le ton de Gunni était trop désinvolte et ses manières, trop dégagées pour que je clame victoire et croie qu'il était redevenu instantanément l'amoureux transi qu'il avait été avant notre froid. Je compris alors que ma déloyauté poursuivait son œuvre de sape dans notre amour. «Constance et persévérance, Moïrane : les fruits tombent quand ils sont mûrs», pensai-je, pour me rassurer. Pendue au bras de Gunni, je regagnai la longue maison. À notre entrée, les conversations s'atténuèrent et plusieurs regards se levèrent vers nous. Je notai l'air renfrogné d'Elsie et le sourire de connivence d'Ingrid, à laquelle je fis un petit signe de triomphe en hochant la tête. Ce mouvement furtif n'échappa pas à ma rivale, ce qui me satisfit doublement.

Le 5 juin, le knörr hissa sa grande voile carrée, qui se gonfla en grondant, et il sortit de l'anse de Leifsbudir, sous un soleil de plomb. Accrochés aux plats-bords, les boucliers colorés, dont les umbos* rutilants miroitaient, rehaussaient l'allure déjà superbe du navire. Ses entreponts étaient chargés de barils, de coffres, de cordages et d'armes, et le plancher de chêne craquait sous leur poids à chaque roulement de houle. À la poupe, cheveux au vent et tunique battante, Gudlaugson et Gunni discutaient de la carte de la côte est de l'île Alba, que leur avaient dressée Markus et Karl avant le départ. Ce faisant, le capitaine manœuvrait le gouvernail et le chef du clan Gunn tenait l'espar de cordage, prêt à le tendre selon ses instructions. Dans le coin dégagé autour du mât, le jeune Neil pratiquait l'escrime avec Jon ; sous l'auvent, Comgan lisait les prières du jour à voix haute, le nez plongé dans son livre saint ; Anderss, Hans et les cousins Ketilson, heureux comme des enfants récompensés, blaguaient en norrois tout en ramant avec mollesse. Lorsque le plein-vent du large prit la relève pour propulser le navire, Gudlaugson ordonna de rentrer les rames ; les quatre Islandais les retirèrent des trous de nage et les rangèrent le long des bancs, sur lesquels ils s'installèrent ensuite pour se prélasser.

Durant une bonne partie de la journée, le knörr courut le vent en poupe et franchit la moitié du trajet menant à la baie du Rocher-de-l'Aigle. Se frayant un chemin à travers des bancs d'icebergs dont certains, majestueux, dépassaient la hauteur de son mât, le navire vogua longtemps, même durant la première partie de la nuit où une pleine lune éclaira sa route. Puis, on jeta l'ancre et l'équipage se pelotonna dans ses fourrures pour prendre quelques heures de repos. Quand le ciel se mit à pâlir à l'horizon, les hommes se réveillèrent et virent poindre, au fond de la baie, un groupe de huit canots. Gunni eut tôt fait d'identifier la tribu des Béothuks. Il en informa Gudlaugson qui, le visage chiffonné par le trop bref sommeil, s'échina à scruter les eaux, sur lesquelles il distingua à peine huit points noirs. «Ce sont nos alliés que voilà, annonça le chef Gunn. Nonosyim est dans le bateau de tête et j'aperçois beaucoup de lances à leur bord.

— Ils viennent à notre rencontre, fit Gudlaugson, c'est bien! Nous n'aurons pas besoin d'aller jusqu'à leur village et nous pourrons filer immédiatement vers le territoire de chasse.

— Plaît-il, messires? intervint Comgan, qui les avait rejoints sur le pont. Vous devez d'abord me déposer à terre avec Neil avant d'entreprendre votre équipée de chasse: ne l'oublions pas.»

Cette opération s'avéra inutile. Afin de s'assurer une bonne compréhension de leur entente, le chef Nonosyim s'était fait accompagner de la jeune Oubee pour entamer les premiers échanges avec son vis-à-vis écossais. Celle-ci était suivie par une rameuse d'escorte, et les deux femmes devaient retourner au village à la fin des pourparlers. Par la suite, pour communiquer avec les étrangers, Nonosyim comptait sur les connaissances en langue béothuk de Gunni. La rencontre entre les deux groupes, sans pouvoir être qualifiée de chaleureuse par les Islandais, fut néanmoins amicale. Les chefs eurent des échanges nourris qui débouchèrent rapidement sur l'acceptation de la mission de Comgan et de Neil au village. Ceux-ci furent autorisés à prendre place à bord du canot conduit par la jeune Oubee et son imposante compagne. Ainsi, une heure à peine après la rencontre entre les Béothuks et les gens de Leifsbudir, le départ pour la chasse à l'or blanc était lancé.

Alors que le soleil montait en embrasant de rose l'immensité océanique, les sept embarcations d'écorce se formèrent en colonne pour précéder le navire vers la haute mer. Assis au milieu du huitième canot, faisant dos à la matrone béothuk qui ramait à la pince arrière, Comgan surveillait l'éloignement du knörr en regardant par-dessus son épaule ; tandis que Neil, assis devant le moine, contemplait avec ravissement les deux nattes noires qui se balançaient sur les reins de la jeune fille, occupée à ramer à l'avant du canot. Le religieux, ainsi que le jeune homme, étaient tous deux remplis d'attentes face à leur prochain séjour au village indigène, mais ce n'était pas les mêmes.

À cette heure-là, au poste de Leifsbudir, une nouvelle journée commençait. Quatre femmes, trois enfants et trois hommes se réveillèrent au son de la marée montante dans la longue maison qui leur parut, en comparaison des derniers jours, particulièrement vide. Cinead, Karl et Markus sortirent ensemble pour se soulager en parlant de leurs travaux, le nez en l'air pour évaluer la température. Soudain, Markus fit signe à ses compagnons de se taire. À l'orée de la forêt, une femelle renne et son petit broutaient paisiblement. «Ces animaux ne s'aventurent pas jusqu'ici, d'habitude, chuchota Karl. L'étroitesse de la péninsule rend leurs incursions dans les parages trop risquées. À mon avis, ils ont perdu le troupeau ou en ont été isolés par des prédateurs.

— Qu'est-ce qu'on fait, les gars, on les attrape? fit Cinead.

— C'est une idée, je vais tenter de m'approcher un peu plus», murmura Markus, en suivant les deux bêtes du regard.

Cinead et Karl allèrent dans la longue maison prendre arcs et flèches et du cordage et ils rejoignirent Markus. Ce dernier, comme un traqueur à l'affût, s'était avancé à couvert dans la lande, puis posté derrière un bosquet de jeunes sapins. Les deux hommes se glissèrent à côté de leur compagnon, en prenant garde de ne pas entrechoquer leur matériel. «La mère est blessée, dit aussitôt Markus. Regardez sa patte arrière, comme elle est abîmée. Je doute qu'elle puisse courir avec cette blessure-là.

— C'est une vieille femelle, remarqua Karl. Mais, à voir la taille de son veau, elle doit donner encore beaucoup de lait.» À ces paroles, Markus tourna la tête vers son compatriote en plissant les yeux. «Penses-tu à la même chose que moi, Karl?

— Il se pourrait bien», fit celui-ci, en souriant. S'adressant à Cinead, qui manifestement ne comprenait pas leurs propos, Karl ajouta: «Laisse les arcs ici, Cinead: on va cueillir la bête au licou. Ce n'est pas sa viande ou sa peau qui nous intéresse, mais son pis… On va la traire comme les grands-mères le font dans le Nord de la Norvège.»

L'animal offrit une plus grande résistance que prévu et faillit s'échapper à travers bois, obligeant les trois hommes à s'esquinter à la course pour lui couper cette retraite. Ils la saisirent finalement, au milieu du champ qui avait été le pâturage des vaches à l'automne, et ils la firent tomber pour l'entraver au niveau des genoux. Les cris de la poursuite avaient chassé le veau apeuré et alerté les femmes et les enfants dans la longue maison. Ces derniers, à peine vêtus, accoururent pour voir le spectacle. «Voilà du lait, les enfants! s'écria Markus.

— Mais ce n'est pas une vache, ça! s'exclama le petit Martein.

— Non, mais c'est une femelle qu'on peut traire parce qu'elle a un petit, répondit Karl.

— Pouah! Je ne boirai jamais de ce lait-là, grimaça Elena.

— Tu aurais tort, reprit Karl. Le goût est presque le même que celui de la chèvre, et d'ailleurs, le fromage qu'on peut fabriquer avec est meilleur!

— Si c'est une maman, Markus, où est son bébé? s'inquiéta la petite Vigdis.

— Quelque part dans le sous-bois. Ne vous en faites pas, les enfants, vous allez le voir revenir, surtout si vous vous cachez...», suggéra le forgeron.

Fort désireux de découvrir le bébé renne, les enfants se précipitèrent derrière une petite butte, à quelques yards de la femelle, couchée sur son flanc. Satisfaits de l'opération d'entrave, à laquelle l'animal n'avait pas eu l'énergie de faire obstacle, les hommes s'éloignèrent de plusieurs pas afin de lui permettre de se remettre debout. La poursuite et la blessure avaient épuisé la bête, car elle fut longue à se relever. Quand elle eut réussi, elle n'essaya pas d'avancer, mais demeura sur place en jetant un regard ahuri de tous côtés, à la recherche de son veau. « Je ne pense pas me tromper en disant que cette femelle apprécierait une étable douillette, bien pourvue en eau et en fourrage. En tout cas, elle ne semble pas vouloir fuir, nota judicieusement Karl.

– Retirons-nous, proposa Markus, et laissons son rejeton la retrouver. Quand il sera assez proche, nous le capturerons : on devrait en tirer un excellent rôti. Ensuite, nous mettrons la femelle dans l'appentis. Ce sera plus pratique pour les femmes de la soigner et de la traire. »

J'avais déjà entendu parler d'élevage de rennes pour leur lait, mais je ne l'avais jamais vu pratiquer. Certains récits de voyageurs normands en faisaient mention, et je me souvins qu'ils qualifiaient tous d'imbuvable le liquide obtenu. Mais l'initiative de Karl et de Markus était trop touchante pour ne pas l'encourager. Que serait, en effet, le souci de nourrir et traire la bête pendant quelques semaines ? Si l'expérience échouait, il nous resterait l'option de faire boucherie. Connaissant le dégoût d'Elsie pour les animaux sauvages, je pensai à lui confier cette tâche et à mandater les fillettes comme jeunes apprenties laitières. Comme les petites s'attristaient qu'on tue le veau, elles auraient l'occasion de reporter leurs ferveurs sur sa mère. Ainsi escortée, Elsie ne pourrait faillir à son devoir. Je soumis mon idée à Ingrid avant de la considérer comme une décision. « Je peux fort bien m'acquitter de cette besogne, Moïrane. Pourquoi imposer cela à Elsie ? me dit Ingrid.

— Nous avons déjà toutes nos travaux ici. Elsie se rajoute à notre groupe et a grand besoin de s'occuper. Nous lui avons indiqué une place pour dormir, maintenant nous lui désignerons une place pour s'activer, répondis-je.

— Moïrane, ne laisse pas la rancune te conduire et dicter tes jugements», murmura mon amie.

Ingrid avait-elle raison de parler de rancune envers Elsie? Grâce au réchauffement apparent entre moi et Gunni, j'avais retrouvé mon aplomb au sein du clan ainsi que mon ascendant d'épouse de chef. Arabel et Ingrid me témoignaient toujours le même appui et la même confiance que jadis, et elles m'avaient remis, sans réticence, la direction de la maisonnée, ce que, bien sûr, Elsie n'avait pas osé contester. Il n'en demeurait pas moins que la jeune veuve m'ignorait ostensiblement, me maudissant probablement de l'avoir écartée de Gunni en prenant avec lui l'initiative de nos étreintes. Désœuvrée, Elsie errait sur le site ou s'isolait dans un coin de la salle en affichant un air morose et alangui qui m'horripilait. Était-ce de la rancune que j'éprouvais, comme le supposait Ingrid? Peut-être. Mais, au fond, je n'en avais cure. L'oisiveté d'Elsie était insupportable, et ce, pas seulement pour moi, mais aussi pour mes deux compagnes. Il n'y avait que Gunni pour s'émouvoir du malheur de l'effrontée, mais je crois qu'il s'apitoyait davantage sur la disparition de son ami Pelot que sur l'esseulement de sa veuve. Depuis le départ de mon mari, la veille, j'avais cessé de m'inquiéter de l'attachement immodéré de la garce pour son «sauveur». L'objet des soupirs d'Elsie n'était plus présent à Leifsbudir et il fallait passer à autre chose, se remuer. La vie de colon n'est pas une récréation et la rêverie y occupe le moins de place possible. Notre compagne retrouvée devait le comprendre rapidement et, rancune ou pas, j'avais la ferme intention de la mettre au travail.

Je sortis de la maison, à la recherche des fillettes. Je les trouvai près du ruisseau, où les hommes avaient dressé un étal pour faire boucherie. La carcasse du petit renne y était déposée de façon à ce que le cou pende, afin de faciliter la saignée. Alors que Martein se pressait à une extrémité de la table pour ne rien manquer, Elena et Vigdis avaient pris position de l'autre côté, là où leur vue était obstruée par le dos des hommes. Pétrifiées, elles se tenaient la main, signe qu'elles étaient très troublées. «Elena, Vigdis, hélai-je, venez ici : j'ai un beau projet pour vous!» Elles me rejoignirent en sautillant, probablement heureuses d'échapper au carnage. Les entraînant aussitôt vers l'étable, je leur dévoilai mon plan avec enjouement et douceur. «Maintenant, les filles, il faudra bien s'occuper de la maman. Vous ne voudriez pas qu'elle ait du chagrin d'avoir perdu son bébé, n'est-ce pas?» Elena et Vigdis me dévisagèrent d'un air grave en hochant faiblement la tête, en signe de dénégation. «Alors, dites-moi : que faisons-nous pour atténuer la peine de quelqu'un qu'on aime? demandai-je.

— On lui donne des gâteries, dit fermement Vigdis.

— On la cajole, ajouta sa sœur.

— On peut aussi lui chanter une berceuse, reprit Vigdis, sur un ton plus gai.»

Nous arrivâmes au réduit et nous nous arrêtâmes sur le seuil. Une forte odeur d'éjections nous saisit à la gorge et les fillettes se retournèrent contre mes jupes pour se masquer le nez. L'animal avait été attaché par le col à la mangeoire et il nous faisait dos. L'une de ses pattes arrière était endommagée : un liquide jaunâtre suintait de la plaie et coulait jusqu'à son pied. Son arrière-train et sa queue étaient pourvus de longs poils blancs striés d'un gris bleuté, que j'imaginai soyeux au toucher. La même fourrure garnissait son encolure en auréolant sa face et son museau impressionnant, tout noir et luisant. « Voyez, les filles : la maman renne nous a entendues arriver », dis-je, comme la bête tournait la tête dans notre direction. La vieille femelle n'aurait pas pu afficher un air plus accablé qu'en cet instant. De ses gros yeux bruns coulait un regard tellement triste qu'il était impossible de lui tenir rigueur de l'odeur fétide qu'elle dégageait.

« Oh, dame Moïrane ! s'émut Elena. Je crois qu'elle va pleurer...

— C'est bien possible. Je vois que vous comprenez bien notre pauvre renne, en ce moment, et que vous voulez, toutes deux, l'aider.

— Oui, oui », s'écrièrent ensemble les petites, que toute frayeur ou dédain avait abandonnées. « Ainsi, vous voulez la consoler en lui donnant à manger, en la caressant et en chantant pour la distraire ? Aimeriez-vous en prendre soin ? Je suis sûre qu'elle serait amicale avec des petites filles charmantes comme vous...

— Vous resteriez avec nous, dame. C'est dangereux et difficile de s'occuper d'une aussi grosse bête que celle-là. Voyez ses cornes, fit Elena, d'une voix docte.

— Je ne pourrai pas rester avec vous, dis-je, je n'ai pas le temps, mais je connais quelqu'un qui serait très efficace dans cette tâche. Je soupçonne qu'une maman qui a déjà vécu la perte d'un bébé est la meilleure personne pour compatir au malheur du renne, une maman comme Elsie, par exemple. Vous vous rappelez bien qu'Elsie attendait un bébé à Helmsdale et qu'il est mort?

— Moi, je m'en souviens, affirma Elena. De plus, Elsie a perdu le papa de son bébé, exactement comme notre pauvre maman renne qui est toute seule avec son veau.

— Allons quérir Elsie pour lui demander de nous aider», s'exclama la petite Vigdis, avec des yeux ronds comme des umbos. Je souris de satisfaction: mes petites ambassadrices auprès d'Elsie feraient tout le travail de persuasion à ma place. En présentant le projet sous l'angle maternel, elles rendraient ma décision moins rebutante, à défaut d'apparaître excusable aux yeux de notre jeune veuve languissante. Nous détournant de l'étable, nous partîmes, moi et les deux fillettes, à la recherche de la future laitière de Leifsbudir.

Chapitre XIV

L'heureuse

Depuis la pierre plate surplombant le ruisseau, sur laquelle je m'installais toujours pour puiser l'eau, j'observai le vol des oiseaux de mer au-dessus de la plage. Bien qu'ils aient repéré les claies à poisson, les volatiles ne se décidaient pas encore à atterrir. La semaine précédente, ils avaient fait un ravage dans les morues qui finissaient de sécher, en emportant près de la moitié du lot. Pour éviter un nouveau saccage, Cinead avait fabriqué un auvent léger en lattes d'écorce, perméable au vent et aux rayons du soleil à son zénith. Je constatai que la protection s'avérait efficace, sinon contre les mouches, du moins contre les goélands. En effet, après avoir survolé l'emplacement occupé par les échafauds de séchage, les oiseaux se déplacèrent peu à peu au-dessus de la baie pour s'adonner à la pêche : à défaut de chiper une nourriture raidie, ils obtiendraient des morceaux moelleux en besognant davantage.

Satisfaite, je repris mon seau plein et regagnai la longue maison. En entrant, j'allai verser l'eau dans le tonnelet près de la table où s'affairait Ingrid. Je lui fis part de mes observations : « Cette fois, les oiseaux ne toucheront pas au poisson séché, Ingrid : l'abri que Cinead a construit les en dissuade parfaitement.

— Je m'en réjouis, dit-elle. Karl n'aime pas pêcher pour le bénéfice des chapardeurs ailés... On le comprend : la tâche est déjà longue et fastidieuse en mer, si la moitié de ses prises font l'objet de rapine, c'est décourageant !

— Il n'y a pas un homme sur terre moins découragé que Karl, fis-je. Toujours à siffloter ou à blaguer : quelle agréable humeur que la sienne !

— Nous avons tous une humeur extrêmement agréable à Leifsbudir, chère Moïrane, ne l'as-tu pas remarqué ? D'ailleurs, je te demande comment il en serait autrement avec ce soleil radieux qui nous sourit du matin au soir ! » Ingrid avait entièrement raison. L'expédition de chasse avait quitté le poste depuis deux semaines et la température clémente se maintenait invariablement, jour après jour. Elle nous ravissait tous et faisait planer sur la communauté une aura d'enchantement. Pour ma part, je n'avais pas vu le temps passer, tellement il y avait de travail à accomplir en cette saison. Comme mes compagnons et compagnes, je plongeais tête baissée dans les corvées, sans en subir le contrepoids de fatigue.

Chaque soir, en rentrant, les hommes s'extasiaient d'avoir abattu le double d'ouvrage sous le soleil que s'ils avaient dû composer avec la pluie. Markus, quand il n'était pas à la forge, passait de longues heures à écumer les marais à la recherche de mottes de fer ou à bûcher dans les bois avoisinants. Karl pêchait ou faisait la chasse au petit gibier. Cinead ne quittait jamais le site : s'il n'œuvrait pas aux champs, il poursuivait les travaux d'aménagement de la chapelle et des autres bâtisses, en conformité avec les plans qu'il avait dressés avec Gunni afin de rendre le poste de Leifsbudir parfaitement fonctionnel pour la prochaine année. Le petit Martein le suivait pas à pas en babillant et, pour lui plaire, Cinead lui faisait porter des outils ou tenir une pièce de bois qu'il mettait en place. L'enfant s'enorgueillissait de chaque attention de l'homme à son endroit et proclamait son titre d'apprenti menuisier de Leifsbudir à qui voulait l'entendre.

Dans la longue maison, je régnais en maîtresse, sans opposition. Les femmes se fiaient entièrement à moi pour voir à la tenue de la salle commune et à l'entretien des instruments et chaudrons de la cuisine, et pour commander à Markus la réparation ou la fabrication d'outils. Je veillais également à l'approvisionnement en eau et en bois et à la répartition des tâches ponctuelles qui nous incombaient dans le logis. Pour cet exercice, Ingrid était mon bras droit, en plus d'être notre cuisinière attitrée. La délicate responsabilité de la gestion des denrées était son apanage et elle s'en acquittait d'une façon si adroite qu'on avait l'impression que Karl chassait et pêchait sous ses ordres. Mon amie passait de moins en moins de temps avec ses fillettes qui, à cause de leur présence à l'étable, étaient passées sous l'autorité d'Elsie. Cette dernière, contre toute attente, avait véritablement pris goût à son rôle de laitière et à la compagnie de ses mignonnes assistantes. Elsie tenait de sa mère une grande partie des connaissances du métier, lesquelles lui revenaient avec d'autant plus de précision qu'elle avait la passion des laitages et une disposition à la gourmandise. Pour elle aussi, les rayons du soleil étaient un bienfait dont elle ne voulait rien perdre : l'appel du renne ou des champs la précipitait dehors avec les petites sœurs dès le lever, en quête de fourrage pour la bête, et le trio ne rentrait souvent qu'en fin de journée. Elsie et moi n'avions, pour ainsi dire, aucune activité commune qui nous mît en présence l'une de l'autre très longtemps, ce dont nous ne nous plaignions certes pas.

Arabel, qui avait déjà pris en charge le tissage, la réparation et la confection des vêtements de la communauté, profitait du beau temps pour quitter son métier et partir à la cueillette des pailles et des cocons fibreux laissés sur tige à l'automne précédent. Elle passait ainsi de longues heures à l'extérieur, un sac en bandoulière lui battant le flanc. Elle le remplissait indifféremment de plants secs pour le besoin de ses fuseaux et de plantes fraîches pour agrémenter nos soupes. Régulièrement, elle ramenait des racines, des bolets, et quelquefois des noix et des raisins durcis, encore en grappe. Le climat chaud et sec favorisait les longues excursions d'Arabel et il lui arriva parfois, à ma connaissance, de rencontrer Markus en forêt. Mais le couple taisait jalousement la nature de ses rapports. Je souhaitais secrètement que leurs amours reprennent, car j'aimais beaucoup cette femme gentille, que l'indécision quant à son veuvage minait, et l'homme mature qu'était Markus, digne d'être un compagnon adéquat pour elle.

Curieuse, je m'approchai de la petite niche que l'on avait pratiquée dans le mur de tourbe pour ranger les denrées périssables et soulevai le linge qui couvrait le récipient de lait : l'odeur fétide qui s'en dégageait habituellement ne me monta pas aux narines. « On dirait que la crème est en train de figer, observai-je. Finalement, Karl et Markus ont peut-être raison à propos du fromage de renne : il pourrait surpasser celui de chèvre.

— En tout cas, la mixture sent moins fort, nota Ingrid. Devorguilla nous dirait que c'est bon signe...

— Elsie aussi l'affirme. J'aime à croire que la mère et la fille disent vrai : il y a si longtemps que je n'ai mangé du fromage... Cela me semble faire des siècles !

— Dans ton état, tu vas commencer à n'avoir que les laitages dans le goût, ma chérie», dit mon amie, avec un sourire qui me fit fondre d'aise. D'après mes calculs, j'avais complété mon troisième mois de grossesse, ce qui amplifiait ma félicité. Le besoin inassouvi de sommeil, qui m'avait tenaillée jusqu'alors, faisait maintenant place à un surcroît d'énergie. Aucune tâche ne me rebutait, même celle de transporter l'eau ou les fagots de bois ; aucun déplacement ne freinait mes élans, même l'escalade du pic pour aller ramasser les œufs de sterne ; aucune dolence n'accablait mes veillées et ne m'empêchait de chanter ou de raconter des épisodes de mon hiver chez les Albains, au grand bonheur de mon auditoire captif.

Je coulais des jours paisibles au milieu de mes gens et le souvenir de Gunni ne m'accablait guère. Au contraire, cette nouvelle séparation ne ressemblait pas aux autres, en ce sens qu'elle était dépourvue d'ennui. Quand je pensais à lui, c'était pour m'interroger sur le succès de son entreprise, et non pas pour me languir, comme cela avait toujours été le cas dans le passé. Je n'arrivais pas bien à m'expliquer ce changement dans mon humeur, mais il était pourtant là, tangible. «Gunni ne me manque pas : comme c'est étrange...», songeai-je, quelque peu déconcertée. Ce que je n'osais m'avouer, mais qui était aussi évident que le nez au centre d'un visage, c'est mon intérêt intime accordé à l'enfançon qui grandissait en moi. En effet, il ne se passait pas une heure sans que je ressente la pleine conscience d'être une femme enceinte. Lorsque je m'abandonnais à rêvasser au contenu de mon ventre, mes pensées vagabondaient insidieusement du côté de Brude, et, par ricochet, vers Julitta. Alors, durant un instant fugace, je tentais d'imaginer les plans que la vieille mettrait au point pour récupérer l'enfant le moment venu, et l'opposition qu'elle rencontrerait vraisemblablement chez son fils. Heureusement, cette perspective funeste était encore loin, et ma paix intérieure tenait à cette distance.

Si, dans la tête de Comgan et dans celle de l'évêque George, la conversion des Skrealings était moins importante que la recherche de la communauté chrétienne albaine, elle n'en constituait pas moins un des objectifs poursuivis par l'expédition visant la domination de l'évêché de Limerick sur le Vinland. À peine considérés comme des êtres humains dotés d'une âme, les indigènes occupaient une place négligeable dans les récits des Greenlandais et leur valeur était entachée de sordides préjugés, largement répandus en Écosse et en Irlande. Par contre, sur le plan économique, nombre de marchands islandais, greenlandais et normands savaient que les tribus habitant le Vinland pouvaient jouer un rôle considérable en raison de leur expertise dans la chasse au morse, et donc, devenir un instrument efficace dans la récolte de l'or blanc.

Bien qu'il ne fût pas insensible au côté mercantile de l'expédition au Vinland, Comgan, en évangéliste acharné, s'était davantage préparé et intéressé à sa mission chez les Albains qu'à toute autre chose. Malgré la note décevante sur laquelle cette dernière s'était finie, l'Irlandais conservait un vif souvenir de son mandat dans le clan d'Ari Marson et un grand attachement à son élément principal, Brude. Aussi projetait-il d'y retourner après avoir exploré les possibilités d'évangélisation en territoire indigène. En ce début de juin 1027, le moine ne savait trop à quoi s'attendre en se rendant chez les Béothuks, mais il présumait que sa tâche allait y être ardue et peu exaltante, en comparaison de son succès précédent dans la communauté chrétienne celte.

Après leur accostage, abandonnant les bagages à la rameuse de poupe, Comgan et le jeune Neil se laissèrent guider par Oubee à travers le village. Neil ouvrait de grands yeux en redécouvrant le site du campement d'été des Béothuks, débarrassé de son couvert neigeux. Il reconnut les mamateeks qu'il avait inspectées avec Karl et Gunni, et aussi, quelques membres du clan, qu'il salua d'un hochement de tête discret. Au moine, qui promenait un regard désabusé sur l'endroit, le jeune homme s'évertuait à fournir des explications. N'ayant pas d'autre choix que de faire confiance à la jeune Oubee comme médiatrice, Comgan s'en remit de mauvaise grâce à elle pour les présentations à la communauté béothuk. Elles eurent lieu dans la mamateek du shaman et désappointèrent énormément le religieux.

« Que raconte Oubee, mon fils ? Pourquoi parle-t-elle aussi longtemps ? » dit-il à Neil, sur un ton impatient. En proie à une sourde inquiétude, le jeune homme se tenait figé depuis le début de l'entrevue, ayant perçu l'animosité du shaman, dès leur entrée. Ce dernier avait reconnu le jeune Écossais avec un évident déplaisir et il le manifestait par des mimiques hostiles à son intention. «Taisez-vous, mon père! Ils parlent trop vite, je n'arrive pas à comprendre ce qu'ils disent», répondit Neil, d'une voix tendue. Nullement affectée par la mauvaise humeur du shaman, Oubee continuait à débiter le message du chef Nonosyim autorisant la présence des étrangers dans le camp. Leurs échanges ne se poursuivirent pas très longtemps, car le vieil homme était trop exaspéré pour faire preuve d'accueil. Il congédia le groupe brusquement et Oubee conduisit les visiteurs à la mamateek du chef Nonosyim. Chemin faisant, elle leur recommanda de se faire modérés dans leurs échanges avec les villageois, ce qui indisposa de nouveau le frère Comgan. Dès que la peau fermant l'ouverture de la hutte se fut rabattue sur eux, le moine s'adressa à Neil sur un ton de reproche, et ce, au vu et au su des personnes présentes. «Je ne suis pas venu ici pour me taire, siffla-t-il, mais pour apporter la parole de Christ. Aussi, je te demande de ne plus m'interdire de parler. Le même avis vaut pour cette jeune fille. Maintenant, fais-moi un exposé de l'entretien avec le sorcier.

— Frère Comgan, comme je vous l'ai dit, je n'ai pas tout bien entendu. Oubee est mieux à même de vous rapporter leurs propos, s'excusa Neil.

— Ici, c'est toi, le truchement chrétien. C'est de ta bouche que je veux ouïr les palabres de ces païens. Te sens-tu incapable de me les traduire?

— Je le répète, soutint Neil avec effort, je n'ai saisi que la moitié de leur discours...

— Lorsqu'on est très désireux de parler à un étranger, il faut être très désireux de l'écouter, avança tranquillement Oubee. Si Comgan Tunique-Noire apporte la parole de son chef à mon peuple, il doit entendre celle de son shaman, avant : c'est la politesse des visiteurs envers les hôtes.

— Bien entendu : cela va de soi... », convint sèchement l'Irlandais.

Soulagé par l'autorité naturelle dont faisait preuve son amie, Neil soupira d'aise en évitant de croiser le regard du moine. Un large sourire flottant sur ses lèvres, il s'appliqua à examiner sa jeune amie. Celle-ci hocha la tête en guise d'invitation et, tendant la main vers les quatre femmes, les trois enfants et les deux hommes qui les observaient silencieusement depuis leur arrivée, elle procéda aux présentations, en langue béothuk et en gaélique. Ensuite, elle désigna l'endroit que les visiteurs occuperaient pour étendre leur couchage. Le coffre du moine et le sac du garçon y avaient déjà été déposés. À son grand étonnement, Neil reconnut les objets personnels du chef Nonosyim dans l'espace qui leur était alloué, le plus confortable de la mamateek. « Merci beaucoup, vraiment merci de nous céder cette place, Oubee. C'est un grand égard que tu nous témoignes », dit Neil, d'une voix reconnaissante.

De son côté, Comgan examina le lieu avec un air d'incompréhension et de suffisance qui en disait plus long que s'il avait ouvert la bouche. Il s'approcha de son coffre, sur lequel il se laissa choir. Neil hésita à le rejoindre. Il aurait voulu prolonger la conversation avec la jeune fille, si possible en langue béothuk, mais il se sentait soudainement intimidé. « Je suis heureuse que cet endroit te plaise, dit Oubee en fixant le jeune homme dans les yeux. Quand le chef reviendra de la chasse avec ses frères, tu pourras loger dans ma mamateek, si tu ne veux pas rester ici.

– Je le ferai… oui, j'accepte ton offre », balbutia Neil, assez bas pour ne pas être entendu du religieux irlandais. « Reposez-vous, tous deux. Je reviendrai pour le repas du soir et nous parlerons de la rencontre avec le shaman et de ce que vous êtes venus faire ici », conclut Oubee, avant de se retirer.

Dès cet instant, Comgan saisit à quel point cette mission allait différer de l'autre, et Neil se félicita de pouvoir tirer profit de son amitié avec Oubee, ébauchée lors de son voyage antérieur. L'Irlandais et le jeune Écossais rajustèrent leurs attentes en conséquence de l'accueil reçu en l'absence de Gunni et firent contre fortune bon cœur. Le soir même, au cours d'un nouvel entretien avec Oubee, ils se plièrent à toutes les instructions du shaman. Ce dernier leur interdisait, notamment, de tenir des assemblées et de procéder à des actes de magie sur les femmes et les enfants.

Les approches de Comgan se limitèrent donc, au début, à quelques vieillards désœuvrés qui avaient le loisir de l'écouter, puis il intéressa les enfants qui se tenaient dans l'entourage des aînés, et enfin, par ricochet, les mères de la communauté. Deux semaines durent s'écouler au sein de la tribu du Rocher-de-l'Aigle avant qu'une forme de sympathie pour les deux chrétiens, grandement stimulée par la jeune Oubee, naisse chez les villageois et adoucisse l'aigreur du shaman.

Les Îles-des-Ourses étaient deux grandes îles situées à une demi-journée de navigation de la baie du Rocher-de-l'Aigle et distantes l'une de l'autre d'environ cinq miles. Ces îles, isolées au large des côtes, étaient rarement fréquentées par les ours blancs, mais certaines femelles s'étaient perdues à bord d'icebergs qui dérivaient en pleine mer, et elles avaient dû nager jusqu'à celles-ci pour survivre. Un groupe de chasseurs béothuks les y avait surprises et nomma les îles en rapport avec ces rencontres inusitées.

La plus au sud était la plus grande et son littoral de l'est, extrêmement échancré, présentait une enfilade de criques ensablées, abondamment garnies de pierres plates. Dans ces eaux peu profondes et riches en crustacés, un nombre inimaginable de morses s'arrêtaient pour mettre bas, durant les mois de mai et juin. Pour Nonosyim et ses hommes, l'endroit offrait les meilleures perspectives de chasse possible, à une distance raisonnable de leur campement d'été. C'est donc là que l'expédition aboutit. Le knörr fut mis à l'ancre dans l'une des anses et servit de poste de ravitaillement et d'hébergement pour l'équipage de Gunni. Nonosyim et ses hommes déclinèrent l'invitation de s'installer à bord et choisirent de dresser leur campement à proximité, sur un petit tertre boisé. Chaque matin, au moment de partir à la chasse, les deux groupes se répartissaient dans les longs canots béothuks. En plus des lances, des harpons, des haches et des épées, des contenants de bois ou d'écorce étaient embarqués et placés entre les passagers. Ils servaient à rapporter les morceaux de choix des animaux tués, le reste des carcasses étant abandonné sur place.

Durant le jour, un homme demeurait sur le knörr pour en assurer la garde et voir à son approvisionnement en bois de chauffage et en eau. Il apprêtait les dépouilles de morses rapportées. Il vidait et lavait les dents ; taillait les peaux en lanières pour en fabriquer des cordages d'une solidité et d'une durabilité à l'eau de mer incomparable ; et faisait fondre la graisse jusqu'à l'obtention d'un goudron noir et puant, d'une absolue étanchéité pour le calfatage des coques. Dans le campement béothuk, un homme assumait des fonctions similaires au début de la chasse, et il fut secondé par un autre quand les pièces de morses devinrent trop abondantes.

Les chasseurs islandais raffinèrent leur technique au contact de leurs confrères indigènes. Ces derniers avaient l'habitude d'accorder un long moment à l'observation du troupeau avant de l'attaquer. Ils restaient à bonne distance du rivage où s'agglutinaient pêle-mêle les bêtes au repos, afin d'identifier les individus mâles, facilement repérables à leur corpulence et à la longueur des dents. Se partageant l'information à voix basse, les chasseurs béothuks estimaient le déplacement de leurs proies quand la panique s'emparerait du cheptel. En raison de leurs défenses courtes et par égard à leur fonction nourricière, les femelles n'étaient pas visées par les harpons. Alors que sur terre, les mastodontes bruns étaient incroyablement balourds et lents, dans l'eau, ils devenaient des masses agiles et singulièrement véloces. Aussi, lorsqu'ils flairaient une menace, leur meilleure échappatoire était la mer. D'ailleurs, ils s'y précipitaient dans une effroyable bousculade, qui, bien souvent, était fatale aux plus petits ou aux plus faibles d'entre eux, étouffés et comprimés sous l'énorme poids des chairs en mouvement.

Les Islandais préféraient chasser depuis le sol. Après qu'un groupe de releveurs eut harponné, depuis leur embarcation, les bêtes de la première rangée du troupeau alangui, l'autre groupe prenait position sur le littoral, derrière le cheptel. Lorsque les animaux de la seconde rangée s'effrayaient et cherchaient à fuir vers l'eau, ils butaient sur le rempart formé par leurs congénères blessés. Ainsi pris en souricière, les morses qui ne réussissaient pas à s'échapper étaient attaqués à la hache de guerre ou pourfendus à l'épée par les chasseurs à pied. Cette méthode avait le grand avantage de garder les prises sur terre, facilitant l'opération de dépeçage, plutôt que d'avoir à capturer en mer les lourds animaux, puis à les remorquer. Cependant, elle ne permettait pas d'opérer une véritable sélection entre mâles et femelles, les chasseurs devant impérativement occire toute bête à leur portée, faute de quoi ils seraient écrasés par elle. D'une part, la technique de chasse béothuk exigeait une grande habileté au lancer du harpon et une parfaite maîtrise du bateau d'écorce ; d'autre part, la façon islandaise reposait sur la force physique et l'efficacité des armes en fer.

En sa qualité de truchement, Gunni se retrouva souvent dans le groupe des chasseurs béothuks et, pour son plus grand plaisir, il eut Masduwit comme coéquipier. Le chef Gunn appréciait la pondération du père d'Oubee qui lui avait servi de guide chez les Albains et il s'efforça de nouer des liens d'amitié avec lui, tout en respectant sa réserve naturelle. Le Béothuk se laissa gagner et, malgré un abord peu démonstratif, il devint agréable et loquace. Gunni acquit une plus grande aisance dans l'utilisation de la langue indigène, laquelle lui vint spontanément aux lèvres, accroissant d'autant son prestige aux yeux de Gudlaugson et de ses hommes.

Après la dixième journée de chasse, une pluie abondante s'abattit sur les Îles-des-Ourses et Nonosyim se déclara prêt à rentrer. Les provisions accumulées dépassaient déjà la capacité de fret des embarcations béothuks et les besoins de la tribu. Si ce n'avait été des insistances de Gudlaugson pour poursuivre la curée, Gunni aurait volontiers répondu à l'invitation des Béothuks de les suivre à leur campement. Il consentit cependant à prolonger la chasse de quelques jours. Privés des embarcations légères, les Islandais durent revenir à leur technique habituelle, en recourant au knörr pour approcher les bancs de morses. Plus visible et plus bruyant, le bateau effrayait les bêtes avant que les chasseurs de terrain ne se soient mis en position d'attaquer et la majorité d'entre elles échappaient facilement au carnage. Quelques femelles et leurs petits constituèrent souvent les seules proies disponibles aux chasseurs contrariés. La frustration se mettant bientôt de la partie, les hommes devinrent de plus en plus intrépides et de moins en moins prudents.

Ainsi, trois jours après le départ des Béothuks, un accident survint. Les cousins Ketilson, Gudlaugson et son gendre s'intéressèrent à un groupe de morses se prélassant sur une pointe rocheuse qui offrait un abord facile depuis le littoral. Croyant pouvoir harponner la frange de tête du troupeau en contournant celui-ci à sa dextre, Gudlaugson et Hans s'engagèrent si loin en avant qu'ils se trouvèrent sur le passage des morses lorsque ceux-ci fuirent en débandade devant l'assaut des cousins. Alors que Hans était entraîné et noyé dans la foulée des bêtes qui se précipitaient à la mer, Gudlaugson fut percuté et écrasé par elles. Les cris des cousins Ketilson alertèrent Anderss, Jon et Gunni, lesquels se ruèrent sur la pointe, mais en vain. Le capitaine islandais ne put être secouru qu'au moment où le troupeau entier eut vidé la place, le laissant à moitié mort sur les pierres gluantes.

Pas un os de la membrure de Gudlaugson ne résista à l'impact et, sur le coup, Gunni douta qu'il survive. Après l'instant de stupeur qui avait saisi les hommes, l'abattement fit place à l'action : on repêcha le noyé et, avec mille précautions, on hissa le capitaine à bord du knörr. D'un commun accord, on convint d'arrêter la chasse et de quitter le site prestement pour rejoindre le camp béothuk, où il serait plus facile de soigner le blessé rapidement. Ce dernier, qui n'avait pas repris conscience, eut les bras et les jambes ligotés à des éclisses et fut installé dans un hamac afin de minimiser les secousses infligées à son corps par les embardées du navire. Puis, le cœur serré d'anxiété, on appareilla, sous le commandement de Gunni.

Le retour de l'équipage incomplet avec la dépouille de Hans à son bord, le jour de saint Jean le Baptiste[1], nous plongea dans la plus grande consternation. Nous enveloppâmes le défunt dans une laize de vadmal et l'enterrâmes près de l'endroit où reposait le petit Jakob. Je menai les prières de notre assemblée au mieux de mes connaissances, ce qui réconforta les Islandais endeuillés de leur compagnon. Afin de chasser la morosité générale,

1. La fête de saint Jean le Baptiste était indifféremment célébrée à la date de sa naissance, le 24 juin, ou à celle de son décès, le 29 août. Ici, il s'agit du 24 juin.

ceux-ci s'empressèrent de se mettre au service de Cinead, les uns proposant leurs bras pour labourer et relever des collets, les autres, pour bûcher, ébrancher et garnir la réserve de bois de chauffage, que les feux de cuisson et de la forge épuisaient constamment.

Je profitai des arrangements entre hommes pour m'entretenir avec Jon, qui avait pris les commandes du navire et les ordres de mon mari. Il m'expliqua la décision de Gunni, visant à demeurer dans la tribu béothuk auprès de Gudlaugson, du frère Comgan et de Neil, et nous renvoya les chasseurs et leur butin. « Messire Gunni compte sur vous pour voir au bon fonctionnement de la communauté, et sur Cinead pour la diriger et la protéger tout le temps que durera son absence, me transmit-il, gravement.

— Quand compte-t-il revenir ? m'enquis-je. Ah, j'imagine que cela dépend de la guérison de messire Gudlaugson !

— …ou de son décès, plutôt. Si le capitaine trépasse, votre mari ramènera son corps à Leifsbudir pour qu'il y soit inhumé auprès de son gendre. Sinon, il demeurera chez les Béothuks et ne rentrera qu'à l'automne ou plus tard, quand la mission de Comgan prendra fin.

— Mais pourquoi donc rester si longtemps ? Racontez-moi, Jon, qu'est-ce qui retient mon mari là-bas ?

— Ça, je ne pourrais vous le dire, ma dame. Messire Gunni semble beaucoup apprécier la compagnie des indigènes et se plaire dans leur campement. Il ne s'exprime plus qu'en langue béothuk, maintenant. Il faut dire que son arrivée a grandement soulagé le moine…

— En quoi ?

« — Je crois que l'Irlandais éprouve des difficultés avec l'autorité locale. Le shaman et lui n'avaient pas réussi à développer des liens de sympathie jusqu'à ce que messire Gunni s'amène. Dès lors, les difficultés se sont aplanies, de part et d'autre.

— Vous avez certainement raison, Jon, dis-je. Gunni estime les Béothuks et surtout leur chef, qu'il semble tenir en grande amitié. Je pense que leurs sentiments sont réciproques. Le frère Comgan devrait prendre exemple sur la nature ouverte de mon mari pour aborder les païens qu'il veut convertir : il s'assurerait d'un succès plus rapide. Comment se tire d'affaire notre jeune Neil, dans cette opération ?

— Ah, en voilà un qui bénéficie grandement de la présence de votre mari ! Il a vite pris congé de son office de truchement, lequel, si j'ai bien compris, avait déjà été passablement relégué à la jeune Béothuk. Quand nous sommes repartis, Neil et elle avaient délaissé l'entourage du moine pour celui du shaman aux soins duquel Gudlaugson avait été confié. Cette jeune Oubee possède de multiples talents, dont celui de guérisseuse, je pense…

— Pauvre capitaine ! Être soigné par des Skrealings : plaise au Ciel qu'il ne succombe pas, finalement, à leur médecine ! » soupirai-je.

Il sembla bien que ce fut le cas. Gudlaugson dut se rétablir, car nous ne revîmes pas Gunni de tout l'été. En revanche, nous eûmes la visite d'une délégation albaine, le deuxième dimanche après la saint Pierre[1]. Elle comprenait cinq hommes et une femme, dans un curragh, et elle était dirigée par Cormac, manifestement mandaté

---

1. Saint Pierre : anniversaire religieux célébré le 1er août.

par Julitta. J'en arrivai à cette hypothèse après avoir reconnu la jeune femme pour l'une des servantes dans la maison du vieil Ari Marson. Pourquoi accompagnait-elle les hommes, avec aucun desquels elle n'était liée, sinon pour déceler une grossesse que j'aurais voulu dissimuler ?

D'ailleurs, ni moi ni mes amis ne réussîmes à comprendre le but exact de cette délégation à Leifsbudir. Malgré que Cormac ait prétendu qu'il s'agissait d'une démarche de civilité et de bon voisinage, l'entreprise nous apparut trop extravagante pour rendre ce prétexte crédible. Comme j'affichais ostensiblement mon ventre rond de cinq mois, les Albains demeurèrent à peine trois jours au poste. Cependant, au moment de leur appareillage, Cormac me transmit un message de Brude, annonçant son intention de venir me voir avant le déménagement de leur communauté à Gleanlin. « Compte-t-il passer l'hiver ici plutôt que là-bas ? lui demandai-je.

— Il se pourrait, dame Moïrane. Je ne saurais le dire : cela dépend en réalité de la santé de son père et de la disponibilité du moine à le raccompagner…

— Brude voudrait-il ramener le frère Comgan chez vous ?

— C'est son idée, si Ari Marson requiert ses offices pour trépasser.

— J'ignorais que votre vieux chef était malade à ce point, fis-je, décontenancée. Comment va son épouse, dame Julitta ?

— Pour sûr, elle survivra longtemps à son mari. Nous sommes convaincus que l'Ancienne est trop empressée de voir le fruit de vos entrailles pour donner prise à la maladie sur elle », rétorqua Cormac, avec un air inspiré.

Cette réponse, pleine de sous-entendus, me fit espérer la venue de Brude plutôt que la craindre, car lui seul pouvait confirmer ou réfuter les prétentions de la vieille sur l'enfant à naître et réaffirmer sa promesse d'empêcher qu'on me l'enlève.

La relative sérénité dans laquelle je vivais avant la venue de Cormac à Leifsbudir commença à s'effriter dès les premiers jours qui suivirent son départ. Étrangement, je m'étais mise à douter de la parole de Brude et de la supériorité de ses pouvoirs sur ceux de sa mère. Alors que la récolte d'or blanc résultant de la chasse ne m'avait jamais intéressée – j'avais à peine jeté un coup d'œil dans la cahute où on l'avait entreposée –, je commençai à me demander si elle était suffisante pour justifier un retour en Écosse avant les intempéries automnales. À défaut de pouvoir poser la question à Gudlaugson, à qui elle s'adressait en premier lieu, je la soumis à Jon. « Moins de cent vingt paires de dents : c'est mince pour un seul voyage, me dit-il. Si de belles peaux d'ours blanc ou de renard venaient grossir la marchandise, et si une cinquantaine de barils de goudron animal s'ajoutaient au fret, l'expédition entrerait peut-être dans ses frais. Mais la production actuelle de Leifsbudir n'est pas assez importante pour légitimer une traversée hâtive. D'ailleurs, notre bailleur de fonds à Limerick ne s'attend pas à obtenir des résultats cette année : je crois même que l'arrivée précoce du knörr le surprendrait. Souhaitez-vous repartir, ma dame ? »

L'interrogation pertinente de Jon me fit réaliser à quel point j'avais gardé pour moi le secret entourant ma grossesse et pesant sur son issue. La version officielle de mon simulacre de concubinage avec le fils du chef albain, présentée aux membres de notre petite communauté, ne divulguait rien sur le résultat de ma grossesse et les droits que s'arrogeaient les Albains. Dans notre groupe, seuls le frère Comgan et Gunni étaient au courant des espérances de Julitta, et la foi qu'ils avaient dans le serment de Brude avait apparemment suffi à éteindre leurs éventuelles appréhensions. Mais moi, brusquement, je n'avais plus la même certitude. En dépit du fait qu'il me faudrait revenir sur le souvenir embarrassant de mon infidélité, je décidai de m'ouvrir à mes amis, certaine qu'ils sauraient m'apporter leur soutien.

Je le fis, un soir, dans la dernière semaine d'août, en réponse à la question de Jon sur ma volonté de quitter Leifsbudir. Les enfants venaient d'être mis au lit et une pluie battante décourageait la sortie des hommes au dehors. Selon mon habitude, après qu'on eut rangé la table, je tirai un banc près de la fosse à feu, à la place du conteur. Chacun se tourna alors dans ma direction, avec intérêt. «J'ai une information à partager, dis-je, en élevant la voix. Cela concerne une discussion avec Jon, l'enfant que je porte et la récente visite des Albains.» Cette entrée en matière les surprit et ils accordèrent une vive attention à mes révélations. Comme je m'y attendais, elles suscitèrent des protestations véhémentes chez les trois femmes, qui s'indignèrent des intentions de la vieille Albaine. Parmi les hommes, Cinead fut le premier à dénoncer la mère de Brude, mollement suivi par les autres, dont aucun n'était, comme lui, un père et un époux, et qui, de ce fait, mesurait moins la valeur de l'enfantement. Cependant, tous, sans exception, se déclarèrent farouchement opposés aux prétentions de Julitta sur mon ventre. «Ne tremblez pas inutilement, ma dame, fit Jon, et ne cherchez pas à vous enfuir de Leifsbudir pour pallier cette menace. Nous saurons vous protéger, vous et l'enfant, et prévenir tout enlèvement. L'épouse du vieil Ari Marson sera obligée de renoncer à un plan aussi contestable.

— D'ailleurs, vous savez bien que Gunni ne laissera jamais une telle chose se produire, renchérit Cinead.

— Il n'y a pas ici un homme digne de ce nom qui ne vous défendrait, dût-il le faire au péril de sa vie, affirma Markus.

— Holà, Markus! Les Albains comptent quarante fois plus de guerriers que nous. S'ils se décident à un assaut, je ne sais comment nous pourrions résister, fit remarquer Anderss.

— Nous attaquer? Quelle absurdité! Ce précieux enfant n'arrivera pas avant décembre, s'insurgea Elsie. Je ne vois pas pourquoi il faudrait s'alarmer céans…

— En décembre, il sera trop tard pour prendre la mer, dis-je fermement. Nous serons cloués dans ce poste jusqu'au printemps…

— … ainsi que les Albains dans le leur, ajouta Elsie. C'est bien loin, le printemps : il peut se passer quantité d'événements d'ici là, comme une fausse couche, par exemple… D'ailleurs, il faudrait que ces Albains soient extrêmement ombrageux pour défier d'autres chrétiens sur une simple question de progéniture.

— Crois-moi, ils peuvent l'être, répliquai-je sèchement.

— Calme-toi, fit Ingrid en m'entourant les épaules. Elsie n'a probablement pas tort en ce qui concerne les intentions belliqueuses que ton inquiétude prête à cette communauté chrétienne. Quant aux difficultés pour mener à terme ta grossesse, il n'y faut pas songer. Cela ne servirait à rien : tu es déjà très consciencieuse et tout se déroule normalement. »

Évidemment, mon amie avait raison. La petite altercation avait mis en évidence la rogne persistante d'Elsie envers moi, mais cela était de peu de poids en regard de l'appui inconditionnel et enthousiaste des hommes de Leifsbudir pour assurer ma protection. Cette assurance réussit à m'apaiser. Je cessai instantanément d'échafauder un retour en Écosse avant l'hiver et me concentrai tout entière sur mon travail de gestation. Une petite ombre vint cependant ternir mon bien-être recouvré : la rencontre probable entre Gunni et Brude.

CHAPITRE XV

L'ÉPOUSE

La pluie fine et drue, qui tombait depuis le matin, cessa. Neil sortit de la mamateek pour examiner le ciel qu'un vent constant débarrassait des derniers nuages gris. Une volée de feuilles jaunes se détacha des bouleaux qui ceinturaient le village et vint se répandre en tourbillon, au centre de celui-ci, sur les séchoirs à saumons, maintenant dégarnis. Tout, dans l'air humide et dans le paysage détrempé, annonçait une interruption, un arrêt, une suspension des activités. Et, en effet, les Béothuks avaient remisé leurs canots, empaqueté le poisson et la viande séchés et roulé les peaux tannées : ils se préparaient pour la migration annuelle vers leur village d'hiver et les chasses d'automne au renne. Cette perspective attristait le jeune homme plus qu'il ne l'aurait imaginé, car elle signifiait la fin de son séjour de presque quatre mois au campement du Rocher-de-l'Aigle, où il avait goûté à une liberté totale et vécu une idylle avec la jeune Oubee, aventure qu'il aurait bien voulu voir se poursuivre.

Résolu à présenter une solution à son dilemme, il se dirigea vers la mamateek de Nonosyim. Le shaman, le chef du clan Gunn et Comgan devaient s'y trouver réunis. Comme la question du transport de Gudlaugson avait été soulevée, la veille, en même temps que celle de la fermeture du village d'été, Nonosyim et Gunni avaient convenu de faire le point le lendemain, avec le soigneur et le moine : le premier rendant compte de l'état du blessé et le second, de l'avancement de sa mission. En entrant dans la mamateek, Neil croisa le regard vif de la jeune Oubee, qui, selon l'habitude adoptée pour les rencontres de ce genre, servait d'interprète à son chef. Un imperceptible sourire glissa sur les lèvres de la jeune fille lorsqu'elle détourna les yeux de son ami, mais ce dernier l'avait capté et y puisa la hardiesse d'entreprendre la démarche à laquelle il songeait : demander la prolongation de son séjour et, éventuellement, se faire admettre comme un membre de la communauté béothuk en obtenant la main d'Oubee.

Dès les premiers instants de sa présence aux discussions, Neil comprit que Comgan voulait passer l'hiver parmi les Béothuks, et cela lui donna espoir. Bien que le religieux eût déjà réussi à baptiser plus de la moitié du village, surtout les vieux, les femmes et les enfants, il ambitionnait de compléter son œuvre avant de quitter la tribu. Cependant, comme le chef Nonosyim et, bien sûr, le shaman faisaient partie des païens irréductibles qui ne voyaient pas la nécessité d'entretenir l'évangélisateur au-delà du temps alloué à l'origine, et que, d'autre part, le rétablissement de Gudlaugson permettait d'envisager son départ pour Leifsbudir, il fut convenu que la délégation de Gunni utiliserait le knörr, qu'un messager béothuk irait faire mander.

Alors que l'échange allait se conclure de cette façon entre les deux chefs, Neil intervint. «Chef Nonosyim, fit-il en langue béothuk, pourrais-je passer l'hiver chez les vôtres, si messire Gunni l'autorise? J'aimerais connaître la chasse au renne et je gagnerai ma pitance en travaillant dans la maison du shaman et du père d'Oubee : si je me montre digne de tenir l'arc ou la lance, je tuerai pour eux.

— Ta proposition, jeune Écossais, présuppose que tu sais chasser ou que tu veux l'apprendre, et alors, tu cherches un maître d'armes.

— Mon père, intervint Oubee, est le seul fils de notre shaman à n'avoir engendré qu'une fille et il n'amène ainsi aucun homme de son sang à la chasse. Il peut donc prendre, dans une autre famille, un garçon en apprentissage, comme le veut la coutume.

— C'est juste, approuva Nonosyim. Que pensent Masduwit et le représentant de l'autre famille, Gunni Tête Rouge?»

C'était le moment de vérité pour Neil. Avait-il acquis, comme il le pensait, l'estime du père de sa bien-aimée et l'émancipation nécessaire pour faire accepter son projet par le chef du clan Gunn? Ses regards anxieux passèrent de l'un à l'autre durant le moment de silence qui suivit la question de Nonosyim. Masduwit, duquel on attendait la première réponse, fit signe à Gunni de parler avant lui. «À titre de chef de clan, je peux me prononcer au nom de la mère de Neil, qui est sa seule famille, dit Gunni en langue béothuk. J'accorde la permission demandée. Nous nous reverrons au printemps prochain, lorsque les Béothuks du Rocher-de-l'Aigle auront réintégré leurs quartiers d'été et que je reviendrai les visiter.

Si Masduwit, fils du shaman de la tribu, accepte de prendre Neil sous sa protection, je ne doute pas qu'il en fera un bon chasseur.

– Masduwit le veut », déclara sobrement ce dernier.

Ravi, Neil inclina la tête vers le Béothuk, en signe de reconnaissance, puis il dévisagea Oubee avec toute la fierté dont son cœur débordait. Dans la petite assemblée, personne n'interpréta le comportement des jeunes gens, si manifestement épris, autrement que comme une promesse d'union. Personne, sauf le moine. Lorsque l'entente lui fut traduite, bien après la réunion, elle réactiva son animosité envers le chef de Leifsbudir. « En consentant à maintenir Neil chez eux, se plaignit Comgan à Gunni, vous démontrez davantage de générosité que de zèle à défendre la prolongation de mon propre séjour. Vous semblez avoir oublié que le jeune homme est venu ici à ma demande et avec l'accord d'une mère consciente de ses devoirs chrétiens. En agissant comme vous le faites, vous dédaignez les objectifs de ma mission au Vinland.

– Tu as mal compris les paroles du chef Nonosyim, Comgan, répliqua Gunni. Il ne voit pas l'utilité de t'accorder davantage que le temps imparti en juin dernier. En outre, il a clairement refusé de garder une bouche de plus à nourrir durant l'hiver si cette bouche est celle de quelqu'un qui ne participe pas à la vie active de la tribu.

– Mais enfin, c'est ahurissant! protesta l'Irlandais. En ma qualité de religieux, je ne peux pas décemment me mettre à chasser ou à écorcher les bêtes ou à gratter les peaux. M'imaginez-vous, affairé à tresser des paniers avec les femmes, à fumer du poisson, à ramasser du bois ou à transporter de l'eau, à cœur de jour? Ce sont là tâches de domestique, pas d'homme de Dieu…

— Ici, Comgan, un homme est un homme, qu'il soit de Dieu ou non. Il doit se comporter comme tel pour mériter d'être traité honorablement. Malgré toute la science que tu possèdes, les Béothuks ne sont pas tes inférieurs. Quand tu auras admis cela, alors pourras-tu espérer convertir une âme comme celle de Nonosyim, dit Gunni.

— Vous me décevez énormément, messire. Au lieu de promouvoir le savoir-vivre dont nous devons faire preuve pour amener les indigènes à évoluer, vous revendiquez en leur nom des principes d'égalité absolument farfelus et vous vous complaisez dans une attitude de soumission indigne de votre statut de chef chrétien. Non seulement vous me désappointez, mais vous me contrariez, et je ne crois pas me tromper en avançant que votre épouse se serait, dans les circonstances, mieux ou plus débattue que vous afin que Nonosyim accède à ma requête.

— Ne me donne pas Moïrane en exemple, Comgan! Tu sais fort bien ce que je pense du laxisme condamnable avec lequel tu as enveloppé son écart, chez tes amis albains…

— Qui êtes-vous pour juger de mes actes ou de ceux de votre épouse, messire? En vertu de quoi vous est-il permis de blâmer les gestes ou les attitudes d'autrui lorsqu'il s'agit de croyances et de pratiques chrétiennes? Sur la simple question de l'infidélité conjugale, qui paraît vous tenailler à un degré extrême, j'en viens à me demander si vous êtes vraiment guidé par des principes de rectitude ou simplement par votre orgueil.

— Admettons que ce soit par les deux, gronda Gunni. Ce n'est pas parce que je voyage peu dans le monde chrétien que j'ignore ce qui s'y passe : la façon avec laquelle se conduisent nombre d'hommes mariés, et même de prêtres, au lit. Ceux qui en ont l'opportunité ou les moyens couchent avec d'autres femmes que la leur, se prennent des maîtresses ou entretiennent une concubine dans la même maison que celle de leur épouse légitime, et tout cela, sans être inquiété par les hommes de Dieu. Ne fais pas semblant d'ignorer que le concubinage existe dans les foyers de la noblesse chrétienne : cela se vérifie en Norvège, en Islande, en Mercie[1], dans le Northumbria[1], chez tous les rois francs, dans les maisons de plusieurs princes et lieutenants irlandais, et même parmi tes évêques et tes prélats ! Quant aux maris qui trompent leur femme impunément et qui n'ont même pas à s'en confesser, il est inutile d'apporter des exemples tellement c'est chose commune. Mais nulle part a-t-on vu une épouse prendre un amant ou se lier à un autre homme que le sien et vivre sous son toit sans passer pour une ribaude et une débauchée et sans être exclue des offices chrétiens et vilipendée par les prêtres. Pourquoi ? Parce que cette pratique est odieuse, non seulement aux yeux des maris, mais aussi, sinon plus, aux yeux des femmes elles-mêmes. Si tu ne saisis pas cela, Comgan, c'est parce que tu ne réfléchis pas avec une tête d'homme. Serait-ce la bure qui t'a si fâcheusement transformé ?

— Messire, vous vous égarez, vous m'insultez et vous blasphémez !

— Certes, lorsque tu es à court d'arguments, tu brandis ta croix ! Malheureusement, l'effet sur moi est gran-

---

1. La Mercie et le Northumbria sont les noms anciens de deux grandes régions centrales de l'Angleterre.

dement diminué. Cela a commencé en t'observant à notre départ d'Écosse, et cela va certainement se poursuivre tant et aussi longtemps que nous serons en présence l'un de l'autre. Si tu veux que je ne perde pas tout à fait la foi, je te recommande de ne plus me parler des vertus de Moïrane. »

En cette minute fatidique d'une confrontation qu'il aurait fallu éviter, Comgan mesura toute l'étendue de la mésentente, ainsi que les ravages causés à la foi du chef de Leifsbudir par l'interprétation stricte du principe du mariage chrétien. Durant un long moment, Gunni sembla attendre une réplique. Il dévisageait le moine, avec un air dur et fermé, tout en triturant rageusement le bout de sa ceinture. Reconnaissant que ses propos dénotaient un esprit critique et libre, héritage de son éducation viking qui faisait fi de l'obéissance et de la considération typiques au comportement chrétien, l'Écossais conçut une vague inquiétude qui ne pouvait cependant pas tenir lieu de véritable remords.

Comme le moine était avant tout un religieux intègre et consciencieux, il opta pour la prudence et se tut. Cependant, il se promit de revenir sur la question litigieuse, en démontrant plus d'ouverture et, si possible, une certaine souplesse afin de disculper, tout au moins, la noblesse chrétienne qui adopte le concubinage. La charge du chef du clan Gunn contre la tolérance de l'Église envers des comportements officiellement réprouvés, mais largement répandus chez les maris chrétiens, l'avait ébranlé et l'invitait à la réflexion. Comgan se rendit vite compte que son travail effréné pour convertir de nouvelles âmes s'éloignait du but poursuivi s'il fallait, pour y parvenir, perdre celle des principaux collaborateurs de la mission. C'est donc sur une note de repentir bien sentie que l'Irlandais se prépara à rentrer au poste de Leifsbudir et à œuvrer désormais pour regagner l'estime de son dirigeant.

La veille de la saint Michel[1], nous reçûmes le messager béothuk de Gunni, requérant les services du knörr afin de ramener notre délégation à Leifsbudir. C'est du moins ce que Karl comprit de la communication embrouillée de l'indigène qui, pour signifier leur prochain retour, montrait le baudrier de Gudlaugson, l'étendard du moine et le bouclier de Gunni, emportés dans son embarcation. Il les prenait tour à tour et faisait mine de les porter sur notre navire.

Mis à part Ingrid et Elsie, nous étions tous postés sur la plage, embarrassés et impressionnés par l'homme au visage peint en rouge et s'exprimant dans un jargon incompréhensible. Nos yeux passaient des objets qu'il brandissait au knörr qu'il pointait inlassablement. Sur le coup, personne ne nota l'absence d'un bien appartenant à Neil, et ce ne fut qu'au moment où l'émissaire béothuk nous remit cet attirail qu'Arabel en fit la remarque. Mais l'agitation des cousins Ketilson et d'Anderss, excités à l'idée de reprendre la mer et de retrouver leur capitaine, gomma l'interrogation de mon amie. Tête baissée, Arabel s'en fut rejoindre nos compagnes à la longue maison, tandis que les hommes s'activèrent autour du knörr en m'abandonnant le Béothuk. Celui-ci re-

---

1. La saint Michel est une fête religieuse célébrée le 29 septembre.

trouva son stoïcisme en constatant qu'il avait finalement été entendu.

Restée seule avec lui, je cherchai un moyen de le remercier, mais il remit son canot à l'eau avec un tel empressement que j'eus à peine le temps de le saluer. Il ne me répondit pas, ni même ne me regarda, et partit céans, à grands coups d'aviron. Afin d'observer sa progression vers le large et, aussi, pour m'isoler et réfléchir à l'annonce du retour de Gunni, je décidai d'accompagner le messager en marchant le long de la plage. Je pris la direction de l'étroite langue de terre qui séparait la baie sud de la baie nord. Je longeai d'abord la grève, les yeux fixés sur le canot qui peinait vers l'ouverture de l'anse contre la marée montante, puis je bifurquai vers le plateau de l'avancée herbeuse, afin de ne pas perdre de vue le Béothuk quand il s'engagerait dans les eaux du large.

Sur cette étroite bande de terre surélevée, le foin poussait très haut et le vent ne rencontrait aucun obstacle. Il s'engouffra subitement dans mes jupes et happa ma coiffe. Le temps que je rattrape celle-ci, la réajuste sur ma tête et puisse reprendre mon observation de l'embarcation, celle-ci disparaissait déjà entre les îlots du littoral. Je n'avais jamais marché jusqu'à cet endroit, qui n'offrait d'ailleurs aucun intérêt pour la cueillette ou la culture. Cependant, je trouvai le panorama magnifique, et, en examinant la mer, je repérai l'île rocheuse que j'avais destinée à l'érection d'une église, lors de notre approche de Leifsbudir, à l'automne précédent. Cette évocation me plongea dans mes souvenirs d'alors en me faisant mesurer le passage du temps : dix mois s'étaient déjà écoulés depuis notre accostage en ce lieu. Notre expédition avait été amputée de six de ses membres avant d'atteindre son but ; nous en avions retrouvé et perdu d'autres, depuis ; et nous allions vraisemblablement en gagner un nouveau... En un geste devenu coutumier, je croisai les bras sur mon ventre.

Tournant les yeux vers l'intérieur de l'anse, j'embrassai l'étendue du site de Leifsbudir. Il présentait maintenant un aspect propret avec son alignement de champs et de bâtiments bien délimités. Je savais nos modestes entrepôts pleins de vivres, ce qui nous garantissait un meilleur hiver, et j'estimais les installations dans le logis tout à fait adéquates pour nous fournir un confort douillet durant la froide saison. Mon regard suivit le ruisseau qui serpentait en une belle boucle miroitante pour venir mourir dans un lit de galets ronds, puis il s'accrocha au knörr, tiré sur la portion ensablée de la grève. Le gros navire, fiché de son long mât, trônait au milieu de la baie comme une flèche dans un arc et conférait à l'ensemble du paysage un air rustique de colonie.

Malgré mon récent désir de retourner à Helmsdale, l'agréable vision de Leifsbudir me contenta. Au moment où je m'accroupissais dans les hautes herbes pour m'abandonner entièrement à ma songerie sur mes futures retrouvailles avec Gunni, l'enfant remua dans mon ventre. Cette étrange et douce sensation, jamais perçue auparavant, m'émut à un point tel que des larmes jaillirent et mouillèrent mon visage. Je ne les séchai point, leur permettant de glisser jusqu'à mes lèvres souriantes, et laissai ainsi le vent vif s'en charger.

Le lendemain, sous un ciel nuageux, le knörr appareilla. Karl, qui devait tenir la barre, avait demandé à Markus de faire le quatrième rameur et celui-ci avait accepté d'abandonner sa forge pour ce voyage d'à peine une semaine. Nous nous rassemblâmes sur la plage pour assister à leur départ, mais le vent frais et le gros-grain qui se mit à tomber nous refoulèrent assez rapidement vers la longue maison. Les fillettes et le petit Martein s'élancèrent les premiers en se défiant à la course et leurs petites têtes blondes échevelées me tirèrent un sourire attendri. Elsie, Jon, Ingrid et Cinead les suivaient d'un pas vif, en bavardant. Avec plus de langueur, Arabel et moi fermions la marche. Mon amie n'avait pas quitté son air soucieux depuis la veille et je la sentais extrêmement tendue. «Ne penses-tu pas qu'il est prématuré de t'inquiéter pour Neil? lui glissai-je, en mettant son bras sous le mien. S'il lui était arrivé quelque chose, je suis certaine que Gunni aurait trouvé le moyen de nous le faire savoir. Il serait même venu en personne: je n'en doute pas un instant.

– Il se peut... murmura Arabel, après un long silence. J'espère que Markus réussira à ramener mon fils. C'est heureux que Karl l'ait choisi pour la traversée, à la place de Jon...

– Que vas-tu t'imaginer, Arabel? Tu ne crois pas sérieusement que les Béothuks ont fait Neil prisonnier: cela n'a aucun sens! m'écriai-je.

– Peu importe ce qui retiendrait Neil dans cette tribu, j'ai confiance dans l'action de Markus. Il va tenir sa promesse.

– Qu'est-ce à dire? m'enquis-je.

– J'épouse Markus s'il parvient à arracher mon fils aux Skrealings», répondit Arabel, sur un ton sec. Cette annonce m'abasourdit au point où je ne trouvai rien à dire. Autant les craintes de mon amie pour son fils me paraissaient irraisonnées et même farfelues, autant son serment envers Markus semblait contraint ou, du moins, reposer sur des motivations équivoques. Cela me chagrina, mais il aurait été inopportun d'émettre mon opinion à ce sujet. Je laissai donc courir.

Lorsque le knörr s'ancra devant le village d'été, les Béothuks l'avaient déjà quitté pour leur campement d'hiver, entraînant le jeune Neil avec eux. Markus ne put strictement rien faire. Devant la fermeté de Gunni, il lui fut impossible d'imposer son engagement envers Arabel et obtenir de poursuivre la tribu pour récupérer le jeune homme. « Écoute, Markus, dit Gunni, je voudrais que tu balaies de ton esprit un Neil captif des Béothuks. C'est à sa demande qu'il hivernera chez eux et, crois-moi, il rayonnait de joie à cette idée, laquelle, j'en conviens, peut te sembler aberrante. Il faut savoir, comme moi, Comgan et Gudlaugson, que le fils d'Arabel a fait une conquête, ici : une conquête qui garantit indéniablement sa protection, où qu'il aille sur cette île. En sa qualité de soupirant de la petite-fille du shaman du clan du Rocher-de-l'Aigle, notre jeune homme sera traité avec beaucoup plus d'égard qu'aucun Blanc ne l'a encore été au Vinland.

— Eh bien, s'il en est ainsi, souhaitons-lui tout le bonheur possible. Je ne peux malheureusement plus espérer semblable félicité avec sa mère, soupira Markus.

— Ne te morfonds pas, l'ami : j'expliquerai à la veuve de Herulf que c'est moi qui t'ai empêché de remplir ton mandat. Après tout, je suis l'unique responsable de cette décision. Au printemps, il sera toujours temps de se raviser et de reprendre Neil au poste, si les choses ne s'arrangent pas entre Arabel et toi…» Markus acquiesça, sans conviction.

Pendant toute la traversée de retour à Leifsbudir, le knörr fut aux prises avec des vents violents qui rendaient inefficace l'utilisation des rames. Cela ralentit la navigation et compliqua le travail de l'équipage, en plus d'exténuer Gudlaugson qui insistait pour commander le vaisseau, alors qu'il ne tenait pas encore debout sans soutien. À son grand mécontentement, Gunni se vit confiné dans un rôle de simple passager et, de ce fait, fut obligé d'endurer la compagnie assidue du moine. Il interpréta la bonne volonté du religieux à vouloir se réconcilier comme un prélude à de nouvelles demandes en lien avec sa mission au Vinland, par exemple un nouveau passage chez les Albains, ou encore des appuis pour la construction d'une église. Aussi Gunni écouta-t-il Comgan d'une oreille rébarbative, mais néanmoins polie.

En homme perspicace, l'Irlandais eut soin de ne pas aborder directement la question qui exacerbait les opinions de l'Écossais, mais choisit de parler de personnes distinguées, tant dans le clergé que dans la noblesse, qui professaient une certaine libéralité de mœurs, sans que leur foi chrétienne soit remise en cause. Chacun de ses commentaires militait pour le cautionnement de la vie privée et familiale des individus, indépendamment des mérites de leur ferveur religieuse. À mots couverts, Comgan admit l'infidélité et le concubinage chez des hommes d'importance, puisqu'il ne les dénonça pas. Bien qu'il restât muet sur les comportements fautifs chez certaines chrétiennes, le moine crut en avoir suffisamment dit pour amadouer le chef du clan Gunn. Atteignit-il son but? Cela fut aussi difficile à déceler pour l'Irlandais qu'il est aisé de deviner la direction que prennent les oiseaux en vol regroupé.

Le quatre octobre 1027, peu avant complies*, le knörr entra à la rame dans la baie de Leifsbudir. Le frappement rythmé des planches de bois sur l'eau résonna jusqu'aux portes de la longue maison et en fit sortir les occupants, qui se ruèrent sur la plage. Sitôt débarqués, les arrivants se virent escortés joyeusement par ceux qui avaient espéré leur venue avec grande impatience dans les derniers jours. Sous l'éclairage de quelques flambeaux, le cortège transportant Gudlaugson à bras d'hommes grimpa lentement la colline à la suite de Gunni, de son épouse et de Comgan.

Aussitôt arrivé, s'excusant auprès de Moïrane, le moine se retira dans la chambre haute. De son côté, désireux de renouer avec ses hommes et de se reposer, Gudlaugson demanda à être déposé dans la pièce qu'il partageait avec eux. Ainsi se retrouvèrent réunis dans la salle commune les femmes, les enfants, Cinead, Karl, Jon, Markus et Gunni. Particulièrement fier de la conduite du poste durant la saison estivale, Cinead accapara l'attention de Gunni en lui narrant par le menu détail chaque fait et geste des membres de la colonie: il précisa le poids des sacs de grains accumulés, la quantité de barils de poisson séché et de viande fumée, la longueur et le nombre des peaux tannées, la variété des baies et des racines ramassées; et il exposa l'avancée des travaux de réfection des bâtisses.

On relata évidemment la capture de la femelle renne et la production laitière qui en découlait, faisant goûter à Gunni le fromage et l'entraînant à l'étable pour examiner le prodigue et paisible animal. Elsie, comme il se doit, fut mise en avant pour cette visite, soutenue par les explications enthousiastes et naïves des petites Elena et Vigdis. Pour ne pas être en reste avec l'appréciation des adultes, Martein exhiba un montant de bois gravé de frêles encoches en forme de croix, qu'il fabriquait pour la chapelle, ce qui amusa fort l'assemblée.

Prêt à dispenser toutes les félicitations et les éloges à qui en sollicitait, le chef de Leifsbudir irradiait de satisfaction. Mis à part le court moment d'embarras où il serra son épouse dans ses bras et sentit son ventre rond, le retour parmi les siens se déroulait mieux qu'il ne l'avait imaginé. La durée de son absence, sa dispute avec le moine, son reste d'amertume envers Moïrane, tout cela était autant d'éléments qui lui avaient fait appréhender la rentrée à Leifsbudir. En une heure seulement, ses ennuis furent chassés comme mouches par la queue d'un cheval. L'incomparable accueil qu'on lui avait réservé effaça toute adversité dans l'esprit et le cœur du chef écossais.

Dans la foulée des retrouvailles de Gunni avec son clan, Elsie se permit quelques libertés qui passèrent presque inaperçues. Elle se tint obstinément à côté de l'homme, frôlant aussi souvent que possible son bras et riant béatement à chacune de ses assertions. Durant toute la veillée, la jeune veuve s'affaira à le servir, lui offrant à boire et à manger sans répit, et elle revint sur son travail de laitière avec une opiniâtreté qui, en d'autres circonstances, aurait paru déplaisante. Mais, pour l'heure, nul ne s'en plaignit, autour d'une table aux arômes de fête.

Toute à la joie de revoir son mari, et ne voulant pas gâcher l'heureuse réunion, Moïrane choisit de ne pas porter ombrage à sa rivale. Elle demeura légèrement en retrait, observatrice et amoureuse. Si le comportement d'Elsie la gêna, elle n'en laissa rien soupçonner. D'ailleurs, son mari ne semblait pas s'en formaliser. Il accueillait les attentions de la jeune femme avec bienveillance, certes, mais sans y accorder un intérêt particulier. Chaque fois que son regard croisait celui de Moïrane, il ne se dérobait pas, mais, au contraire, s'y attardait avec plaisir. Cette attitude suffit à créer l'harmonie entre les époux.

Dès les premiers moments passés en présence de Gunni, je compris que ma grossesse serait un obstacle à une réunion parfaite. Durant notre accolade, j'avais perçu un léger raidissement de ses bras au moment où nos ventres s'étaient touchés, et ensuite, l'œil qu'il glissa à ma taille trahit ses réticences. Sur le coup, j'en éprouvai du chagrin, mais, me laissant emporter par la liesse générale, je ne m'attardai qu'à son visage d'homme heureux.

Pour complaire à ses hôtes indigènes, Gunni avait, au cours de l'été, coupé sa barbe et ses cheveux, ce qui le rajeunissait singulièrement; son teint halé par la vie au grand air accentuait le reflet gris de ses yeux et lui conférait un aspect de bonne santé très attirant; et, comme pour accuser davantage sa physionomie juvénile, il portait une tunique courte en cuir souple tanné à l'ocre rouge. Ce vêtement ainsi que de nouveaux souliers lacés haut sur cheville étaient indéniablement de confection béothuk et je pensai qu'il s'agissait de cadeaux de Nonosyim ou de quelqu'un de la tribu. En outre, mon mari avait récupéré, je ne sais comment, sa longue épée à deux tranchants à laquelle il tenait tant.

De son allure générale, il se dégageait une aisance et une grâce qui me séduisirent aussitôt et je décidai de m'en repaître intérieurement et à petite distance. Ne détachant pas mes yeux de Gunni une seule minute, je fus malencontreusement le témoin silencieux des minauderies d'Elsie à son endroit. Ce comportement, que j'avais tant exécré quatre mois auparavant, n'altéra pas vraiment mon humeur amoureuse. Par un examen minutieux du manège, de ses effets sur Gunni et de l'intérêt accordé par le groupe à l'effrontée, je déduisis que mon cœur n'avait pas lieu de s'alarmer. D'ailleurs, tout au long de la veillée, Gunni me gratifia de regards francs et réjouis que j'interprétai comme la preuve de son affection retrouvée.

L'assemblée finit par se dissoudre pour le coucher et, voulant gagner un peu d'intimité avec Gunni, je me rapprochai de lui. Il m'accueillit en saisissant mes mains dans les siennes. « Mon épouse a mené nos gens d'une main experte, me dit-il, sur un ton admiratif. Je suis fier de ce à quoi vous êtes parvenus, toi et Cinead, pendant l'été. Nous pouvons croire, sans trop nous tromper, que le spectre de la disette est éloigné de Leifsbudir : nous sommes prêts à affronter un nouvel hiver en toute confiance.

– Je me suis appliquée, Gunni, mais je n'ai pas été la seule. Tous ont contribué au succès que tu as sous les yeux, et je ne parle pas uniquement de nos gens, ceux du clan Gunn, mais des Islandais aussi, affirmai-je.

– C'est vrai, ils sont aussi bons à la houe et à la bêche qu'au harpon. Nous avons le droit de nous enorgueillir de la formidable association que nous formons, tous ensemble! La chasse au morse n'ayant pas été vilaine, notre alliance avec les Béothuks s'étant raffermie et la mission d'évangélisation ayant bien progressé, l'avenir au Vinland me semble nettement plus prometteur, désormais.

— En effet, murmurai-je.

— Viens», dit-il en m'entraînant vers le banc de mur, sur lequel était dressé son couchage. Je l'y suivis, le cœur rempli d'expectatives. Gunni s'assit et me cala à ses côtés, dans les fourrures amoncelées pêle-mêle. Pendant un long moment, nous demeurâmes blottis l'un contre l'autre sans rien se dire, tandis qu'autour, Karl, Cinead, Jon et Markus s'installaient pour la nuit. Puis, Gunni se détacha doucement pour mieux me voir. Les lampes de stéatite avaient été éteintes et seul le rougeoiement des braises dans la fosse à feu nous éclairait encore. Alors que mon mari pouvait lire sur mon visage exposé aux lueurs, le sien demeurait impénétrable, plongé dans l'ombre. «Parle-moi de la venue de Brude», fit-il, sur un ton neutre. La question me désarçonna, bien qu'elle ne me surprît point. L'information sur la visite des Albains avait circulé un peu plus tôt, et j'étais sûre que Gunni l'avait enregistrée. Comme j'hésitais, il se répéta en saisissant mon menton pour redresser ma tête et mieux pénétrer mon regard. «Doit-il venir à Leifsbudir ou pas?

— Je crois qu'il viendra…

— Restera-t-il? Passera-t-il l'hiver ici?

— Je n'en sais rien, Gunni, soupirai-je.

— Cet homme n'a rien à faire chez moi, alors, je te demande pourquoi s'amènerait-il, si ce n'est pour toi ou ton enfant… son enfant.»

Je frémis au ton durci et aux paroles. Je n'avais nul besoin de voir les traits de Gunni pour savoir qu'il était de nouveau mécontent. Voilà ce que, confusément, je redoutais depuis le premier jour de mon union avec Brude : que Gunni ne reconnaisse pas l'enfant que j'engendrerais. Malgré la vive douleur ressentie et la détresse qui l'accompagnait, je ne m'effondrai pas devant cet inévitable aboutissement. Au contraire, je laissai monter en moi une vague d'indignation propre à mieux me défendre qu'une crise de larmes. «Tu es injuste, Gunni, chuchotai-je. Envers Brude et envers moi. Envers l'enfant, aussi. Je suis et je demeure ton épouse, puisque tu ne me répudies pas. Alors, l'être que j'enfanterai sera ton fils ou ta fille. Pour quelles raisons valables refuserais-tu cette filiation, toi, un chef de clan qui n'a point de postérité ?

— J'ai pourtant bien essayé…

— Voilà ! J'ai longtemps cru que la faute de notre infortune m'incombait, que mon ventre était sec et qu'en dépassant ma trente et unième année, il n'y aurait plus d'espoir de te donner un descendant. Or, je mettrai au monde un enfant en décembre.

— Insinues-tu que c'est moi le fautif, que ma semence est stérile ?

— Je ne pense rien de tel. Je dis simplement que nous voulions concevoir tous les deux, que nous désirions fonder une famille, avoir des héritiers. Par une chance inouïe, il s'en présente un, bientôt, et je souhaite de tout cœur que tu l'accueilles et l'acceptes comme le tien, comme le nôtre. Pas comme celui de Brude…»

Gunni se détourna brusquement et, ce faisant, il présenta son profil imberbe à la lumière mourante du foyer. Son front buté, son nez droit et ses lèvres pincées se découpèrent dans le halo jaune en révélant toute la lutte intérieure qu'il se livrait. Le cœur battant, je le détaillai, à la recherche d'un assouplissement, d'une détente ou d'un renoncement dans ses réflexions. Gunni se tut longtemps, mais son mutisme fut plus éloquent qu'une harangue. « Gunni, regarde-moi… implorai-je finalement, à voix basse.

— … par une chance inouïe… par une chance inouïe, il s'en présente un, bientôt. Un héritier. Un fils ou une fille », dit-il, tout en continuant de fixer la fosse à feu. Encouragée par le fait qu'il reprenne mes mots dénués de reproches, je m'enhardis à lui prendre la main, qu'il m'abandonna. Je la portai à ma bouche pour l'embrasser, puis je la posai à plat sur le renflement de mon bliaud. « L'héritier de Gunni de Helmsdale, chef du clan Gunn », prononçai-je, avec douceur et fermeté. Tandis qu'en silence, tête baissée, mon mari glissait délicatement la main sur la rondeur en effleurant l'étoffe de ma vêture, je retenais mon souffle et priais Dieu d'accomplir un miracle. Gunni leva le front et nos regards se croisèrent. De nouveau, je ne pouvais rien lire dans le sien, alors qu'il devait déchiffrer le mien. Je souhaitai ardemment qu'il y décèle tout l'amour que j'éprouvais pour lui et tout l'espoir que je mettais dans l'enfant à naître. Gunni dut intercepter ce message, car il retira sa main pour prendre la mienne et, comme je l'avais fait précédemment, il la baisa. « Moïrane, je ne sais pas ce que vient chercher l'Albain à Leifsbudir, mais je sais bien ce que je ne lui céderai jamais : ma femme et mon enfant », dit Gunni, si bas que je fus certainement la seule dans la salle à avoir entendu.

Éperdue de joie, je me réfugiai dans ses bras. Nous demeurâmes enlacés un très bref moment, car, presque aussitôt, Gunni se dégagea avec précaution en m'enjoignant de regagner ma couche, dans la chambre des femmes. Sa voix était redevenue chaude, ses gestes, délicats et je me sentis absolument réconciliée. « Merci, mon bien-aimé », lui glissai-je à l'oreille, avant de me lever. Je venais d'éviter la tempête que j'anticipais. « Quand cesserai-je enfin de m'inquiéter des répercussions de mon aventure avec Brude ? » songeai-je, en traversant la pièce plongée dans l'obscurité. Avant de pousser la toile donnant accès à la chambre, je jetai un dernier coup d'œil en direction de mon mari, mais je distinguai à peine sa silhouette. Gunni s'était déjà allongé, dos au foyer, sans s'être dévêtu, ce qui me parut étrange. Il semblait attendre que je sois partie pour le faire. Alors, je me retournai et passai de l'autre côté de la cloison.

La lumière de deux feux éclairait mon chemin dans la chambre : celle de la lampe près de mon lit, et celle de la torche sur le linteau de la porte, près de la penderie et de la couche d'Elsie. À cet endroit, je retirai ma coiffe et mon bliaud, que je suspendis sur leur crochet, puis, comme je m'apprêtais à gagner ma couche, Elsie m'adressa la parole, d'une voix étouffée : « Il trouve que tu es trop grosse ?

— De quoi parles-tu ? dis-je.

— De ton mari. Il ne veut pas te prendre parce que ton ventre l'incommode, et même, l'embête », grommela-t-elle en se retournant face au mur. « Quelle impertinente ! » pensai-je en haussant les épaules, sans répliquer.

Après avoir retiré mes souliers et mes bas, et m'être glissée entre les draps frais, je soufflai la lampe. En deux mots, Elsie avait réussi à ternir mon bonheur. Agacée par cette piètre constatation, je poussai un soupir en me pelotonnant, afin de me réchauffer. Instinctivement, mes bras ceinturèrent mon ventre dur et proéminent et, soudain, je me demandai si celui-ci pouvait nuire aux ébats amoureux. Peu motivée à imaginer la réponse à cette question, mais curieuse de la connaître, je me proposai d'en parler à Ingrid, dès le lendemain. Désireuse de m'endormir en toute quiétude, j'appelai en renfort mon recours habituel, celui d'explorer l'éventail des noms chrétiens féminins et masculins afin d'en choisir un pour l'enfançon. Le nom de mon père me vint à l'esprit, comme toujours, mais, cette fois, je le repoussai : « Non, me dis-je, pas Moddan. Si c'est un garçon, il faut qu'il porte le nom de son grand-père paternel, Uilleam, comme le veut la tradition, ou encore, celui de Gunni, même si ce nom est païen... Si c'est une fille, alors, le nom de ma mère conviendra, j'imagine, mais je préférerais celui de ma marraine, Iseabail : c'est tellement joli !.. »

Chapitre XVI

La trompée

Le lendemain du retour de Gunni, il faisait un temps magnifique et nous décidâmes d'en profiter pour faire la lessive des vêtures et des draps dans le ruisseau. Sitôt après le repas du matin, Ingrid, Arabel et moi transportâmes nos paniers jusqu'à une loupe de l'affluent, en aval de notre habituelle prise d'eau potable. À cet endroit, les galets étaient larges et surélevés, permettant un accès aisé au torrent, et un bouquet d'aunes nous coupait du vent de la mer. Plus loin, le ruisseau se perdait dans une frange de joncs qui montaient à hauteur d'homme et masquaient la forge, située à une centaine de yards en contrebas.

Nous étions à peine installées que nous ouïmes des voix d'hommes qui, apparemment, s'ébattaient dans le courant. Nous tendîmes l'oreille durant un moment et reconnûmes Gunni, Cinead et Markus. «On dirait que nos hommes sont au bain derrière ces joncs, remarqua Ingrid.

— Les deux vôtres, oui. Le troisième n'est pas mon homme», rétorqua Arabel, la tête penchée sur son ouvrage. Son ton bourru et ses gestes brusques trahissaient son agacement. Je glissai un regard à Ingrid, pour voir ce qu'elle en pensait, et interceptai son haussement de sourcils. Elle plongea la chemise de Vigdis dans l'eau avec le savon et se mit à la frotter sur la pierre. Non loin l'une de l'autre, nous faisions dos à Arabel qui, dans sa position accroupie, ne pouvait pas entendre ce que nous nous disions à voix basse. « Je crois que Gunni a tenté d'intercéder en faveur de Markus, hier, mais Arabel a manifestement réfuté ses explications, chuchotai-je.

— Elle a le droit de ne pas vouloir se remarier, après tout, répondit Ingrid, sur le même ton.

— Certes, mais alors, pourquoi avoir tourmenté le brave homme durant tout l'été? Tu sais comme moi qu'ils ont beaucoup coqueliné. Le revirement d'attitude d'Arabel me semble manquer d'honnêteté.

— Il ne faut pas juger notre amie trop sévèrement. Parfois, l'honnêteté a un visage changeant: tu en sais quelque chose, Moïrane. » J'interrompis aussitôt mon labeur et dévisageai Ingrid. L'à-propos de sa remarque me stupéfiait et je me demandai s'il s'agissait d'une forme de condamnation de sa part. Mais déjà, Ingrid détournait la tête pour reporter son attention sur sa besogne. Je ne répliquai pas et m'abstins de lui parler de la question qui me taraudait depuis la nuit dernière, car je ne me sentais plus du tout sûre de son estime pour moi. Le reste de la corvée se fit en silence. Ayant moins de linge à nettoyer que mes compagnes, je terminai avant elles et m'en allai l'étendre. En sortant des abords du ruisseau, je croisai Markus et Cinead qui s'en retournaient à la longue maison, vêtus seulement de leurs braies, la tunique sur le bras et le torse rougi de s'être aussi longtemps frottés à l'eau froide. Je tendis le cou en direction des joncs afin d'apercevoir Gunni, mais ne le vis point. Déposant mon panier à mes pieds, je m'avançai silencieusement vers le lieu de la baignade, afin de le surprendre. Quelle ne fut pas ma déconvenue quand la voix d'Elsie me parvint distinctement et arrêta mon élan! «Que ressent-on au moment du tatouage? Ce doit être douloureux... je peux toucher? l'entendis-je demander.

— Ça fait moins mal qu'une piqûre de guêpe et un peu plus qu'une brûlure, répondit Gunni.

— Ce dessin-là, qui continue dans le dos, que signifie-t-il?

— C'est "osweet", la route du renne, l'animal le plus important pour les Béothuks, car il assure une bonne part de leur survie. Cette marque est censée procurer la chance à celui qui la porte.

— Et celle-ci, sous le sein, à l'endroit du cœur?

— C'est une queue de baleine: elle indique que je suis responsable d'un groupe de personnes, que je suis un chef, en quelque sorte...»

Alors que Gunni et Elsie continuaient ainsi leur papotage aberrant, je fis volte-face et courus à la longue maison en oubliant mon panier de linge derrière moi. Je fulminais en pensant à ce que Gunni voulait camoufler, la veille, en ne se dévêtant pas en ma présence, et qu'il exhibait maintenant devant l'exécrable veuve. J'avais toutes les raisons de croire que celle-ci avait assisté au bain de mon mari, une autre effronterie qui venait s'ajouter à la liste déjà longue de ses inconvenances. Je trouvai la chambre des femmes heureusement vide et je me laissai choir sur mon lit. En proie à une haine sournoise, je m'isolai du reste du groupe pendant un long moment.

C'est Ingrid qui me découvrit dans cet état, après avoir buté sur mon panier abandonné dans le sentier. «Que se passe-t-il, Moïrane? Tu as eu un malaise?

— Oui, c'est cela, fis-je. Je vais bien, maintenant. C'est passé, ce n'était rien.

— Une crampe au ventre, un haut-le-cœur ou un saignement? insista-t-elle.

— Un étourdissement, je crois, répondis-je en me levant. Tout est terminé, je me sens beaucoup mieux. Je vais aller m'occuper de mon linge.

— Laisse, Arabel s'en charge. J'aimerais que tu te reposes encore un peu, que tu t'allonges en posant les pieds sur le ballot de fourrures. Voilà, comme ça... surélevés. Les sangs vont se replacer, dans cette position.» Tandis que je me soumettais de bonne grâce aux conseils d'Ingrid afin de ne pas la contrarier, ma colère s'apaisa. «Au fait, as-tu vu Elsie? poursuivit-elle. La brave fille avait offert de lessiver pour Jon et Karl. Ils vont s'étonner de ne pas repérer leurs hardes à côté des nôtres sur la corde, lorsqu'ils vont revenir de leur tournée des collets.

— Non, fis-je, en pinçant les lèvres.

Après s'être assurée que j'étais confortable, Ingrid me quitta. Je l'entendis interpeller quelqu'un qui entrait dans la salle commune. Elle devait probablement s'enquérir d'Elsie, car je saisis le nom de celle-ci dans sa question. Je ne compris rien d'autre, car Ingrid s'éloigna de la cloison de la chambre pour poursuivre la conversation. Je n'en captai pas la teneur, pas plus que je n'identifiai la personne avec laquelle elle parlait. Ensuite, les fillettes pénétrèrent à leur tour dans la pièce et le brouhaha qui s'ensuivit étouffa les voix. Je fixai la toile en essayant de deviner avec qui Ingrid bavardait et j'étais à deux doigts de me lever pour aller voir, quand Gunni passa la tête dans l'ouverture. « Ingrid me raconte que tu es malade : est-ce que je peux entrer ? dit-il.

— Viens ! fis-je, en lui indiquant une place à côté de moi. Gunni s'avança, mais ne s'assit pas sur le lit, prétextant qu'il avait les cheveux trop mouillés, ce qui était fort juste : des gouttelettes continuaient de tomber sur sa tunique de cuir délacée au col. Mon mari demeura donc debout, les mains sur les hanches, en me détaillant d'un air décontracté, nullement soucieux. « Je me porte à merveille, dis-je. La femme de Cinead me couve trop et s'inquiète de trois fois rien... Elle est pleine de sollicitude envers moi et il serait malséant de ne pas lui obéir : alors je garde le lit pour la satisfaire.

— Je vais faire de même, dit-il.

— Tu vas te coucher ?

— Non pas ! Je vais lui obéir, comme toi.

— Qu'est-ce qu'Ingrid t'a demandé de faire ?

— De ne plus te prendre à compter de maintenant jusqu'à deux mois après l'accouchement, répondit laconiquement Gunni.

— Elle a dit ça ? C'est inouï : je me sens tout à fait bien, je ne saigne pas...

— Je tiens Ingrid pour très compétente et comme elle sera ta sage-femme, mieux vaut s'en remettre à ses remèdes autant qu'à ses restrictions, Moïrane. »

Alors que Gunni faisait mine de partir, je me redressai, saisis sa main et le forçai à s'asseoir. Il ne le fit pas, mais s'accroupit sur les talons en posant les mains sur le bord du lit pour se maintenir en équilibre. Le calme que je lus dans ses yeux faillit me faire abandonner le sujet d'Elsie et de leur rencontre au ruisseau. Comment parler de cette scène sans laisser transparaître mes sentiments de jalousie, et, surtout, de quelle façon le faire sans révéler mon indiscrétion? C'est Gunni qui vint à ma rescousse: «Veux-tu me poser une question? Laquelle parmi la dizaine que je vois défiler dans ton drôle de regard va sortir la première? dit-il, sur un ton badin.

– Je crois que tu as beaucoup apprécié ton séjour chez les Béothuks..., avançai-je, prise au dépourvu. Qu'est-ce qui t'a le plus charmé, est-ce leur mode de vie ou eux-mêmes, comme individus? J'ai remarqué que tu as rapporté des objets de là-bas, des cadeaux peut-être?

– Oui, il y a des présents de Nonosyim, comme cette tunique ocre, des amulettes, et finalement, mon épée! Je ne pensais jamais la récupérer et pourtant, il me l'a rendue: je suis devenu pratiquement un des leurs, maintenant.»

Gunni se releva et fit quelques pas mesurés dans la pièce, tout en poursuivant: «Cela peut te sembler étrange, Moïrane, mais je tire une grande fierté de leur estime: la tribu du Rocher-de-l'Aigle est un groupe d'hommes et de femmes très intelligents, très probes, vraiment admirables. Peu importe si je dois mon succès auprès de Nonosyim à l'effet produit par mes cheveux roux, car les Béothuks vouent un véritable culte à la couleur rouge: il est indéniable que j'ai séduit ce chef. D'autres diront que je me leurre, comme Comgan ou Gudlaugson: ces deux-là refusent de prêter de bonnes intentions aux indigènes, qu'ils s'entêtent d'ailleurs à appeler "Skrealings". Combien de fois m'ont-ils reproché mes familiarités avec nos hôtes du Rocher-de-l'Aigle? Si tu avais entendu les cris d'horreur qu'ils ont poussés quand je me suis prêté à une séance de tatouage...

– On t'a tatoué? feignis-je de m'étonner.

– … heu, oui! Je ne te montre pas le résultat parce que tu risques de trouver les dessins très laids. Ce qui compte, c'est le geste d'amitié et d'intégration dont la cérémonie témoigne. Les Béothuks ne sont pas des malotrus ou encore des sauvages, comme l'ont toujours laissé entendre les Greenlandais, loin de là! Je connais bien leur bonté de cœur et leur force d'âme, car je les ai éprouvées. Nonosyim m'a aidé et guidé, et ce, plus d'une fois et je suis parfaitement sincère en disant que nous devons notre survie au Vinland à cet homme exceptionnel. »

Après un tel éloge des Béothuks, je ne pouvais étaler ma mesquinerie envers Elsie: Gunni l'aurait trouvée inopportune. Je ne pouvais pas non plus demeurer ignorante de ce que ma rivale avait admiré sur le corps de mon mari, et peut-être même touché… Alors, j'insistai pour examiner les tatouages. À ma demande, Gunni retira donc sa tunique et sa chemise, en s'asseyant sur le lit. Consciente de l'artifice de ma conduite, je redemandai toutes les explications qu'Elsie avait préalablement obtenues sur les dessins. Je me permis délibérément de caresser chacune des marques et me réjouis de sentir la peau de mon mari frémir sous mes doigts. « Je trouve cela très singulier, mais aussi très beau, Gunni, murmurai-je, autant par défi que par sincérité.

– J'en suis fort aise. Maintenant, je me rhabille, sinon je vais désobéir à maman Ingrid… », dit Gunni en repoussant mes mains. Avec un sourire goguenard sur les lèvres, il renfila prestement sa chemise et sa tunique et je dus me retenir de rire en l'y aidant.

Une seule personne à Leifsbudir souhaitait la venue annoncée de Brude et fut déçue de voir arriver le mois de novembre sans que cette visite ait eu lieu : c'était Comgan. Tous les jours, le moine grimpait sur le promontoire rocheux en surplomb de la baie pour inspecter les eaux afin de déceler la formation des glaces, car il pensait que son protégé albain ferait le voyage en curragh, comme ses prédécesseurs. Immobile durant de longues minutes, la bure battue par les embruns, le religieux contemplait la mer agitée en direction sud-ouest, tout en espérant y découvrir l'embarcation albaine, puis, rebuté par le froid et les vents, il redescendait, bredouille, vers le camp.

L'achèvement de la petite chapelle, à l'extrémité nord du site, était heureusement source de contentement pour l'Irlandais. Depuis son arrivée au Vinland, aucun lieu, outre celui-ci, n'avait vraiment été propice à son recueillement et à ses dévotions, et, curieusement, il en ressentait une impression de manquement, de tâche bâclée. Lorsqu'il pénétrait dans la douce pénombre du petit édifice, parcimonieusement éclairé par des lampes de suif, et qu'il s'abandonnait à son silence dense, le moine décelait la présence divine comme un véritable choc. Une dévotion toute semblable à celle éprouvée au monastère de Limerick s'emparait de son esprit et de ses sens, le clouant au pied de l'autel, bras en croix, durant des heures. Ce temps consacré aux prières et aux méditations l'accaparait et l'empêchait de s'attarder à ce qui le désappointait à Leifsbudir, c'est-à-dire qu'aucune âme n'y était à conquérir ou en perdition.

Bien que la ferveur de plusieurs membres de l'expédition manquât de zèle, elle était encore vive. Comgan découvrait, à fréquenter les colons écossais et islandais, que l'entretien de la foi chrétienne est de peu de défi en comparaison de l'évangélisation en terre païenne ou semi-païenne. De ses discussions avec l'évêque George concernant son mandat au Vinland, il était ressorti que le poste de Leifsbudir n'aurait jamais valeur de permanence en tant que colonie, mais demeurerait une base d'opération pour de futures missions commerciales. Au point de départ, le moine savait donc qu'il ne fallait pas penser à établir une abbaye, une paroisse et encore moins un évêché sur l'île d'Alba, peu importe le nombre de nouveaux convertis. L'érection d'un modeste oratoire pour son usage privé : voilà où devaient s'arrêter ses ambitions de construction. C'est pourquoi Comgan considérait sa petite chapelle comme un refuge où cacher sa déroute, un endroit privilégié et particulièrement sacré en cette terre éloignée du monde chrétien.

L'attitude fermée du moine et ses habitudes d'isolement ne gênèrent aucunement les habitants de Leifsbudir. Même Moïrane, de loin la plus fervente chrétienne de la place, ne souffrait pas du ralentissement des activités religieuses entreprises par Comgan. La prière de sexte, la messe dominicale et son prêche lui suffisaient. Elle n'avait pas renouvelé son intérêt pour les écritures saintes et ne recherchait pas spécialement la présence du moine dans la salle commune, lieu où vivait intensément la communauté depuis que l'automne s'installait sur la péninsule.

Son mari s'accommodait parfaitement du comportement effacé de l'Irlandais. Malgré les efforts de rapprochement de ce dernier à son endroit, Gunni maintenait la même réserve et gardait ses distances. Sans pour autant négliger ses propres devoirs religieux, il ne les remplissait que dans les limites de l'observance et, pour se donner bonne conscience, il voyait scrupuleusement à ce que le moine ne manquât de rien pour officier. Néanmoins, le chef de Leifsbudir avait recours le plus souvent à des intermédiaires pour s'acquitter de cette tâche, de sorte que ses rencontres avec Comgan étaient rares.

Bien qu'il eût avantage à développer des relations nourries avec le religieux, qui tenait toujours les cordons de la bourse, Gudlaugson préférait l'ignorer, et même, l'éviter. La chose était difficile, compte tenu que la chambre haute, dans laquelle logeait l'Irlandais, ouvrait sur la salle des Islandais, les deux pièces partageant le même feu. Le capitaine, n'ayant pas recouvré une parfaite mobilité de ses membres et souffrant de mille petits malaises dont une toux rauque, demeurait souvent seul au milieu de la journée, pelotonné au coin de son foyer pour réchauffer ses os endoloris. Il était ainsi à la merci de la sollicitude obligée du moine, au moment où ce dernier entrait ou sortait de sa chambre. Il s'ensuivait des échanges dénués d'intérêt, pour l'un comme pour l'autre.

Or, dans la première semaine de novembre, leurs conversations prirent un tournant inattendu. Comgan, voyant diminuer ses espérances d'une arrivée de Brude à Leifsbudir, se mit à jongler aux possibilités d'utiliser le knörr pour se rendre à Camasuaine. Gudlaugson, convaincu que les Albains possédaient des territoires de chasse supérieurs à ceux des Béothuks sur l'île, caressait le plan d'extirper les précieux renseignements aux gens d'Ari Marson, grâce à une fréquentation assidue de leur campement. Chacun discourait sur ses propres intérêts, sans passion ou précipitation dans l'élaboration d'un projet concret. Toutefois, ce que le moine ignorait, et que l'autre ne disait pas, c'est le moment idéal pour effectuer un tel voyage. Alors que le premier comptait le faire avant la mise en cale sèche du navire pour l'hiver, le second fixait l'appareillage au printemps, afin de bénéficier de bonnes conditions de navigation et d'une température clémente. Leur divergence de vues apparut un soir de la mi-novembre, alors que les cousins Ketilson et Anderss étaient partis veiller avec le clan Gunn dans l'autre salle et que les deux hommes étaient restés en tête-à-tête. « Je ne saisis pas vos motifs pour retourner chez les Albains à ce moment-ci, dit Gudlaugson. Que vous apportera un autre hiver ? À la rigueur, j'admets qu'une visite au printemps, pour consolider votre travail là-bas, est souhaitable. D'ailleurs, cela me fera plaisir de vous y conduire et de reprendre contact avec mon compatriote Marson…

— Messire, si nous attendons, le vieux chef albain pourrait bien avoir trépassé entre-temps, fit remarquer Comgan. C'est ce qu'ont laissé entendre les gens de sa délégation, en août dernier. Vous avez compris cette information comme moi, je suppose… Quoi qu'il en soit, il me faut rencontrer mon disciple Brude. Étant seul juge du bien-fondé de mes agissements, je ne vous reconnais pas l'autorité de critiquer mes plans et je n'ai pas non plus l'obligation de vous les expliquer.

— Si vous le prenez ainsi, je rejette votre proposition. Les raisons ? Je ne dispose plus que de trois marins à mes ordres, je ne suis pas en état de mener cette expédition, et personne d'autre que moi ne pilotera le knörr. En outre, chez les Albains, il m'agrée assez de transiger avec le fils plutôt qu'avec le père. Aussi, attendre le décès d'Ari Marson pour effectuer ce voyage n'est pas pour me déplaire. » La réponse de l'Islandais indigna Comgan. À compter de ce jour, leurs relations se détériorèrent au point qu'ils en vinrent à ne plus se parler, et même, à ne plus souffrir de s'entrevoir.

Une semaine après l'altercation, le moine décida de se retraiter dans sa chapelle pour faire un jeûne, et d'abandonner définitivement l'occupation de la chambre haute. « Je veux voir apporter quelques modifications à la chapelle, exposa-t-il à Gunni : l'aménagement d'un petit foyer, d'une trappe au plafond et d'une large banquette. C'est peu de chose, qui n'exige qu'un effort léger de votre part, alors que cette amélioration m'apportera l'aise pour mener une vie de piété, à laquelle mon état religieux aspire. Vous disposerez ainsi de la chambre haute à votre guise : d'ailleurs, ne revient-elle pas de droit au chef, dans un campement viking ? » Comme Gunni n'avait aucune raison de refuser la requête de Comgan, et que la loge de ce dernier l'intéressait, les menus travaux à la chapelle furent aussitôt entrepris. Deux jours suffirent, au bout desquels le coffre et toutes les choses du moine purent être déménagés.

La chambre haute n'était guère grande, avec ses quatre yards de large par cinq de profond, mais ses murs, recouverts de lattes de bois, et son plancher, bâti en estrade, lui conféraient un aspect d'opulence. Habituellement conçue pour loger la personne d'importance et abriter les biens les plus précieux dans un groupe de colons ou de marchands, la chambre haute comportait des espaces de rangement et des commodités que les autres pièces dans les longues maisons n'avaient pas. De l'incendie qui avait ravagé le poste de Leifsbudir, lors de son abandon par les Greenlandais, la chambre haute avait été l'habitacle le mieux conservé parmi tous les bâtiments du site. Bien que très noirci, ni le bois du plafond, ni celui des murs, ni celui du plancher surélevé n'avaient été significativement endommagés. Gunni y aménagea donc avec joie en emportant ses fourrures, ses vêtements, ses armes, son bouclier, deux lampes de stéatite et une quantité de menus objets en ivoire ou en pierre, qu'il avait commencé à sculpter.

À la fin de l'installation, lorsqu'il s'assit sur le banc inférieur qui renfermait ses biens, Gunni vit, par la porte ouverte, la fosse à feu dans la salle des Islandais et, juste derrière celle-ci, le lit de Gudlaugson. Ce dernier, qui avait observé avec ravissement le déménagement des affaires du moine et le déploiement de celles de Gunni, émit un sifflement admiratif. «Te voilà logé comme un grand seigneur, fit-il. Regardez, les gars, comme notre chef d'expédition exulte, tout pareil à un renard engoncé dans un poulailler», clama-t-il en direction de ses hommes. Les cousins Ketilson acquiescèrent, Anderss hocha la tête sans grande conviction, mais aucun d'eux ne renchérit sur les propos du capitaine. «Remarque, Gunni, que je ne t'envie pas, poursuivit le capitaine en venant s'appuyer au montant de la porte. Devoir grimper sur les paliers tous les soirs pour aller m'étendre et les débouler au matin pour aller pisser, c'est un exercice dans lequel je ne trouverais aucun agrément. Je crains que dame Moïrane ne partage mon avis à ce sujet, avec son fardeau sur le devant...

— En effet, mon épouse ne risque pas de fréquenter ma couche dans les prochains mois, concéda Gunni.

— Grand dommage pour nous, répliqua Gudlaugson. Dans cette partie de la maison, nous n'avons guère l'occasion de voir passer une femme. J'ai bien essayé d'attirer la seule qui est en apparence disponible, je parle évidemment de la veuve de Pelot, mais elle ne pense qu'à toi, sacré veinard…

– Ton imagination est fertile, Gudlaugson. C'est bon, cela : les femmes raffolent des histoires. Tu devrais devenir conteur : qui sait si tu ne gagnerais pas ainsi le cœur d'Elsie, suggéra Gunni, en badinant.

– Je ne vise pas aussi haut : je me contenterais de ce qu'elle garde un peu plus bas, sous ses jupes », rétorqua le capitaine, en baissant le ton pour n'être entendu que de Gunni. Celui-ci fit mine de s'amuser de la repartie, mais n'y répondit pas.

Au fond, toute la conversation avec Gudlaugson embarrassait Gunni, sans qu'il puisse toutefois dire en quoi. L'Islandais manquait évidemment de tact ; il faisait preuve d'effronterie et d'une absence de jugement, mais tout cela n'était rien que le reflet d'une nature simple et hardie. On ne pouvait lui en tenir rigueur. À force de ressasser les impressions désagréables qui persistaient en lui après ce constat, Gunni se rendit compte qu'il était sensible aux attentions incessantes d'Elsie à son endroit, attentions qui frôlaient parfois la provocation et que Gudlaugson avait si pertinemment relevées. Le comportement de la jeune femme agissait sur Gunni en exacerbant un sentiment d'appropriation inopportun, comme si elle était sienne et qu'il ne voulait pas la partager. Désemparé, le chef de Leifsbudir découvrit que le désir avoué d'un homme pour la belle grande femme lui déplaisait souverainement. Dès cet instant, il n'eut de cesse de sonder son cœur, à la recherche d'indices de son attachement et de son propre désir pour Elsie.

La curiosité me poussant, je ne pus me retenir d'aller inspecter la nouvelle chambre de Gunni. Il m'en fit faire la visite sans y pénétrer, demeurant sur le pas de la porte pour me décrire le contenu des bancs, l'épaisseur des peaux et la quantité de vadmal qui garnissaient son lit. Au premier regard, j'avais mesuré la pièce et, mentalement, je la réaménageais de sorte que je puisse venir y loger avec l'enfançon. Je me voyais déjà installée dans un coin, à l'abri de l'humidité du sol, confortablement entourée des fourrures de couchage, et allaitant le bébé sous l'œil attendri de mon mari, allongé à nos côtés. Je repartis vers la salle commune, tout imprégnée de cette image idyllique de ma prochaine félicité, et je m'en repus durant une bonne partie du repas.

Ce soir-là, Gudlaugson et ses hommes retournèrent dans leur salle et le frère Comgan commença son jeûne. Nous étions donc seulement entre membres du clan Gunn. Les hommes, comme à leur habitude après le souper, sortirent de table pour se retirer vers les bancs de mur, en laissant aux femmes les premières places sur le pourtour de la fosse à feu. Leur conversation languit alors que la nôtre s'anima, sous l'impulsion d'Ingrid et d'Arabel qui voulaient narrer les péripéties de leurs accouchements respectifs. Par égard pour moi, elles prirent soin de minimiser l'aspect des douleurs, dont tout récit de ce genre était inévitablement truffé, pour s'attarder sur les circonstances particulières de chaque naissance ; la manière dont le bébé s'était présenté ; l'assistance dont elles avaient joui ; et, bien sûr, l'apparence des nouveau-nés eux-mêmes, tous plus vigoureux les uns que les autres. Elena, Vigdis et Martein s'émerveillèrent de l'histoire de leur propre venue au monde et ne se lassèrent pas de faire répéter tel ou tel détail qu'ils trouvaient particulièrement intéressant.

Durant tout cet épisode, comme moi, Elsie était restée à peu près silencieuse. N'ayant pas réussi cette étape de l'enfantement, elle ne pouvait alimenter la conversation en l'enrichissant de son expérience. Elle dut en éprouver un certain dépit, car elle décida, au bout d'un moment, d'aller rejoindre les hommes. C'était à prévoir : Elsie choisit une place au bout du banc occupé par Gunni. Méthodiquement, tout en affichant une grande désinvolture, elle se rapprocha peu à peu de lui, tant et si bien qu'à la fin, elle s'appuyait carrément contre son épaule. Cette posture éhontée ne parut indisposer que moi-même, car, à vrai dire, le manège d'Elsie était passé inaperçu, personne ne lui prêtant attention, sauf bien sûr Gunni, qui ne pouvait feindre de l'ignorer. Au lieu de se dégager, ce que j'aurais souhaité qu'il fît, mon mari choisit l'immobilité, comme s'il craignait de déranger la drôlesse en bougeant, ne serait-ce qu'un petit doigt. J'eus beau sourciller dans sa direction, il évita soigneusement de rencontrer mon regard. N'y tenant plus, je me levai, résolue à séparer les impudents, et je demeurai un instant debout, hésitant sur la façon de m'y prendre.

La petite Vigdis, qui était assise à côté de moi, fut soudainement fascinée par mon ventre proéminent qui se découpait, juste au-dessus de ses yeux, sous l'étoffe tendue de mon bliaud. Elle bondit aussitôt sur ses pieds et, en un geste plein d'entrain et d'émerveillement, elle saisit la rondeur dans ses petites mains et y déposa un baiser bruyant. «Oh que j'ai hâte de voir naître le bébé de dame Moïrane!» s'écria-t-elle. Cette émouvante marque d'affection suspendit la conversation entre mes amies, tout autant que l'intervention que je m'apprêtais à faire auprès du couple Gunni-Elsie. Voyant l'amusement se lire sur les lèvres de leur mère, Elena et Martein s'empressèrent d'imiter leur amie et mon ventre fut aussitôt pris d'assaut par les caresses et les baisers des enfants. La joyeuse diversion qu'ils créèrent eut l'effet d'écarter Elsie. Levant les yeux dans sa direction, je surpris un regard d'envie chez elle. Avec une grâce étudiée, elle se leva et regagna sa place parmi les femmes en tournant l'intérêt des enfants vers le sujet de la fécondation. «Les filles, savez-vous comment les bébés arrivent dans le ventre des mamans? demanda-t-elle.

— Ouiiii», ânonnèrent en chœur Elena et Vigdis, qui en savaient manifestement plus sur la question que leur petit compagnon.

«C'est le papa qui a la semence et qui la met dans la maman, précisa Elena.

— Comment? s'étonna Martein, éberlué.

— Avec son vit, répondit la fillette.

— Comment? répéta le bambin. Par où il entre?

— Bon, cela suffit», trancha Arabel en rattrapant son fiston par le collet. «Nous en reparlerons une autre fois. C'est vraiment l'heure de se coucher. Allons, au lit!» Malgré le regard implorant que lui jetèrent ses fillettes, Ingrid les poussa derrière la toile, à la suite d'Arabel avec Martein.

Je me retrouvai tout à coup seule spectatrice autour du feu, face à Elsie. Nous nous dévisageâmes en silence, ne sachant, l'une comme l'autre, quelle contenance adopter. Puis, Elsie commença à discourir sur la facilité avec laquelle elle était tombée enceinte; sur le peu de temps qui s'était écoulé entre le jour où Pelot l'avait déflorée et le jour où elle n'avait pas eu ses saignements. Elle semblait mettre un point d'honneur à avoir été engrossée du premier coup, ce qui la différenciait assurément de moi. Son discours, qui s'adressait apparemment à mes oreilles, était prononcé à voix assez haute pour atteindre celles des hommes, ce que je devinai être le but poursuivi. « Quand je lui ai appris la nouvelle de ma grossesse, pérorait Elsie, ma mère n'a pas paru surprise. Elle m'a dit que j'étais comme elle, une terre fertile dans laquelle tout pousse et qu'il faudrait me méfier des autres hommes, car n'importe quelle semence aboutirait au même résultat. » À peine avait-elle conclu sur cette ignominieuse mise en garde qu'elle se retourna pour voir si Gunni avait entendu. Je suivis son regard, mais ne pus rien déceler de probant dans le visage de mon mari. Toutefois, quelque chose dans son maintien, sa façon de fixer le plafond et de frotter ses pouces contre ses index, laissait voir qu'il réfléchissait. À quoi? J'aurais donné ma chemise pour le savoir, mais une étrange retenue m'empêcha de satisfaire ma curiosité céans.

Markus rompit le silence en annonçant qu'il se couchait. Karl et Jon, que le sommeil avait commencé à gagner, s'ébrouèrent en déclarant qu'ils faisaient de même. Tandis que tous trois s'activaient à dresser leur lit, Cinead se leva à son tour et vint donner une bourrade amicale à Gunni: « Va, mon ami! C'est le temps d'essayer la chambre haute. Tu nous diras demain si on y ronfle bien!

– C'est cela », répondit Gunni en souriant. Il sortit de la salle en souhaitant une bonne nuit à la ronde, sans même avoir pris le temps de m'embrasser, ce qu'il faisait normalement. Ce simple oubli m'assombrit et c'est d'un pas raide que je devançai Elsie dans la chambre des femmes. Je ne dis mot en me dévêtant et me mis au lit sans adresser un bonsoir à mes compagnes. Elles se couchèrent peu après, soufflèrent les lampes et j'entendis bientôt leur respiration lente se joindre à celle de leurs enfants endormis. Ici commença la plus atroce nuit de ma vie. Je la passai à guetter l'arrivée d'Elsie dans la chambre, mais en vain, car elle ne vint pas.

Une seule explication s'imposait à mon esprit enfiévré : ma rivale était allée se coucher dans la chambre haute. Tout autre motif pour interpréter le retard d'Elsie à rentrer ou, plus tard, son absence dans son lit, ne put être retenu par mon raisonnement pétri de jalousie. Cent fois je voulus me rendre chez Gunni pour en avoir le cœur net, cent fois je me retins, par peur de découvrir la confirmation de mes craintes et par manque de courage face à la douleur anticipée. Au matin, épuisée par l'insomnie et par la souffrance, je m'extirpai du lit au prix d'un effort considérable.

Tous dormaient encore quand je sortis de la chambre et traversai la salle, comme une somnambule. C'est au moment où je pénétrai dans la pièce occupée par les Islandais que je me ressaisis un peu. Aucun d'eux n'était éveillé, comme en témoignaient les ronflements qui s'échappaient des quatre lits. Une seule torche grésillait encore en jetant un halo jaune sur le mur d'entrée. Je la décrochai de son support et, la tenant d'une main moite et tremblante, je marchai jusqu'à la porte close de la chambre haute. Là, les tempes palpitantes et le cœur serré, je m'arrêtai un court instant, fermai les yeux et pris une grande inspiration, puis je poussai le battant. Le montant grinça discrètement, la porte bougea lentement et le rai de lumière de la torche plongea dans l'antre. Je vis alors ce que je redoutais si fort : la tête blonde d'Elsie émerger des fourrures en découvrant celle de Gunni à ses côtés. La douleur qui me transperça fut si fulgurante que je crus m'évanouir. J'aurais voulu crier, attaquer ou m'enfuir, tout en même temps, mais je demeurais là, pétrifiée et muette, à les regarder. Gunni m'appela deux ou trois fois sans que je réagisse, puis, par une détente brusque de mon bras, je jetai la torche à l'intérieur de la chambre et me précipitai au dehors.

Je ne sais guère ce qui se produisit ensuite. Quand je repris la maîtrise de mes sens, il faisait plein jour. Protégée du vent par le knörr, j'étais accroupie sur la plage, en proie à une profonde hébétude. De la fumée s'échappait de l'extrémité sud du toit de tourbe, là où était la chambre haute, et les cousins Ketilson, Karl, Jon et Anderss, munis de seaux, couraient du ruisseau à la longue maison en un va-et-vient poussif. Je me souvins alors de mon geste désespéré et je me réjouis en songeant que le feu faisait son œuvre de destruction de la couche maudite. Bizarrement, je ne nourrissais aucune inquiétude quant à la survie des amants, comme si l'impulsion qui m'avait fait agir n'avait visé que la pièce elle-même et que les flammes ne s'en étaient tenues qu'à celle-ci.

Aussi improbable que cela parût l'être, Gunni et Elsie réchappèrent de l'incendie et ressortirent de la chambre haute sans une brûlure. Les dommages causés à la pièce furent toutefois sérieux, en raison du contenu d'une lampe qui s'était répandu sur un coffre de bois imprégné d'huile, lequel avait alimenté le brasier naissant. Je compris tous ces détails en écoutant parler autour de moi, après que le frère Comgan m'eut retrouvée et ramenée dans la chambre des femmes. Semblable à elle-même, Ingrid m'entoura de ses soins attentifs et efficaces. Elle refusa obstinément d'agréer la version de l'incident selon laquelle on m'accusait d'avoir mis le feu, sans pour autant suggérer une explication à ma présence sur la plage à cette heure matinale. Me taisant entre deux crises de larmes, je ne répondis à aucune question, ne confirmai ou ne niai aucune supposition. Je ne sortis de mon mutisme qu'au moment où mon mari entra dans la pièce et en expulsa les occupants. « Ne m'approche pas ! lui criai-je.

– Sors d'ici », se contenta de dire Gunni à Ingrid qui ne bronchait pas de mon lit, alors que le frère Comgan, Arabel, Cinead, Markus et les enfants se retiraient précipitamment. « Elle est fragile, messire, attention à ce que vous vous apprêtez à faire, dit mon amie, d'une voix menaçante.

– Je sais, je sais : elle est grosse de huit mois, fulmina Gunni. La belle affaire qui lui donne le droit de se transformer en incendiaire !·

– Si vous la battez, vous devrez me battre aussi, et après moi, ce sera à Cinead que vous vous en prendrez, car nous avons l'intention de la défendre. Pensez-y avant de lever la main ! »

Cet échange courroucé entre mon mari et Ingrid me secoua et, du coup, interrompit mes pleurs. Je me redressai, débarrassai mes épaules de la cape qu'on y avait déposée et demandai à ma bienfaitrice d'obéir. « Laisse-nous, Ingrid et ne crains rien. Je suis en sûreté avec mon époux », lui dis-je, sur un ton doux. Nullement convaincue, elle partit en maugréant. Après avoir jeté un regard circulaire dans la chambre, Gunni s'assit délibérément sur le lit d'Elsie et me fixa rageusement, sans dire un mot. «Je présume que tu es satisfait d'être infidèle à ton tour, avançai-je, d'une voix que j'aurais certainement voulue plus ferme.

— Ce n'est pas désagréable… un peu comme une vengeance.

— Dieu du ciel! Que racontes-tu là? C'est ignoble!

— Vraiment?

— Je n'ose pas croire que tu penses sincèrement ce que tu dis, en ce moment. Tu ne peux pas m'avoir trompée avec Elsie à cause que j'ai failli, bien involontairement, à notre serment, l'hiver dernier. Je n'arrive pas à admettre ce motif, Gunni!

— Tu n'as pas tort, en effet. D'autres raisons m'ont poussé à accueillir Elsie dans mon lit, hier… dont certaines qui sont indélicates à mentionner et que tu ne veux sûrement pas entendre, mais qui, j'en suis sûr, sont acceptables pour n'importe quel mâle, même pour Comgan. Par contre, une femme qui tente de tuer son mari en boutant le feu à sa couche, voilà un comportement pour lequel il n'y a pas de pardon. Tu vas voir, Moïrane, le moine va excuser les écarts de mon vit bien avant de t'absoudre de cette faute-là.

— Mais enfin, Gunni, je n'ai jamais voulu t'occire, ni toi ni Elsie! ripostai-je, d'une voix vibrante et atterrée.

— Je ne sais pas quelles étaient tes intentions, ce matin, mais j'affirme que tu n'as pas échappé la torche», dit-il.

Il s'ensuivit un long silence que je n'arrivai pas à briser, tellement j'étais désemparée. Comme dans un brouillard, je vis ensuite Gunni se lever et rassembler les affaires d'Elsie et son couchage, et en faire un ballot qu'il cala sous son bras. «Pour sa sécurité, Elsie ne dormira plus ici, désormais», jeta-t-il par-dessus son épaule, en sortant. La toile se rabattit sur lui et je m'effondrai, complètement brisée : avais-je vraiment basculé dans le camp des assassins, par un pauvre petit geste irréfléchi ?

J'eus conscience du retour intempestif d'Ingrid à mes côtés, de ses gestes de sollicitude bienveillante et de la discrétion des autres, au cours de leurs allées et venues habituelles dans la chambre. Mais nulle parole, nul soin ne réussirent à m'extirper de la torpeur qui me cloua sur mon lit pour le reste de la journée. «Gunni ne m'aime plus», sembla être la seule pensée capable de refaire surface, de temps à autre, dans mon esprit submergé de peine.

Chapitre XVII

La mère

Le moine dut renoncer à son isolement et à son jeûne. L'harmonie de la petite colonie dépendait de son travail de médiation, car le douloureux événement avait ébranlé ses fidèles, plongeant certains dans une colère inapaisable et d'autres, dans un désarroi stérile. En premier lieu, Comgan consacra ses énergies à soutenir Moïrane, qui s'abîmait dans une léthargie inquiétante et malsaine, voire néfaste pour l'enfantement prochain. Constatant rapidement son impuissance à consoler l'épouse trompée ou à l'amener à se reprendre en mains, il se tourna du côté de Gunni et d'Elsie.

Le couple vivait désormais en état de concubinage, dans la chambre haute, laquelle avait été promptement nettoyée et aérée. Il le faisait au vu et au su de tous, Elsie affichant une attitude insolente et ostentatoire et Gunni, une insouciance délibérée. Malgré la justesse de ses remontrances et la foi chrétienne que professaient les amants, Comgan se retrouva devant une tâche impossible à accomplir. En effet, les entrevues menées avec le chef de Leifsbudir pour lui faire entendre raison aboutirent à une fin de non-recevoir d'autant plus claire qu'elles ramenaient les propos équivoques tenus au sujet des pratiques conjugales illicites tolérées par l'Église. Devant ce constat d'échec, le religieux n'eut plus à s'occuper que des autres âmes de la communauté. Il s'y employa avec ferveur et multiplia les offices de l'Avent, en souhaitant que la célébration de la Nativité ramenât la paix et la sérénité dans le cœur des colons déroutés.

La conscience aiguë de mal agir et de faire souffrir son épouse affligeait durablement Gunni. Tout d'abord, son ressentiment contre Moïrane l'avait incité à commettre l'adultère, puis, l'espérance d'engrosser son amante et d'éprouver ainsi la valeur de sa semence lui avait fait considérer le concubinage comme un droit légitime. Gunni voulait, hors de tout doute et le plus tôt possible, démontrer ses capacités dans un domaine où il avait déployé ses talents durant plusieurs années sans résultat auprès d'une femme que le premier venu avait réussi à ensemencer en quelques mois. Cette résolution avait pris forme dans son esprit assez subitement, sans que des remarques ou des allusions désobligeantes de son entourage l'y aient poussé. Elle s'était enflée d'elle-même et était devenue peu à peu la justification à un comportement que son cœur continuait secrètement à désavouer. Même si le repentir et l'avilissement l'accablaient souvent lorsqu'il était en présence d'une Moïrane de plus en plus éplorée, et que la réprobation discrète de ses gens pesait sur lui, Gunni constatait qu'il ne pouvait plus faire marche arrière en écartant Elsie de sa couche. Il n'en avait ni la volonté ni le désir, car chaque nuit comblait ses sens exacerbés et son appétence sexuelle mise en carence depuis trop longtemps.

Dès la première rencontre, l'ardeur d'Elsie avait ébloui Gunni et, par la suite, elle l'avait méthodiquement piégé dans le filet de la concupiscence. Il sentait maintenant qu'il ne saurait se passer de sa maîtresse. Quant à celle-ci, exaltée par son pouvoir, elle ne vivait que pour satisfaire les besoins de l'homme. Ni l'indifférence hostile d'Arabel ni la répugnance ouverte d'Ingrid à son endroit n'altérèrent sa jubilation à être honorée, nuit après nuit, par le chef de Leifsbudir. Non contente de n'éprouver aucune honte pour le libertinage unanimement blâmé, Elsie en retirait une stimulation et une défiance qui outrageaient les femmes et excitaient les hommes, surtout Gudlaugson et ses marins, lesquels étaient les plus proches témoins des ébats bruyants derrière la porte de la chambre haute.

Personne, dans la communauté, n'était indifférent au drame de la pauvre Moïrane. Son ventre encombrant, ses yeux rougis, son air mortifié, son mutisme plein d'affliction, tout appelait à l'apitoiement des autres, qu'ils soient hommes ou femmes. Non seulement les membres de l'expédition avaient-ils oublié l'incendie allumé par l'épouse bafouée dans un moment de révolte bien admissible, mais encore, ils lui déniaient la possibilité d'être violente envers qui que ce fût. Elle conservait, dans l'opinion générale, son prestige de femme du chef et son image digne et intègre. Pour eux, Moïrane faisait davantage figure de victime que de tortionnaire et, de ce fait, elle ne leur apparaissait pas du tout menaçante pour les amants.

Cet argument, Ingrid eut beau l'utiliser dans l'espoir de ramener Elsie dans la chambre des femmes, elle se buta à l'entêtement de Gunni et aux prérogatives que son statut de chef lui conférait. Sur ce dernier aspect, Cinead avait été inflexible : selon lui, rien ni personne ne pouvait interférer pour modifier les décisions du dirigeant de Leifsbudir. De guerre lasse, Ingrid se vit contrainte de suspendre la lutte qu'elle menait au nom de sa protégée, qui semblait incapable de plaider sa propre cause, et elle abandonna définitivement le sujet. Il apparut enfin que le concubinage du chef avec la veuve de Pelot était un fait indépendant de l'événement qui l'avait apparemment provoqué, et le harcèlement des membres irréductibles de la communauté pour l'enrayer modéra, puis cessa. Moïrane demeura finalement seule, au milieu de ses alliés, à dénoncer la faute de Gunni et à implorer qu'elle soit réprimée. Au bout de trois semaines, voyant que la situation n'avait pas changé d'un poil et allait visiblement perdurer, elle se tut et sécha ses larmes.

Les enfants mirent plus de temps que les adultes à ressentir l'effondrement de Moïrane. Même s'ils ne comprenaient qu'à moitié l'impact des agissements adultères, lesquels ne leur semblaient pas particulièrement anormaux, ils percevaient qu'ils étaient à la source du malaise. Les fillettes hésitaient à mettre l'abattement de la future mère sur le compte de son gros ventre, explication qu'Ingrid et Arabel s'employaient à leur présenter. Même si Martein s'en satisfaisait, Elena et Vigdis soupçonnaient autre chose et, au risque d'être importunes, elles épièrent leur héroïne sans relâche, afin d'identifier le chagrin que leur candide observation avait détecté. Dans la tourmente où elle se trouvait, Moïrane n'eut plus que ces deux jeunes âmes qui, bien que naïvement, la plaignaient avec assiduité et mansuétude. Mais elle était cependant trop accablée et tournée sur elle-même pour en tirer quelque réconfort.

L'épouse du chef du clan Gunn enfanta le surlendemain de la fête de la Nativité. La cérémonie religieuse, préparée avec tant de minutie et de si longue date, n'avait malheureusement pas réussi à endiguer la morosité généralisée, comme le moine l'avait escompté, et elle n'entraîna pas l'harmonie souhaitée au sein de la petite communauté de Leifsbudir.

Durant tout le dernier mois de ma grossesse, l'affront de Gunni m'avait empêché d'anticiper les douleurs de la naissance. D'abord anéantie par son cruel rejet, je fus ensuite empêchée par la colère et la haine d'aller vers lui pour le supplier de renoncer à Elsie. Puis, soutenue par le jugement de mes compagnes, je me révoltai contre les amants et les condamnai avec intransigeance, ce qui dut fermer définitivement la porte à une réconciliation avec Gunni, lequel était visiblement rebuté par l'étalage de ma souffrance. Ma déception devant le manque d'autorité du frère Comgan dans cette affaire s'ajouta aux sentiments d'impuissance et d'abandon qui s'ancrèrent ensuite dans mon cœur en m'enlisant dans un abîme indicible. Tout cela ne laissa évidemment aucune place à des pensées pour l'enfant que je portais. En effet, tourmentée comme jamais je ne l'avais été, j'oubliai complètement que mon terme approchait. Ainsi, je fus presque ébahie au moment où les premières crampes de l'enfantement me poignardèrent, au soir du 27 décembre.

Nous étions tous assis dans la salle commune, sauf Gunni et Elsie, qui s'éclipsaient toujours très tôt après le souper, et le frère Comgan, qui regagnait sa chapelle. Arabel et Markus, dont les relations s'étaient sensiblement réchauffées, occupaient un banc derrière les trois hommes de Gudlaugson, agglutinés autour du feu. Ceux-ci, que la mélancolie du clan Gunn affectait peu, avaient, comme à leur habitude, pris en charge l'alimentation du brasier et l'entretien de la conversation. Ils narraient, à tour de rôle, des anecdotes sur leur société en Islande, sur ses coutumes et ses célébrités, prenant à témoin les enfants, toujours fascinés par les contes. Karl et Jon ajoutaient parfois leur grain de sel aux récits ou bien ils se taisaient, calquant leur attitude sur celle, plus taciturne, de Cinead. Gudlaugson, qui avait recouvré ses forces et son agilité, s'amusait à présider l'assemblée au bout de la fosse à feu, à la place du conteur ou du chef. Il intervenait peu, mais chaque fois il le faisait de façon bruyante, pour relancer l'animation dans le groupe durant les pauses entre les histoires.

Pour ma part, je me confinais dans un coin, près de la chambre des femmes, sur un banc que je partageais ordinairement avec Ingrid, dont la présence indéfectible à mes côtés me réconfortait, sans que nous ayons besoin de parler. Aussi mon amie fut-elle la première à déceler mes malaises, ce soir-là. « Qu'y a-t-il, Moïrane ? demanda-t-elle, en me voyant grimacer.

— Un serrement, comme une poigne dans les reins, répondis-je, le souffle coupé.

— C'est peut-être le travail qui commence. Respire normalement et attendons encore. Il faut que les crispations deviennent régulières et rapprochées avant de se mettre en branle», dit-elle. Au bout d'une demi-heure, me voyant toujours assaillie de coups, Ingrid me fit lever et marcher le long de la pièce. Les hommes, embarrassés par notre activité silencieuse, mais tout de même éloquente, devinrent moins bavards. Les enfants commencèrent à regimber, et comprenant qu'ils pourraient s'avérer gênants, Arabel les rappela vers elle.

Entre chaque arrêt, dans mon mouvement déambulatoire, je m'appliquais à contrôler mon souffle en écoutant les conseils de mon amie qui me tenait la main. J'eus connaissance du départ de Gudlaugson avec Anderss et les cousins Ketilson, avant qu'une contraction particulièrement forte ne m'arrache un cri. M'agrippant nerveusement au bras d'Ingrid, je me pliai en deux. «L'enfant s'en vient, gémis-je.

— Je sais, répondit-elle. Allons tranquillement dans la chambre: nous y serons mieux.» Puis, s'adressant à Cinead sur un ton impératif, elle ajouta: «Va chercher Elsie: qu'elle tienne son rôle parmi les femmes de Leifsbudir! L'une de nous accouche et nous ne serons pas trop de trois pour l'aider.» Le mari d'Ingrid partit aussitôt, sous le regard circonspect de Karl, de Jon et de Markus. Laissant Martein, Elena et Vigdis à la garde de ceux-ci, Arabel se précipita vers la chambre pour soulever la toile sur notre passage. Je l'entendis chuchoter à Ingrid: «Je m'occupe de l'eau bouillante.

— Les linges propres sont-ils dans mon coffre ou dans le tien? demanda celle-ci.

— Dans le mien, dit Arabel. J'apporte le grand bassin en bois ou le plus petit en stéatite?

— On aura peut-être besoin des deux: assure-toi qu'ils sont parfaitement récurés…» Ces courtes phrases, échangées d'une voix posée entre mes compagnes, témoignaient de leurs prévoyances pour le jour de mon accouchement et eurent l'heur de refréner la montée de panique que les douleurs aiguës avivaient. Avec soulagement, je m'abandonnai à la supervision compétente des deux femmes et ma déconvenue conjugale bascula dans le néant.

Je ne sais si l'enfantement fut rapide ou non, relativement facile ou bien extrêmement laborieux, du point de vue de mes assistantes. En dehors de mon labeur, peu de chose m'affecta et peu de paroles m'atteignirent. Entièrement soumise à l'entreprise ardue de mettre au monde un rejeton, je fus, durant ces heures suprêmes, isolée du monde qui m'entourait. Cependant, entre mes soupirs et mes cris, mêlés aux mots d'encouragement d'Ingrid et d'Arabel, je perçus l'absence d'Elsie dans la chambre. À quelques reprises, je compris qu'Ingrid la réclamait, sans saisir les réponses qui parvenaient de l'autre côté de la toile. Enfin, l'ultime moment de la délivrance arriva et, avec lui, la plus grande consolation de ma vie. «Oh, ma chérie, c'est une fille!» fut l'exclamation émue d'Ingrid quand elle accueillit le petit paquet entre ses mains. Cette annonce mit fin, presque miraculeusement, aux souffrances et fatigues qui avaient été mon lot jusqu'alors. Tandis qu'un vagissement strident remplissait l'air, je me laissai retomber sur le lit, flageolante et trempée de sueur, mais néanmoins ravie par ce son merveilleux. À travers le voile embrouillé de mes larmes, je vis Arabel sectionner le cordon d'un geste précis et attacher le bout de ficelle; Ingrid débarbouiller l'enfançon avec un linge humide et fumant, puis le déposer délicatement sur ma poitrine.

Aussitôt que le bébé fut en contact avec ma peau moite, ses cris se transformèrent en couinements exquis. Entre mes mains tremblantes, je le pris et le soulevai afin de contempler son visage. En l'espace d'un éclair, je découvris la face ronde et menue de la vieille Julitta, et cette image inusitée me fit sourire. Ma joie était trop profonde pour éprouver autre chose qu'un amour absolu pour cet enfant, chair de ma chair, fruit de ma lignée, espérance de ma vie. Après un dernier soubresaut de mon corps, par lequel j'expulsai les débris sanguinolents de mon ventre, Arabel reprit ma fille pour l'emmailloter et Ingrid procéda à ma toilette.

À mon grand étonnement, mon amie voulut me vêtir d'une chemise appartenant à Gunni. Devant mon air surpris, il lui vint aux lèvres une explication que j'aurais cent fois préféré ne pas ouïr : «Je sais que tu ne crois pas à ces fétichismes normands, Moïrane, mais c'est à la demande de ton mari que je le fais. Que sa chemise protège l'enfant de la maladie ou n'ait aucun effet sur sa santé importe peu, n'est-ce pas ? Il faut t'habiller avec quelque chose d'ample, aussi bien utiliser cette vêture qu'une autre...

– Je n'en veux pas, Ingrid, protestai-je, d'une voix faible. Rapporte-la-lui céans, en l'avisant que j'ai accouché d'une fille. Si, comme je le pense, la suggestion superstitieuse vient de cette garce d'Elsie, il ne répliquera rien... Je tiens à enfiler ma propre chemise...» Ingrid n'insista pas, mais je perçus de la désolation dans son air. Elle m'habilla tout en me parlant, sur un ton grave, des premières tentatives de succion d'un nourrisson. Lorsque je fus prête, Arabel s'approcha doucement et me déposa le petit prodige entre les bras.

Commença alors le début d'une très longue série de conciliabules attendrissants entre moi et ma petiote, qu'on appelle habituellement «tétées», mais qui étaient, à mes yeux, des réunions d'amour. Tout épuisée que j'étais, je vécus une heure singulièrement douce à allaiter l'enfançon, que je ne me lassais pas de caresser du bout des doigts, en m'émerveillant de sa beauté. Je n'accordai aucune attention aux réjouissances que l'annonce de la naissance avait provoquées dans la salle commune. Là comme dans la chambre, le calme finit bien par s'installer et le clan Gunn termina sa nuit le plus normalement possible. Je m'endormis en même temps que le bébé, enfermée avec lui dans un monde où nulle mesquinerie ne pouvait désormais m'atteindre. «J'ai bel et bien donné la vie au premier enfant à naître à Leifsbudir, comme je l'avais imaginé», songeai-je en m'assoupissant.

Neil ouvrit un œil et vit Oubee, alanguie de sommeil, la tête tournée dans sa direction. D'une main hésitante, il souleva la fourrure de couchage, mais l'obscurité ne lui permit pas de distinguer le corps nu de la jeune fille, étendu à côté du sien. Cependant, l'odeur de son intimité vint fleurer ses narines et une bouffée de désir le submergea. Alors que le souvenir de leur première étreinte s'emparait de son esprit en ranimant ses sens, le jeune homme frémit délicieusement. «Ainsi, je n'ai pas rêvé, la nuit dernière, se dit-il: Oubee est maintenant mienne et je suis devenu un homme. »

Au cours de la journée, Neil se rendit compte que l'union charnelle n'avait pas la même signification ou importance pour Oubee ou pour Masduwit, son père, que celle qu'il accordait lui-même à l'acte. Au contraire, les Béothuks considéraient la copulation aussi normale entre nubiles qu'entre adultes liés par le mariage. Si une jeune fille distinguait un jeune homme pour l'accompagner au lit, elle n'élevait pas nécessairement celui-ci au titre d'amant ou de soupirant, et l'élu n'avait aucune raison de croire que ce choix le rendait supérieur à ce qu'il était auparavant. Pour les Béothuks, le passage d'un garçon au statut d'homme s'effectuait essentiellement à la chasse ou à la guerre, par des exploits évaluables en termes de prises.

À ce chapitre, Neil devait encore faire ses preuves. Même s'il avait démontré de la bonne volonté et de l'endurance, lors de la grande chasse au renne que la tribu avait effectuée le mois précédent, son expérience de tueur n'avait pas franchi l'étape d'apprenti. Masduwit lui avait enseigné le maniement de la lance et celui de l'arc; Neil avait eu quelques occasions de tirer, qui n'avaient malencontreusement pas porté; mais il s'était surtout employé à bâtir l'enclos de perches devant servir à piéger les bêtes.

Cet ouvrage singulier, long d'une centaine de yards, se présentait comme une barrière de forme triangulaire, érigée sur une rivière à l'endroit probable où traversaient les troupeaux de rennes en pleine migration. Il nécessitait l'abattage d'un nombre incalculable de cimes d'arbres et leur installation sur les abords et dans le cours d'eau, travail titanesque et épuisant auquel tous les membres valides de la tribu participaient. Neil, en repensant à cet épisode, éprouvait encore la raideur dans son dos et ses reins et la morsure des ampoules au creux de ses mains ; désagréments subis avec d'autant plus de découragement qu'il n'en n'avait pas bien saisi l'objet. Par contre, lorsque les longs jours de patience des chasseurs avaient enfin été récompensés par l'arrivée des bêtes et leur précipitation dans le piège, Neil réalisa à quel point le procédé était efficace pour leur capture. Toutes ses incertitudes s'étaient alors envolées. Il fut si ébahi et dépassé par cette chasse stupéfiante qu'il en perdit ses moyens. Ainsi, le jeune Écossais n'avait pas vraiment réussi à mettre à profit les techniques enseignées par le père d'Oubee, qu'il aurait pourtant voulu impressionner.

Depuis cet événement, les journées se succédaient tranquillement dans le camp d'hiver des Béothuks, sans apporter à Neil l'opportunité de se démarquer auprès de Masduwit et du chef Nonosyim. La fête de la Nativité, que les Béothuks, trop fraîchement baptisés, n'avaient pas pu souligner, passa inaperçue aux yeux du jeune homme, dont les repères temporels se confondaient dans sa vie indigène. Le peu de variation dans les activités quotidiennes, toutes plus monotones les unes que les autres, engourdissait son désir de défi, et, si ce n'avait été de son dépucelage, ce jour-là, il se serait senti parfaitement abruti d'ennui.

Neil partit faire la tournée des collets en compagnie de Masduwit, comme à son d'habitude, peu après le lever du soleil. Le couvert neigeux était encore trop mince pour que l'usage des raquettes soit nécessaire, et les deux hommes parcoururent leur territoire de chasse lestement. Sur la vingtaine de pièges tendus, trois seulement s'avérèrent prodigues : deux martes et un lièvre blanc s'y étaient pris. « La journée est neuve et le temps ne se gâtera pas, annonça Masduwit. Nous allons en profiter pour déplacer les cinq derniers collets plus au sud, au-delà de la montagne. De ce côté-ci de son flanc, les animaux se méfient. » Bien que cette disposition fît en sorte d'allonger de quelques heures le temps journalier alloué à la chasse au collet, Neil ne s'en plaignit pas, car elle impliquait la prolongation de son tête-à-tête avec le père d'Oubee et augmentait, croyait-il, ses chances de créer des liens d'amitié en devisant avec lui. Mais le Béothuk n'était pas bavard. L'homme n'avait aucun intérêt à complaire à sa fille par un déploiement de zèle envers le jeune Écossais; et, par conséquent, il ne voyait pas pourquoi il dérogerait à son observance naturelle du silence. Aussi répondit-il succinctement aux tentatives de dialogue de Neil, jusqu'au moment où, au milieu de la journée, la découverte de pistes fraîches de chevaux, dans la neige du versant nord de la montagne, stoppa leur parcours. «Ils sont quatre, dit Masduwit en se relevant, après avoir inspecté attentivement les traces. Ils viennent de l'ouest et vont vers la pointe est. Ils vont certainement s'arrêter au camp pour saluer Nonosyim…

— Qui ça, ils? s'enquit Neil.

— Les Albains: ce sont les seuls à posséder des chevaux sur l'île.

— Vous croyez qu'ils sont en route pour Leifsbudir et vous avez probablement raison, enchaîna le jeune homme. Cela est tout à fait vraisemblable. Je me souviens que Karl a fait allusion à la visite de messire Brude au courant de l'hiver. Il a même été question qu'il ramène le frère Comgan à son clan… Rentrons dès à présent, si vous le voulez bien: il me tarde de faire la connaissance de ces fameux Albains! » L'empressement et la curiosité du jeune homme amusèrent Masduwit, qui accepta de redescendre vers le village. Chemin faisant, il consentit à répondre de bon gré aux nombreuses questions dont Neil l'abreuva. Ce dernier apprit tout sur les relations existantes entre le clan albain et la tribu du Rocher-de-l'Aigle et il entretint, sans s'en rendre compte, la plus longue conversation de sa vie avec le père de sa bien-aimée.

Masduwit ne s'était pas trompé. La délégation albaine s'était arrêtée au campement et comptait bien quatre chevaux. Un attroupement de femmes et d'enfants, piqués de curiosité, entourait les bêtes placides qu'on avait attachées à l'extrémité du site, non loin de la mama-teek de Nonosyim. Elles portaient encore tout leur harnachement, comme si leur arrivée était fraîche ou leur départ, proche. Neil ne leur prêta qu'une attention distraite, les chevaux ne constituant en rien une étrangeté pour lui, et il s'engouffra dans la tente du chef, pour voir les visiteurs. Dès l'entrée du jeune homme, Brude devina qui il était et, se tournant dans sa direction, il l'interpella en langue gaélique : « Salut à toi, Neil de Leifsbudir. Je suis Brude d'Alba, fils d'Ari, chef du clan des Albains.

— Le bonjour, messire Brude ! J'ai entendu parler de vous par les miens, répondit Neil, dans la même langue.

— Et moi de toi. Voilà plus de deux mois que je suis sur la route avec mes hommes. Le voyage depuis Gleanlin est très long, mais nous avons tenu à le faire avant que les grandes neiges n'entravent le déplacement de nos chevaux : nous nous rendons à ta colonie pour quérir les offices du moine irlandais », précisa Brude. Puis, revenant à Nonosyim, il poursuivit en langue béothuk la conversation interrompue par l'arrivée de Neil. Le jeune homme détailla avec intérêt l'imposant Albain et ses deux accompagnateurs, et il s'étonna de leur trouver une allure plus semblable à celle des Écossais qu'à celle des indigènes auxquels il les avait associés en tant qu'habitants du Vinland. Ce faisant, il ne perdait rien de l'entretien entre le chef béothuk et son visiteur, desquels il s'approcha. Les deux hommes parlaient de l'itinéraire à emprunter pour atteindre Leifsbudir par terre, parcours que les Albains n'avaient pas encore exploré, puisqu'ils s'étaient toujours rendus au bout de l'île à bord de leurs curraghs. « Neil que voici a déjà fait, au cœur de l'hiver, le trajet en forêt que je t'explique. C'est un garçon avisé et aussi fiable que n'importe lequel de mes guerriers. Si tu veux, je te le cède : il te servira de guide », proposa Nonosyim. Le compliment remua Neil délicieusement. « Enfin, se dit-il, on me reconnaît quelque talent. Comment ne pas saisir ma chance de prouver que je suis comparable à n'importe quel guerrier de la tribu du Rocher-de-l'Aigle ? » Alors que Brude acceptait l'offre de Nonosyim sans même demander l'avis du jeune homme, ce dernier intervint : « Quand partons-nous, messire ? demanda-t-il en béothuk.

– Demain à l'aube, répondit Brude, légèrement surpris par la langue employée. Je suis pressé par l'avancement de la saison…

– Cela me va », répliqua Neil, avec une pointe de désinvolture dans la voix. Le jeune homme ne voulait pas laisser croire à l'Albain qu'il était soumis au chef béothuk et qu'il avait perdu la gouverne de ses propres allées et venues. Fort de sa position de membre de la colonie de Leifsbudir et de presque membre de la tribu béothuk, Neil entendait bien agir comme un intermédiaire auprès de ce fameux Brude d'Alba et être considéré par lui comme tel. Présentant son plus beau sourire aux deux hommes, qui l'observaient avec circonspection, il prit congé d'eux.

Bien que mon nourrisson ne démontrât aucun signe de maladie ou de faiblesse, le frère Comgan insista pour le baptiser sans attendre le terme des quinze jours habituels après la naissance. Il m'en fit si subtilement la demande, à un moment où je l'attendais si peu, que je n'eus pas l'idée de le questionner, et encore moins de refuser. Comment allais-je appeler l'enfant ? Qui serait son parrain et sa marraine ? Quand pourrions-nous procéder à la cérémonie ? Voilà les interrogations avec lesquelles il me laissa en plan. J'avais déjà songé à « Iseabail », nom que je chuchotais continuellement au bébé, mais je n'avais évidemment pas consulté Gunni à ce sujet. À la suite de ma brève entrevue avec le moine, il me fallut donc envisager de parler à mon mari, plus longuement que les quelques phrases banales que nous échangions de temps à autre. En effet, je n'avais pas eu de véritable entretien avec lui depuis mon accouchement, lequel avait été suivi, dès le lendemain, par une annonce consternante qui avait plongé tout le monde dans un mutisme étriqué : Elsie était enceinte.

Notre compagne en avait informé la communauté dans un préambule destiné à justifier son refus de participer à mon travail d'enfantement, aux côtés d'Ingrid et d'Arabel. «Je n'aurais été d'aucune aide, avait-elle précisé, étant moi-même indisposée. Si je n'ai rien dit hier, c'était pour ne pas nuire à Moïrane. Mais maintenant que tout est fini et s'est bien passé, Gunni et moi n'avons plus de raison de taire cette bonne nouvelle.» Il va sans dire que personne ne félicita Elsie, outrageusement rayonnante, non plus que Gunni, dont l'air satisfait me désola particulièrement.

Les seuls à n'être pas affectés par ce second outrage furent les enfants. Plus remuants que jamais et d'une humeur heureuse, ils babillaient et sortaient régulièrement dehors, surtout Martein et Vigdis, pour lesquels Cinead avaient fabriqué des petits traîneaux. Parfois, ils attelaient le renne, partaient à la recherche de fourrage sous la neige, et revenaient avec les joues rouges de froid et de plaisir. Elena abandonnait souvent ses compagnons à leurs jeux turbulents et demeurait dans mon sillage, fascinée par le bébé, sur lequel elle ne tarissait pas d'éloges. À travers les yeux et les commentaires émerveillés de la fillette, je puisais une sérénité des plus apaisantes et des plus bénéfiques pour mon rétablissement. En effet, je relevai de mes couches avec beaucoup d'aisance et de rapidité, ce qui grandit mon sentiment de bien-être.

Alors que l'annonce de l'importune grossesse m'avait laissée relativement indifférente, elle choqua beaucoup Ingrid. Celle-ci mit une bonne semaine à décolérer et à pouvoir croiser Gunni sans le réprimander. Elle continua à lui battre froid longtemps après, en refusant de lui adresser la parole en présence des autres hommes, qu'elle accusait de complaisance dans cette histoire. La bouderie d'Ingrid réanima le climat de mésentente dans la salle commune et les Islandais la désertèrent, nous laissant entre membres du clan Gunn, comme chats et chiens autour d'un même os. Malencontreusement, cette nouvelle fâcherie d'Ingrid m'empêcha de l'utiliser comme médiatrice, ce que j'avais souvent fait avant mon accouchement pour fustiger mon mari ou tenter de le ramener à la raison.

J'étais assise à ma place habituelle, sur le long banc adossé au mur de la chambre. Les trois enfants étaient sortis et j'étais seule avec le bébé. D'une main, je refermais ma chemise, après la tétée, et de l'autre, je portais ma petiote repue, calée au creux de mon bras. Gunni s'approcha lentement et se pencha au-dessus d'elle pour l'observer, puis il se glissa à mes côtés, tout en gardant les yeux fixés sur la mignonne tête noire, coiffée de ses langes. Ce n'était pas la première fois qu'il se prêtait à ce manège discret, éventuellement poussé par le remords, par la compassion ou par un douteux sentiment de paternité. En ces occasions, il s'enquérait brièvement de ma santé et de celle du nourrisson, qu'il n'appelait jamais « notre » enfant ou « notre » fille. Je lui répondais laconiquement, en évitant de croiser son regard. Je ne posais les yeux sur lui qu'au moment où il se levait et s'éloignait, d'un pas nonchalant. Ces sobres apartés m'agaçaient plus qu'ils ne me troublaient et j'étais toujours soulagée de les voir se conclure hâtivement.

Cette fois, je retins Gunni. « Le frère Comgan m'a demandé quelque chose dont je dois te parler, lui dis-je. Il s'agit du baptême de l'enfant…

— … il refuse ?

— Mais non, voyons ! Pourquoi ne voudrait-il pas que notre enfant soit chrétien ?

— Ah, j'aime mieux cela… J'ai cru, à l'instant, que le moine utiliserait cet événement pour m'obliger à m'amender, soupira Gunni.

— Sens-tu le besoin de t'amender? demandai-je, d'une petite voix.

— …non», fit-il. Malgré le manque de fermeté du ton, la réponse me blessa. Je feignis de n'en laisser rien paraître et j'allais poursuivre mon exposé, quand Gunni me devança: «Que me veut Comgan, alors?

— C'est à nous deux qu'il s'adresse, en tant que parents, répondis-je, en installant le bébé contre mon épaule. Nous devons choisir un nom et désigner un parrain et une marraine… et fixer une date pour la cérémonie.

— …

— Dis-moi, Gunni, te considères-tu comme le père? Reviens-tu sur ce que tu avais admis à ce sujet? ajoutai-je, devant son silence.

— Je ne sais pas… je ne sais plus, lâcha-t-il.

— Pourquoi aurais-tu changé d'idée? demandai-je, avec alarme.

— Parce que j'ai un enfant en route. Un rejeton de mon sang. Et ce sera peut-être un garçon…

— Ainsi, tu envisages de ne pas reconnaître ma fille, maintenant qu'Elsie est grosse, si elle l'est vraiment, et si, bien sûr elle n'avorte pas, et si, d'aventure, elle te donnait un fils plutôt qu'une fille! m'insurgeai-je.

— J'ai confiance dans l'issue… il m'importe d'avoir confiance, répliqua-t-il, sourdement.

— Tu es plus indigne que je ne le pensais! sifflai-je. Va-t'en et ne reviens plus rôder autour de moi et du bébé que tu n'aimes pas et dont tu te désintéresses!

— Tu as tort, Moïrane : je vous aime toutes les deux et vous m'intéressez », murmura-t-il, en se levant. Je sentis son regard peser sur moi, mais je me dérobai en enfouissant le nez dans le petit cou humide de mon nourrisson. À cet instant précis, je n'aurais montré ma détresse pour rien au monde. Lorsque Gunni fut sorti de la pièce, l'attention des quatre personnes présentes convergea vers moi. Je lus de la désapprobation dans les yeux de Cinead et de Karl et de la révolte dans ceux d'Ingrid et d'Arabel. Soudainement lasse de mener l'interminable et stérile lutte à mon mari, et désireuse de trouver un peu d'isolement avec ma petiote, je me levai résolument et m'éclipsai dans la chambre.

La cérémonie de baptême fut parfaitement morose. L'entrain forcé de la marraine Ingrid et le sérieux plein de commisération du parrain Cinead compensèrent un peu pour la peine qui m'oppressait. Mis à part les deux amants, que le frère Comgan avait encore une fois tancés, tout Leifsbudir assista à l'office dans la petite chapelle. Les fidèles eurent droit à un sermon sur l'éloge du pardon, propos bien mal adaptés à l'accueil d'une nouvelle âme dans la famille chrétienne. Ainsi, une semaine après l'Épiphanie, mon enfant prenait le nom d'Iseabail, fille de Moïrane d'Helmsdale, et entrait officiellement sous la protection du Père céleste, sans être sous celle d'un père terrestre, alors absent des lieux.

Pendant toute la journée, je sentis Gunni malheureux. Dans la salle commune, il se tint distant d'Elsie, même à l'heure des repas. Celle-ci ne sembla pas s'en formaliser. Au contraire, elle s'appliqua à adoucir l'opinion que mes compagnes avaient d'elle en se montrant utile et en demeurant le plus possible dans leur entourage. À l'évidence, Elsie souhaitait une réconciliation avec les femmes de Leifsbudir. Était-ce son supposé état qui lui inspirait ce besoin de rapprochement, ou bien souffrait-elle de l'apparent stoïcisme de Gunni? Je ne pouvais pas le savoir mais je constatais simplement qu'elle et lui s'éloignaient subtilement l'un de l'autre.

Les fruits de mon observation discrète me troublèrent et me prédisposèrent à une conversation avec le frère Comgan qui eut lieu le soir, après le souper, avant qu'il ne se retire dans sa chapelle. Le bébé s'était endormi au creux de mes bras, après la tétée, et je prenais un peu de repos, toute seule sur le banc. Il vint prendre place à mes côtés en posant ses belles mains blanches à plat sur ses genoux, ouvertes comme pour une offrande. «Mon enfant, me dit-il doucement, j'ai été maladroit avec votre mari, ce matin, et j'ai péché par ignorance. Je n'étais pas au courant de l'altercation que vous avez eue et je ne savais pas que vous lui aviez interdit de s'approcher de vous et de l'enfant. C'est pourquoi je n'ai pas compris son refus d'assister au baptême et que je l'ai admonesté durement. Hélas, mon action a entraîné une plus grande déconfiture. Je vous vois tous les deux contrits et dépités, alors que cela devrait être un jour de réjouissance pour des parents…

– Justement, frère Comgan, intervins-je aussitôt, voilà ce que nous ne sommes pas. Du moins, Gunni, qui ne veut pas reconnaître ma petite Iseabail pour sa fille. Son attitude est précisément à l'origine de notre froid et vous ne pouvez rien y faire.

– Christ m'est témoin que je voudrais pourtant vous aider, Moïrane», enchaîna le moine tout en glissant un regard à Gunni, assis de l'autre côté de la salle. «S'il

413

était en mon pouvoir de ramener votre époux dans le droit chemin, je m'y emploierais sans relâche. Je sais maintenant que tous mes efforts en ce sens sont voués à l'échec. Messire Gunni m'abhorre, s'il ne me déteste pas, carrément.

— Vous méjugez de ses sentiments, répliquai-je vivement. Mon mari craint Dieu et il ne se permettrait pas de maudire un prêtre… ou de renier sa foi à cause d'une divergence d'opinions. Rassurez-moi et dites-moi que c'est bien de cela qu'il s'agit…

— Je n'ai certes pas son estime et j'espère que son animosité ne s'étend pas à l'Église que je représente. Je ne connais pas suffisamment son cœur pour évaluer la solidité de ses croyances religieuses, mais peu importe, car la difficulté que vous rencontrez présentement ensemble n'est pas de cet ordre. En vérité, votre mari sait que sa faute lui est pardonnée.

— Vous l'avez absous ?

— Même si je ne puis rien révéler à ce sujet, je vous dirai simplement qu'il ne m'appartient pas de refuser une grâce à celui qui la demande avec sincérité.

— Ainsi, il vous a parlé et vous ne me soutenez plus…

— Il ne s'agit pas de vous, Moïrane, mais de lui. Malgré tout ce qui a été dit et décrié à propos de votre différend, je pense que votre mari est un homme foncièrement bon et qu'il est prêt à se corriger. Il faut l'y aider et je crois que vous pouvez le faire. J'ai remarqué que vous êtes restée attentive à son humeur, particulièrement aujourd'hui. Cela ne dénote-t-il pas que vous éprouvez encore un peu de sympathie à son endroit ?

— …

– Ce qu'il importe de comprendre, c'est qu'il n'y a que vous, chère Moïrane, qui détenez la clé de votre fusion matrimoniale. Désormais, je compte me taire. Il ne m'appartient pas de vous guider dans vos paroles ou vos agissements à ce chapitre. Aussi, considérez que je n'aborderai jamais plus la question, ni avec vous, ni avec lui. Bonsoir donc, mon enfant, et que Dieu vous inspire… »

Le frère Comgan parcourut la pièce, comme il le faisait tous les soirs avant de regagner sa chapelle, en saluant chacun privément. Je le suivis des yeux en ressassant les bribes de notre conversation. Qu'attendait-il de moi? Quel était le comportement chrétien d'une épouse envers son mari adultère repentant? Si, comme je le pensais, le moine avait pardonné à Gunni, ne devais-je pas faire pareillement? Mon regard se posa alors sur ce dernier, au-delà de la fosse à feu. Bien que son image m'apparût brouillée par la chaleur du brasier, je vis qu'il m'observait et qu'Elsie n'était pas à ses côtés. D'ailleurs, celle-ci avait quitté la salle. J'en conclus qu'elle avait dû se retirer sans que je m'en aperçoive, durant mon entretien avec le moine. La présence de Gunni après son départ, alors qu'ils s'en allaient toujours ensemble à l'heure du coucher, était déjà, en soi, un signe encourageant. «Il me faut faire un geste envers Gunni, n'importe lequel, lorsque le frère Comgan sera parti…», me dis-je, soudain.

Après un bref échange avec mon mari, assis près de la porte, le moine sortit enfin. Je me levai, un peu hésitante, ne sachant trop que faire, puis, je me décidai à traverser la salle pour aller m'asseoir près de Gunni.

415

Enfermé dans un mutisme qui ne lui ressemblait pas, le chef de Leifsbudir avait passé la journée seul, au milieu des siens. En silence, il avait ruminé la détestable entrevue que le moine lui avait fait subir avant la cérémonie du baptême, et il en éprouvait encore déception et rancœur. Gunni s'en voulait de ne pas avoir passé outre à l'avertissement de son épouse concernant leur proximité en se présentant comme le père de l'enfant devant la communauté réunie. Même s'il aurait provoqué le mécontentement de sa maîtresse en le faisant, il se serait peut-être racheté aux yeux de Moïrane et il cesserait enfin de se morfondre au sujet de leur déconvenue conjugale.

En fine mouche, Elsie n'avait pas poussé son avantage devant la décision de son amant et s'était délibérément tenue loin de lui et de son air renfrogné. Aussi ne s'étonna-t-elle pas de l'entendre refuser de la suivre dans la chambre haute, à la fin de la journée. Elsie profita pour partir du moment où le moine était occupé avec la jeune mère et la nouvelle petite baptisée : elle détestait devoir saluer l'Irlandais, ne serait-ce que du bout des lèvres.

Avec un certain soulagement, Gunni vit sortir Elsie de la salle commune. Depuis que Comgan s'était assis auprès de Moïrane, une sorte d'espoir gonflait son cœur. Sans raison pour justifier cette impression, il pensait que le moine intercédait en sa faveur auprès de son épouse. Gunni quitta bientôt Karl et Cinead, qui bavardaient, et il alla se réfugier sur un banc de mur près de la porte. De cet endroit, il pouvait observer le conciliabule entre Comgan et Moïrane sans être dérangé. Malgré les volutes de fumée qui s'élevaient de la fosse à feu et brouillaient momentanément l'image du couple en discussion, Gunni capta quelques regards amicaux du moine dans sa direction et d'autres, plus circonspects, de Moïrane. Il vit, à un moment donné, la petite tête noire émerger des langes, puis disparaître par le geste machinal de son épouse qui la recouvrit. Cette vision fugace, qui l'émut comme une joie instantanée devant un plaisir soudain, l'ébahit. « Cette enfant ressemble tellement à Moïrane… c'est inouï. Voilà pourquoi elle me chavire le cœur, songea-t-il. Honnie soit l'emprise qu'Elsie détient sur mes raisonnements en les pervertissant : j'aurais dû reconnaître le bébé… » Gunni poursuivit son examen attentif jusqu'à ce que le moine quitte Moïrane pour faire sa tournée de salutations, avant de retourner à sa chapelle pour la nuit.

Placé tout près de la porte, Gunni fut le dernier à être abordé par le religieux. « Messire, je me suis excusé auprès de votre dame, tout à l'heure, pour ma conduite intransigeante envers vous, ce matin. Permettez que je vous présente la même contrition. Si, par mes paroles ou par mes réflexions, j'ai freiné un rapprochement avec votre épouse, depuis le début de votre mésentente, je vous prie de me le pardonner : vous savez que je ne vous juge pas. J'ai pris la résolution de ne plus me prononcer sur cette question, désormais, et j'en ai avisé Moïrane. Mon devoir est maintenant de me taire, et le vôtre, de parler. Faites-le, messire : elle est prête à vous écouter. Voilà, c'est dit. Je vous souhaite une bonne nuit. » Interdit, Gunni rendit sa salutation au moine, puis il reporta son regard sur Moïrane. Celle-ci le fixait, lui sembla-t-il, avec intensité. N'y tenant plus, il allait rompre son silence et la rejoindre, mais elle le devança en faisant le premier pas. Elle se mit debout, l'enfant dans ses bras, contourna le foyer et se dirigea lentement vers l'entrée où il se tenait, ce qui le fit se lever. Alors qu'elle allait l'aborder, la porte de la longue maison s'ouvrit à toute volée et Neil parut devant eux, tenant une torche à la main. Le visage du jeune homme, rougi par le froid, rayonnait de satisfaction. «Me revoici enfin à Leifsbudir! clama-t-il à la ronde. Et j'amène trois visiteurs de Gleanlin: ils sont à cheval et messire Brude est parmi eux. Ils parlent avec le frère Comgan en ce moment…»

CHAPITRE XVIII

L' intègre

L'apparition de Neil dans la longue maison nous sidéra tous. Arabel réagit la première en se précipitant sur son fils pour l'embrasser. Gunni s'empara de sa cape et sortit. Puis, une sorte de tumulte joyeux régna : alors que Cinead, Ingrid, Karl et les enfants accaparaient le jeune homme ; que les hommes suivaient mon mari dehors ; et qu'Elsie, attirée par le brouhaha, rappliquait dans la salle commune, je retraitai vers la chambre, afin de protéger mon nouveau-né contre le froid qui s'engouffrait par la porte constamment ouverte.

Mon cœur s'emballait à l'idée de rencontrer Brude. Dans quelle disposition d'esprit venait-il enfin à Leifsbudir ? Pourquoi avait-il fait le voyage autour du moment de ma délivrance plutôt qu'à l'automne, comme ses émissaires l'avaient laissé entendre ? Devais-je craindre qu'il m'enlève l'enfant ? De nervosité, je dus comprimer un peu trop ma petiote contre mon sein, car elle se réveilla et se mit à pleurer. Je la langeai, puis m'installai au fond de mon lit pour la nourrir, tout en prêtant l'oreille aux voix derrière la toile. Hormis les exclamations excitées des enfants, je ne perçus pas très clairement ce qui se dit entre les visiteurs et les membres de la communauté, et, me raisonnant, je tentai de calmer mes alarmes. J'attendis longtemps avant de me décider à rejoindre le groupe.

Dès ma parution dans la pièce, les dialogues moururent et toutes les têtes se tournèrent vers moi. « Et voici notre nouvelle maman avec son rejeton ! s'écria Gudlaugson. Nous n'avons que quatre femmes au poste, mais elles sont productives. Imaginez-vous que notre Elsie est déjà grosse, et, de surcroît, par les bons offices du chef Gunni, n'est-ce pas prodigieux ? » À ces paroles, je sentis le rouge gagner mon visage. Si le capitaine avait voulu relancer la conversation par cette nouvelle, il échoua, car elle fut suivie d'un silence gêné. Brude, qui ne m'avait pas quittée des yeux depuis mon entrée, se tourna alors vers mon mari et le fixa, imperturbable, puis il revint à moi, sans même s'attarder à Elsie. Celle-ci fut sans doute frustrée de ne pas retenir davantage l'attention du visiteur, car elle se mit à renchérir sur l'annonce de Gudlaugson et à parler du couple qu'elle formait avec Gunni, lequel, furieux, lui intima rudement de se taire.

Je fis un effort pour chasser l'impression de déroute qui m'assaillait et soutins le regard de Brude. Il me dévisagea avec pénétration, puis avança dans ma direction. « Puis-je voir ton enfant ? » fit-il, avec douceur. Frémissante de colère envers la sotte Elsie et de confusion face à mon ancien amant, j'acquiesçai en silence et présentai ma petite Iseabail à son père. Le comportement fin et attentif de ce dernier fit tout de suite fondre mon embarras. Il contempla le bébé avec une admiration non forcée et demanda même à le prendre, ce que je n'osai pas lui refuser. Tandis qu'il calait ma petite dans ses bras, en la faisant presque disparaître, tellement il était de stature imposante, Brude s'enquit de ma santé avec beaucoup de gentillesse et me donna des nouvelles de son clan et de ceux et celles qui avaient été mes amis à Gleanlin. Son ton calme me frappa par ses accents de considération et d'amitié, ce qui rendit notre entretien extrêmement aisé, à mon grand soulagement. Je me surpris à retrouver dans l'homme l'amant prévenant qu'il avait toujours été et j'eus de la difficulté à dissimuler l'inclination que j'éprouvais encore pour lui.

Je crois que Gunni, qui n'avait cessé d'observer notre conciliabule, décela les émotions que faisait naître la présence de Brude à mes côtés, car il se retrancha, dès lors, dans une attitude renfrognée. En effet, je ne l'entendis plus parler le reste de la soirée, comportement étrange de celui qui, à titre de chef de Leifsbudir, aurait normalement dû prendre l'initiative des échanges avec les trois Albains. L'infatigable Gudlaugson le fit à sa place, avec la verve et l'impertinence qui le caractérisaient. Après avoir donné des nouvelles d'ordre général sur le poste et l'état de nos vivres, il décrivit en détail la chasse au morse avec les Béothuks, la noyade de son gendre et l'accident qui l'avait lui-même brisé. Les deux compagnons de Brude feignirent de l'écouter poliment, sans soulever le moindre commentaire, mais, visiblement, ils étaient trop fourbus pour s'intéresser à autre chose qu'au confort qui leur était offert.

Après s'être affairés à délester les visiteurs de leurs bagages et à leur offrir à boire et à manger, Arabel et Neil avaient repris leur entretien, dans le fond de la salle. Les enfants s'étaient approchés des Albains et ils les examinaient sans retenue, tandis que les autres membres du clan Gunn écoutaient pérorer Gudlaugson. Encore vêtu de sa cape, Brude semblait vouloir garder l'enfant dans ses bras et il m'avait désigné un banc pour s'y asseoir avec moi. Nous reprîmes notre conversation le plus naturellement du monde, sous le regard acéré de Gunni. Ma petite Iseabail se réveilla tout à fait au contact de la voix grave de son père et elle ouvrit des yeux placides qui captivèrent aussitôt ce dernier. «Comme elle ressemble à sa mère! dit-il. Si petite et si belle déjà… Comgan m'a dit qu'elle a deux semaines et qu'elle a été baptisée aujourd'hui…

— Si fait. Ce matin même. Elle se nomme "Iseabail", répondis-je, en accueillant le compliment de Brude avec circonspection.

— Moïrane, j'espérais être là pour cette cérémonie, enchaîna-t-il, j'aurais même voulu arriver pour la naissance, mais hélas, je ne me suis pas décidé assez vite à entreprendre le voyage. Les services du moine sont un prétexte commode pour justifier ma présence ici. La vraie raison, c'est de vous voir, toi et notre enfant.

— Brude, je vous en prie, ne parlez pas de l'enfant comme du vôtre, chuchotai-je, anxieusement. À Camasuaine, nous avions convenu ensemble que…

— Je sais ce sur quoi nous nous étions entendus, coupa Brude. C'est d'ailleurs la promesse que je t'ai faite qui m'a retenu à Gleanlin. Je ne voulais pas m'exposer trop tôt à te rencontrer et à désirer cet enfant issu de mon sang; je ne voulais pas nuire à la reprise de ta vie de couple en revenant dans ton entourage; … et je voulais me donner des chances de t'oublier, aussi. Comme tu vois, je n'ai pas pu résister à l'envie de te retrouver… »

Cet aveu de Brude, confié au-dessus de la tête de notre enfant, me troubla profondément. Le cœur battant, je fixai son visage grave, sans pouvoir parler. Il tourna lentement les yeux vers Gunni, qui, étrangement, avait repris, tout comme je l'avais fait, la place qu'il occupait une heure plus tôt, en face de moi, de l'autre côté de la fosse à feu. Mais, cette fois, Elsie était assise près de lui et le tenait par le bras, en un geste possessif très éloquent pour qui savait lire dans les attitudes. D'ailleurs, Brude saisit le message sous-jacent dans la posture du couple, car il me dit, très bas, en revenant au bébé : « Moïrane, ton mari t'a négligée, n'est-ce pas ? Il a pris cette femme dans son lit et l'a engrossée pour se venger… ou pour prouver sa virilité. » De nouveau, la gêne m'envahit. Les propos de la vieille Julitta sur l'importance que les hommes accordaient à leur semence me revinrent à l'esprit : à l'évidence, Brude partageait cette opinion et la prêtait à Gunni. « Ton mari a-t-il également rejeté l'enfant ? Comgan m'a laissé entendre qu'il n'a pas assisté au baptême…

— Il est vrai que mon mari n'était pas présent à la cérémonie… mais c'était à cause de moi, balbutiai-je. Je lui avais interdit de m'approcher… Depuis qu'il vit en concubinage avec Elsie, nous sommes brouillés. Je ne tolère pas la situation dégradante dans laquelle il me relègue…

— Quelle personne de ta trempe pourrait la tolérer ? Chez les chrétiens, prendre deux femmes n'est-il pas une pratique réprouvée ? Comgan s'est certainement révolté contre ton mari », répliqua Brude, avec des accents d'indignation dans la voix. Le bébé se mit aussitôt à geindre. Trop heureuse de faire diversion, je le repris et le blottis contre mon épaule. Brude en profita pour enlever sa cape, tout en surveillant ma réponse. «Rien n'est aussi simple quand les prescriptions religieuses viennent en contradiction avec les ambitions et les désirs personnels, soupirai-je. En me donnant à vous, j'ai failli à mon serment d'épouse, et la manière n'était pas plus acceptable que celle dont a usé Gunni pour enfreindre son engagement. Comme le frère Comgan a blanchi ma faute, il était contraint d'excuser celle de Gunni.

— Cela me désole fort… oui: je suis vivement déçu de la tolérance du moine. Quoi qu'il en soit, tu es malheureuse, Moïrane, ou, du moins, tu n'es pas pleinement satisfaite comme tu devrais l'être après cet enfantement inespéré. Je pense que ton mari, en agissant de la sorte, montre qu'il ne te mérite pas.»

Évidemment, cette remarque n'était pas de nature à m'apaiser et je laissai voir à Brude le chaos dans lequel elle plongeait mon cœur. Par respect pour mes sentiments ainsi confrontés, il n'insista pas. Il rejoignit bientôt ses congénères, avec lesquels il se sustenta, en engageant la conversation avec Gudlaugson. Peu après, pour me retrancher de l'observation austère de Gunni, je regagnai furtivement la chambre.

L'arrivée de la délégation albaine contraria vigoureusement le chef de Leifsbudir. Alors qu'il aurait dû normalement exprimer de la joie à retrouver le jeune Neil et de la chaleur à recevoir sous son toit ceux qui avaient recueilli des membres de l'expédition dans leur clan, à l'hiver précédent, Gunni ne réussit ni à sourire ni à desserrer les lèvres. La seule vue de Brude et de Moïrane s'entretenant en aparté l'exaspérait, mais il savait qu'une intervention de sa part pour les séparer serait jugée aussi inopportune que l'aurait été une tentative pour les empêcher de se rencontrer. Même s'il ne parvint pas à détacher son regard du couple, Gunni s'appliqua de toutes ses forces à ne pas réagir. Cependant, lorsqu'il vit l'Albain faire ce qu'il n'avait jamais fait, c'est-à-dire tenir l'enfant dans ses bras, et qu'il découvrit le bonheur que ce geste faisait naître chez son épouse, il devint furieux. Si ce n'avait été de la présence insistante de sa maîtresse à ses côtés, Gunni aurait relevé la provocation et en serait probablement venu aux poings avec le visiteur. Heureusement, celui-ci s'était ensuite détaché de sa femme et n'y avait plus porté attention.

Ce soir-là, Elsie crut avoir définitivement perdu la faveur de son amant. Non seulement lui avait-il parlé rudement pour la première fois, mais il n'eut d'intérêt que pour Moïrane et Brude, lesquels ne quittèrent pas son champ de vision durant le reste de la veillée. Jamais Elsie n'avait senti Gunni aussi tendu. « Ma parole, se dit-elle, mon homme est jaloux des sourires que Brude arrache à la pauvre Moïrane. » Le désarroi que la jeune veuve éprouva devant l'indifférence de son amant aux cajoleries dont elle le couvrait n'aurait été que passager s'il n'avait pas été suivi par son congédiement. « Va-t-en seule dans la chambre haute », lui lâcha Gunni, au moment de se retirer pour la nuit. « Je vais dormir ici : pas question de laisser sans surveillance cet Albain hardi.

— Mais voyons, argua Elsie, ta femme relève de couches : que veux-tu qu'elle fabrique avec cet homme ?

– Tais-toi et fais ce que je te commande ! » riposta sèchement Gunni.

La précaution s'avéra inutile, car un peu plus tôt, Brude avait convenu avec Comgan qu'il logerait dans la chapelle. Grâce à cette décision, jusqu'alors ignorée par lui, Gunni aurait pu aller retrouver Elsie, mais il ne le fit pas. Sous le regard étonné des hommes du clan, il s'étendit à l'endroit où il avait dressé sa couche avant son déménagement dans la chambre haute. Mis à part Gudlaugson, personne ne tira de conclusion sur le choix singulier du chef de Leifsbudir de délaisser le lit de sa maîtresse.

Une neige fine et drue tomba durant toute la journée du lendemain. Les habitants de Leifsbudir retrouvèrent instantanément leur site sous son paysage d'hiver : chaque roche, monticule herbeux, creuset de sentier et amoncellement de bois coupé disparut uniformément sous le couvert neigeux. Même les abords du ruisseau et celui de la mer ne se distinguaient pas, sinon par le bruit de l'eau en mouvement. Dès le milieu du jour, Cinead et Karl durent battre le chemin jusqu'au ponceau afin de faciliter le puisage de l'eau ; Markus eut du mal à revenir de sa forge tellement l'accumulation de neige était importante ; Jon et les enfants prêtèrent leur concours pour déneiger l'espace à fourrage afin de nourrir, en plus du renne, les quatre chevaux de la délégation albaine.

Dès l'heure de tierce, Gunni avait commencé à s'inquiéter des conséquences de cette tempête sur le séjour des visiteurs à Leifsbudir. Ces préoccupations aggravaient son humeur rendue maussade par une mauvaise nuit. Durant toute la matinée, comme un ours attaché à un pieu, il tourna avec impatience autour de la fosse à feu, sous l'œil intrigué d'Ingrid, d'Arabel et d'Elsie, auxquelles il nuisait sans s'en rendre compte. Son épouse n'avait guère quitté la chambre avec son nourrisson, et il ne s'était pas décidé à aller la trouver pour lui parler : d'ailleurs, que lui aurait-il dit ? L'arrivée de Brude dans son univers familial bousculait les sentiments contradictoires que Gunni éprouvait pour Moïrane. Il se sentait dépossédé, alors qu'il était apparemment comblé ; il luttait contre l'amertume, alors qu'il affichait une satisfaction déterminée ; il refoulait sa peine, alors qu'il proclamait sa félicité.

Au moment où la salle commune se remplit pour le dîner, Gunni sortit pour aller quérir les visiteurs qui ne s'étaient pas encore présentés à la longue maison. En se rendant à la chapelle, il croisa les escortes de Brude, qu'il invita à se joindre à la communauté pour le repas du midi, puis il s'engouffra dans le logis du moine. « Ah, le chef du clan Gunn ! dit Brude, à son arrivée. Nous parlions justement de toi...

— Bonjour, messire, fit aussitôt Comgan, sur un ton prudent.

— Et que racontiez-vous ? » s'enquit Gunni, sur la défensive. Le moine aurait voulu parler le premier et ainsi museler Brude, mais celui-ci profita de l'hésitation que la question abrupte avait provoquée pour répondre : « Je discourais sur ta gourmandise : t'accaparer de deux femmes dans une communauté qui n'en compte que quatre pour neuf hommes en incluant Neil et en excluant Comgan, ceci démontre un solide appétit ou un désir de puissance chez un chef...

— Cela ne te regarde pas, gronda Gunni.

— Messires, messires, cette discussion n'est pas opportune ! s'écria Comgan, sur un ton alarmé. Il serait préférable d'aborder l'autre sujet qui nous intéresse, c'est-à-dire ma prochaine partance pour Gleanlin…

— Excellente idée! dit Gunni avec défi, en s'adressant à Brude. Ainsi donc, les motifs avoués de ton voyage à Leifsbudir sont bien véridiques: tu viens chercher Comgan, et non ma femme. Il ne faudra pas trop retarder le jour du départ, car la température pourrait te coincer ici jusqu'en mars.

— C'est possible que cela advienne, admit laconiquement Brude. Ce serait même préférable, puisqu'en mars Moïrane sera plus en mesure de monter à cheval…

— Par Thor, l'Albain, tu me provoques!» siffla Gunni en se jetant sur lui.

La bagarre qui s'ensuivit fut violente, mais de courte durée, car l'Irlandais courut chercher de l'aide pour séparer les belligérants. La haine entre les deux hommes ne retomba pas avec la suspension des coups. Elle était si palpable et menaçante que Comgan et Cinead admirent qu'il serait plus prudent de maintenir les rivaux éloignés l'un et de l'autre pour le reste de la journée. Le moine proposa de garder les trois Albains dans la chapelle avec lui et Cinead entraîna Gunni dans la chambre haute, avec l'intention de l'y confiner. Ce dernier, perclus de contusions, le visage tuméfié et les poings en sang, ne s'opposa pas à la décision de son ami. Il chassa sa maîtresse affolée qui s'était présentée avec une brassée de pansements et s'en remit aux soins de Cinead en essayant de tempérer son courroux. Il y parvint tant bien que mal.

Au soir, Gunni se présenta au repas dans la salle commune, après qu'on l'eut assuré que les Albains n'y viendraient pas. Il présida comme habituellement, au bout de la table, et demanda à Moïrane de s'asseoir à côté de lui, place qu'elle n'avait pas occupée depuis long-temps. Un silence prudent s'appesantit sur l'assemblée, qui ne fut brisé qu'au moment où tous furent servis : Gunni fit alors part aux siens des décisions qu'il avait mûries au cours de l'après-midi. « Mes amis, dit-il, Comgan retourne chez les Albains, vraisemblablement pour y passer un autre hiver. Malgré la saison avancée et la récente chute de neige, son escorte devra quitter Leifs-budir demain. Certains parmi vous diront que j'expose le moine à un périple hasardeux, que je chasse Brude et manque bassement à mes devoirs d'hôte. Je dis que c'est vrai et que j'ai mes raisons. Vous m'avez fait l'honneur de me considérer comme votre chef, et Dieu m'est témoin que j'ai tenté d'être à la hauteur de ce titre. Ai-je réussi ? J'ose croire que oui, en dépit de mes récents manque-ments personnels, pour lesquels je demande principale-ment pardon à Moïrane. » À cet instant, Gunni fit un arrêt et glissa un regard à son épouse. Celle-ci ne leva ce-pendant pas les yeux du nourrisson enfoui au creux de ses bras, mais l'émotion colora son visage. « Nous avons tous été confrontés à des difficultés extraordinaires, à un moment ou à l'autre de cette première année passée au Vinland, poursuivit Gunni. Parfois, nos connaissances ont été mises à l'épreuve et ont failli, parfois, ce sont nos croyances qui ont été ébranlées en nous éloignant de nos objectifs. Depuis notre départ de Helmsdale, nous avons perdu des compatriotes écossais et des confrères islan-dais. Herulf, Pelot, Lorne, Gilroy et Peder sont disparus en mer ; le petit Jacob est mort ici même, et Hans, à la chasse. Je voudrais, ce soir, qu'on se souvienne d'eux et qu'on rende hommage à leur âme de chrétien qui a été rappelée vers le Créateur. » Gunni marqua une nouvelle pause et plusieurs tracèrent un signe de croix furtif sur leur poitrine. «Mon avis est que désormais, nous ne sommes plus assez nombreux pour maintenir le poste de Leifsbudir en opération, surtout s'il venait à faire l'objet de menaces extérieures. Cette évidence était pourtant manifeste dès notre débarquement, mais l'enthousiasme de l'aventure m'a aveuglé au point de me la cacher. Je sais que je ne pourrais assurer convenablement la défense de notre groupe dans le cas d'une attaque et je ne suis pas sûr de n'avoir que des alliés sur l'île.

— Allons, allons, coupa Gudlaugson, ne présageons pas d'un avenir aussi noir! Ce n'est pas une petite escarmouche avec Brude qui va provoquer les foudres d'Ari Marson et précipiter les Albains contre nous. Tu ne vas tout de même pas nous annoncer la fin de l'expédition et notre retour en Écosse parce que l'amant de Moïrane s'amène ici pour reconnaître son rejeton et que la démarche te déplaît…

— Tais-toi donc, morbleu!» s'écria Cinead avec colère. Le visage de Gunni devint livide et ses poings rougis se serrèrent à en faire éclater les jointures. Soudain, contre toute attente, Moïrane tourna le buste vers son mari et tendit doucement l'enfant. «Je t'en prie, Gunni, prends ta fille», dit-elle, d'une voix chevrotante.

À la vue de Gunni entrant dans la salle commune, j'avais sursauté. Son œil droit était noir et tellement boursouflé qu'il était presque fermé; son nez avait doublé de volume ; et sa lèvre supérieure fendue brillait encore de sang frais. Mon cœur se serra en pensant aux autres blessures que la bataille avec Brude avait probablement laissées au reste de son corps, et je m'en voulus de n'être pas allée le soigner. Mais le renvoi d'Elsie, qui était revenue dans la salle encombrée de ses larmes et de ses linges inutilisés, m'avait alors convaincue du besoin d'isolement de Gunni, plus que de sollicitude. Puis, lorsqu'il m'invita à prendre place à ses côtés à table, sur un ton exempt d'autorité, mais, au contraire, plein de retenue et d'humanité, je pressentis quelque chose de grand, quelque chose comme un revirement dans son attitude qui préludait peut-être à son retour vers moi.

Dès les premières paroles de son discours à l'assemblée, je sus que Gunni avait réfléchi à bien d'autres sujets que celui de notre discorde d'époux, mais à celui-là également. Comme chacun, sa demande de pardon pour les fautes envers moi, proclamée publiquement, me surprit et m'intimida ; comme chacun, son rappel de nos chers disparus, son évaluation de nos forces et son analyse de l'état de notre expédition suscitèrent mon admiration et mon approbation ; et, comme chacun, l'intervention intempestive de Gudlaugson m'horrifia. À cet instant fatidique, je vis que les poings écorchés de Gunni, posés sur la table, de part et d'autre de son bol, semblaient de nouveau prêts à cogner. Mue par un instinct de conservation plus vif que tout raisonnement, je plaçai ma petite Iseabail entre ses bras en l'implorant de la tenir : «Je t'en prie, Gunni, prends ta fille», murmurai-je.

Un soupir de soulagement s'exhala de toutes les poitrines quand Gunni, désarçonné, ouvrit les mains et saisit le bébé. Ai-je imaginé une larme, glissant sur la joue de mon mari quand il baissa la tête vers l'enfant, ou était-ce une goutte de sueur? Peu importe, mon cœur chavira devant cette image inespérée de Gunni et Iseabail réunis. Les mots qu'il prononça alors furent bien réels et audibles par moi seule: «Merci, ma bien-aimée...»

Nous ne mangeâmes ni l'un ni l'autre, à ce souper-là. Gunni ne continua pas l'allocution à nos gens et ne me rendit Iseabail que beaucoup plus tard, au moment de la tétée. Je ne le quittai pas des yeux un instant, n'échangeant avec lui que des mots banals remplis d'une familiarité intime, propre aux époux. Autour de nous, les conversations reprirent de la vigueur avec des accents d'où perçait l'apaisement qui suit généralement la fin d'une alarme. Lorsque la table fut enlevée pour rassembler les bancs près de la fosse à feu, Gunni alla s'asseoir le long du mur de la chambre, à l'endroit coutumier où je me tenais durant les veillées, et je l'y suivis. «Tu n'as rien avalé, me dit-il, en souriant avec un rictus de douleur.

– Toi non plus, rétorquai-je. La bagarre t'a-t-elle coupé l'appétit?

– Elle m'a enlevé bien davantage... à commencer par l'orgueil», répondit-il, sourdement. Je ne relevai pas la remarque, car je savais ce qu'elle lui en avait coûté, et j'attendis la suite de ses aveux. «Si je faisais des efforts, reprit-il, je sais que j'arriverais à tolérer la présence de Brude à Leifsbudir encore deux mois. C'est ce qu'il souhaite. Sais-tu qu'il veut te ramener avec lui, dans son clan?

– Non... Il n'en a jamais été question entre nous, répondis-je, éberluée.

– Eh bien, voilà, il en est question, et c'est à l'origine de mon emportement contre lui. Dis-moi, Moïrane, est-ce que ta préférence va à cet Albain? Je suis déchiré à l'idée qu'il puisse remporter ton choix, mais je reconnais la valeur et la constance de l'homme, et je n'aurais que ce que je mérite si tu décidais de le suivre avec votre enfant.

— Gunni, je n'ai qu'un mari, et c'est toi. Ce que je veux, c'est que tu n'aies qu'une seule femme : moi. Je désire également que cette petiote dans tes bras soit tienne, au même titre que l'enfant qu'Elsie te fabrique et auquel je ne t'obligerai jamais à renoncer. »

Il en fut ainsi, cette nuit-là même. À la demande de Gunni, Elsie réintégra la chambre des femmes et j'emménageai dans la chambre haute, la pièce traditionnellement réservée au chef d'une expédition et à son épouse. Nous nous y enfermâmes avec le bébé durant deux jours, sans voir presque personne, sinon la jeune Elena, mandatée par sa mère pour nous apporter à manger. Gudlaugson donna quelques bribes de nouvelles au travers de la porte, qui nous rassurèrent sur le calme revenu dans la délégation albaine. Le frère Comgan se présenta une fois et j'échangeai quelques phrases avec lui, sur le pas de la porte. Mais, autrement, Gunni et moi nous consacrâmes entièrement l'un à l'autre, dans une exclusivité qui me ravit.

Je parlai beaucoup avec lui, de ma peine, de ma colère aussi. Je répondis à toutes ses questions sur ma vie avec Brude à Gleanlin et il répondit aux miennes sur son engouement subit pour Elsie. Je crois que ce long tête-à-tête évacua les divers malentendus qui pesaient sur nous et qu'il prépara le terrain à la renaissance de notre passion amoureuse. Son visage abîmé ne me prédisposait pas plus à coqueliner avec lui que mon état de relevailles ne l'incitait à me prendre. Aussi, nous dormîmes chastement sous les mêmes fourrures, l'enfançon bien installé entre nous.

Au sortir de notre retraite bienfaitrice, je me préparai à affronter Brude. Le frère Comgan m'avait prévenu que mon ancien amant avait décidé de regagner le camp des Béothuks et attendait de pouvoir s'entretenir avec moi avant de partir. C'était dimanche et un soleil radieux baignait le site de Leifsbudir d'une lumière étincelante, avivée par le blanc de la neige. La communauté se rassembla dans la chapelle dès l'aube, et après l'office, je confiai ma petiote emmaillotée à Ingrid en l'assurant que je ne m'attarderais pas longtemps. Tandis que chacun retournait à la longue maison pour prendre le repas dominical présidé par le moine, je fermai la marche avec Brude, qui avait attendu ce moment pour me parler. Il avançait lentement, respirait avec une certaine difficulté et arborait un visage relativement intact, si ce n'est une arcade sourcilière fendue. Devant son silence embarrassé, je pris l'initiative de la discussion : « De quel droit pouviez-vous prétendre que je voulais quitter mon mari ? Vous ne m'avez même pas touché mot de ce projet…

— Cela est vrai, Moïrane, dit-il. Je n'ai pas agi pour te nuire, ni pour nuire à ton mari. Cette fois-là, j'ai simplement parlé avec mon cœur, selon les espérances qu'il nourrissait. J'ai peut-être provoqué l'escarmouche, mais je n'ai pas donné le premier coup, ni les plus durs. Tu l'ignores peut-être, mais j'ai une côte et trois doigts cassés.

— Je suis désolée que vous soyez navré de la sorte, pourtant, je crois que vous l'avez cherché. Néanmoins, je dois vous remercier. Votre venue ici, votre attitude respectueuse envers moi, et même votre rivalité avec Gunni ont joué un rôle majeur dans le dénouement de mon drame conjugal.

– Je le vois bien, hélas. Sache que je me réjouis de penser que tu as retrouvé le bonheur, même si, de ce fait, le mien décline. C'est pourquoi je m'en vais. Comme les conditions de terrain ne me permettent pas de faire le voyage avec les chevaux, j'emmène mon escorte, à pied, passer deux mois dans la tribu de Nonosyim. Nous reviendrons ici en mars pour reprendre nos bêtes. Cette offre de me suivre, que je ne t'ai jamais faite officiellement, eh bien, je te la présenterai quand je serai de nouveau devant toi, au printemps. D'ici là, si ton mari ne réussit pas à te satisfaire parfaitement et à considérer l'enfant comme il te convient, je serai le plus heureux des hommes de combler ses lacunes en te prenant pour épouse.

– Brude, je suis sensible à l'expression de votre affection et j'ai beaucoup d'estime pour vous. Aussi, je ne veux pas que vous entreteniez de faux espoirs à mon sujet. Nous n'avons aucun avenir ensemble, car je ne quitterai jamais Gunni, quoi qu'il fasse. J'avoue qu'à certains moments j'aurais pu être tentée, mais je suis trop chrétienne pour faillir à mon serment d'épouse. S'il vous plaît, ne vous représentez pas à Leifsbudir au printemps, envoyez vos hommes quérir les chevaux, mais ne venez pas vous-même. »

Voyant la possibilité de renouveler un séjour d'évangélisation d'une durée de deux mois chez les Béothuks du Rocher-de-l'Aigle, Comgan accompagna la délégation albaine. Quant à Neil, qui voulait continuer à en faire partie, il fut amèrement déçu de se voir refuser la permission de retourner au camp d'hiver des Béothuks. Il en voulut beaucoup à sa mère et encore plus à Markus, ce dernier ayant pesé de tout son poids pour le contraindre à obéir, tout en usurpant une autorité paternelle que le jeune homme ne lui concédait pas. Gudlaugson, qui avait jonglé avec l'idée de s'associer aux Albains pour la prochaine saison de chasse au morse, vit partir avec désappointement un Brude des plus rébarbatifs. Cet espoir déchu, qui s'ajoutait à ses autres déconfitures, perte de son gendre et accident de chasse, amena le capitaine islandais à considérer comme souhaitable un retour en Écosse au printemps. Les autres membres de l'expédition, Gunni en tête, ne parlèrent plus que de cette perspective.

Les femmes furent, de loin, les plus ferventes promotrices du projet. Leur existence et celle des enfants dans la petite colonie avaient été pénibles au-delà de toute imagination. Chacune, à sa façon, avait connu des désillusions et aspirait intensément à retrouver sa vie d'autrefois. Les déboires étaient particulièrement grands chez Elsie qui, au terme du voyage, allait se retrouver les mains complètement vides, car même ses espérances de grossesse s'étaient évanouies. En effet, son sang mensuel coula de nouveau en février après une interruption en décembre et en janvier. Elle pleura si bien sur ce dernier désenchantement que la communauté crut qu'elle retomberait dans son état d'hébétude d'avant. Heureusement, elle trouva un réconfort tout à fait inattendu de la part de Jon, qui se montra attentif à ses humeurs et bon confident. Moïrane fut reconnaissante au jeune homme de son soutien, car elle savait que ni Ingrid ni Arabel n'étaient sympathiques à Elsie, et qu'elle-même ne pouvait considérer la veuve de Pelot autrement que comme une ancienne rivale. Cependant, l'épouse du chef compatissait très sincèrement à la déconvenue de cette femme de son clan et elle se serait inquiétée de la voir sombrer dans une nouvelle dépression.

Au cours des longues soirées hivernales, l'absence de l'Irlandais favorisa des discussions si enthousiastes sur la planification du voyage de retour que les habitants de Leifsbudir finirent même par négliger l'objectif religieux de l'expédition au Vinland et son commanditaire, à l'évêché de Limerick. Pour eux, la décision de revenir en Écosse leur appartenait et le moine devrait s'y soumettre, quels que soient ses futurs plans d'évangélisation.

Le comportement exemplaire de Gunni au cours de l'hiver me conforta dans ma volonté de lui faire confiance. Malgré une amabilité de convenance, il garda minutieusement ses distances avec Elsie et lui fit comprendre qu'elle avait cessé d'être sa maîtresse et ne pouvait compter le redevenir jamais. Avec moi, il rétablit les relations de respect et d'admiration qui m'avaient rendue, depuis notre mariage, une femme heureuse et comblée. Au sortir de cet épisode trouble que nos sentiments avaient traversé, notre affection mutuelle sembla avoir gagné en profondeur et je rendis grâce à Dieu pour ce précieux bienfait. Avec ma petite Iseabail, Gunni agit de la même manière qu'un père aimant et fier l'aurait fait, et même un peu plus, car il chercha toutes les occasions de prendre l'enfant, de lui parler et de lui tendre des objets, ce qui suscitait des plaisanteries de la part de ses hommes.

Désormais, toute la communauté était tournée vers l'ultime objectif de retourner en Écosse. Il ne se passait pas une heure sans que quelqu'un, homme, femme ou enfant, fasse une allusion, même discrète, à notre prochain grand départ. Contrairement aux opinions qu'il avait déjà défendues à ce sujet, Gudlaugson ne s'opposa pas au projet, ce qui soulagea Gunni qui prévoyait de la résistance de son côté. Ne restait plus que le frère Comgan à convaincre, et je me vis confier la tâche de lui présenter la requête au nom du groupe. Ce n'est pas sans quelque appréhension que je me préparai à argumenter avec le moine, dès son retour de chez les Béothuks.

Nous nous étions imaginé qu'il profiterait du déplacement des Albains, venant récupérer leurs chevaux, pour rentrer à Leifsbudir. Or, quelques jours avant l'Annonciation et le début de la nouvelle année, ceux-ci se présentèrent sans le frère Comgan, mais en compagnie de la fameuse jeune Béothuk interprète et de son père, le guide Masduwit. Cette visite inattendue réjouit Gunni, enchanta Neil et déconcerta tous les autres, moi comprise. «Comgan est resté là-bas avec Brude, rapporta l'un des Albains. Il repart avec nous à Gleanlin : voilà le message dont il nous a chargés pour vous.» La défection du moine, inexpliquée et contrariante, reportait singulièrement notre départ et elle mécontenta tout le monde, sauf le jeune Neil.

Ce dernier semblait s'être beaucoup engagé envers la petite Oubee, que nous trouvâmes par ailleurs charmante, et il comptait exploiter le sursis que provoquait l'absence du frère Comgan pour avancer son affaire amoureuse. Ce à quoi il s'appliqua furieusement durant les jours qui suivirent. La pauvre Arabel fut scandalisée par les agissements de son fils et elle détourna les yeux d'indignation chaque fois qu'elle croisa le regard franc de la jeune indigène ou celui de son père. Ceux-ci n'avaient pas caché les raisons de leur venue avec les hommes de Brude : ils réclamaient Neil pour faire partie de leur tribu à titre de guerrier chrétien dans la maison du shaman et de futur époux de la jeune fille. L'exultation du promis n'eut d'égal que l'atterrement de sa mère et je crois que, sans la médiation de Gunni, la demande de mariage se serait transformée en un affrontement entre races. Il expliqua à Masduwit l'intention de la communauté de quitter incessamment Leifsbudir, sans espoir de retour, ce qui donnait à l'union des jeunes gens un cachet de séparation définitive entre la mère et fils. Le Béothuk eut alors une attitude étonnante : il demanda à transiger avec Markus. Ayant saisi, par je ne sais quel signe, que le forgeron était l'homme d'Arabel et en même temps l'expert en fer des marais, Masduwit entreprit de négocier le prix de sa fille, dont il consentait à se départir, si Neil ne pouvait se joindre librement à sa tribu.

Je doute que Herulf se serait prêté à un tel marchandage avec son fils, mais, sans l'appui des hommes du clan Gunn, qui reconnaissaient volontiers à Neil le droit à son émancipation, Arabel ne pouvait repousser la proposition du Béothuk. Si elle tenait vraiment à ramener son fils en Écosse, elle devait mettre Markus au travail afin de pouvoir acheter et accueillir la petite bru indigène. Trois haches, neuf couteaux et vingt pointes de lance, battus dans le métal le plus précieux aux yeux des Béothuks : voilà le coût de l'arrangement matrimonial auquel en vinrent Masduwit et Markus. Une partie de la dot, notamment les pointes de lance, objets qui ne faisaient pas partie de notre équipement, requérait deux pleines semaines de travail pour le forgeron, s'il avait l'aide d'un apprenti. Les services de Neil furent donc tout naturellement requis. Malgré son antipathie pour Markus, le jeune homme ne se fit pas prier pour œuvrer sous ses ordres à sa propre félicité.

Le Jour de l'Annonciation, le père et la fille béothuk repartirent avec les Albains en promettant de revenir dans la première semaine d'avril, par la mer, pour faire l'échange des présents et procéder au mariage. Comme il était impératif que nous informions le frère Comgan de notre décision d'abandonner le poste de Leifbudir, Gunni fut mandaté pour accomplir cette mission délicate et il se joignit aux partants. Si j'avais été en état de voyager, je l'aurais accompagné et nos chances de rapatrier promptement le moine en auraient été décuplées, mais Gunni ne voulut pas que je m'expose de la sorte avec l'enfant et il refusa net de m'emmener. Je perçus qu'il voulait aussi éviter que je revoie Brude, mais il garda cette pensée pour lui. Nous nous embrassâmes très tendrement, au moment de son départ, et je me promis que ce serait la dernière fois que j'accepterais de me séparer de lui.

Quatorze jours plus tard, comme convenu, les Béothuks revinrent à Leifsbudir, en grande délégation. À l'heure de sexte, un lundi, cinq canots majestueux surmontés de fanions blancs, en signe de paix et d'amitié, entrèrent lentement dans la baie de Leifsbudir. À leur bord étaient, bien sûr, la promise, son père et Gunni, mais également le chef Nonosyim, plusieurs hommes d'armes et, de façon inespérée, le frère Comgan. « Dieu soit loué ! me dis-je, en distinguant la silhouette noire du moine au milieu des tuniques rouge ocre. Gunni a réussi à lui faire renoncer à un nouveau séjour chez les Albains. » Je souriais de soulagement en observant l'approche des embarcations d'écorce alors que Arabel, qui se tenait à mes côtés, étirait anxieusement le cou pour repérer sa future bru, tout en espérant ne pas l'apercevoir : jusqu'à cette heure ultime, mon amie avait souhaité secrètement que l'union de son fils avec l'indigène ne se concrétise pas.

La veille, Neil et Markus, exténués, avaient mis la dernière main aux gages de mariage qu'ils déposèrent, étincelants, dans une caisse. Le jeune homme avait tenu à transporter le fardeau sur la plage tout seul, et, en cet instant inoubliable de l'arrivée de sa promise, il posait un pied conquérant sur le bois vermoulu renfermant son trésor. Son petit frère Martein, pour le taquiner, essayait de repousser ce pied en faisant mine de s'asseoir dessus et les deux fillettes d'Ingrid l'encourageaient par leurs rires excités. Cinead dut sévir afin que notre jeune énamouré ne se fâche pas contre les enfants, se montrant ainsi discourtois devant l'ambassade béothuk. Le débarquement eut lieu ; les salutations, un peu étudiées, s'échangèrent ; les cadeaux furent exposés à l'admiration de tous ; les fiancés s'étreignirent modérément ; la bénédiction du moine retomba sur leurs têtes sérieuses ; et finalement, tout le monde gravit la colline en un cortège tout à fait biscornu, afin de célébrer les épousailles dans la salle commune de la longue maison.

Au milieu de l'attroupement, j'avançais allègrement avec mon nourrisson blotti contre ma poitrine, le bras de Gunni enlaçant ma taille. « Comment es-tu parvenu à convaincre le frère Comgan de revenir si tôt à Leifsbudir ? lui demandai-je.

— Justement, fit Gunni. Comgan ne revient pas.

— Qu'est-ce à dire ?

— Il est ici pour célébrer le mariage de Neil et d'Oubee, mais il repart demain avec les Béothuks, qui vont l'escorter jusqu'au village d'été des Albains où Brude l'attend.

— Pour un séjour de combien de temps ? demandai-je, sur un ton déçu.

— Pour un séjour indéterminé, répondit Gunni, avec un sourire en coin.

— Comment cela, un séjour indéterminé ?

— Comgan ne s'oppose pas au retour de notre expédition en Écosse, mais il ne fera pas la traversée avec nous : il a choisi de rester au Vinland, chez les Albains. Si son évêque lui envoie du renfort et des subsides, il établira le poste projeté à l'origine, sinon il poursuivra sa mission évangélique en solitaire jusqu'à ce qu'il soit relevé de ses fonctions. Il va écrire une missive pour expliquer sa décision. Gudlaugson sera chargé de la livrer à Limerick avec la part d'or blanc qui revient à l'évêque et recevra en retour le paiement de son salaire et celui de son équipage. »

L'incroyable nouvelle me stupéfia d'abord, puis elle força mon admiration. La curiosité me poussa à scruter ce religieux irlandais étonnant afin de saisir ses motifs de plonger dans ce qui me semblait être un périple insensé, et, encore une fois, je constatai la force rayonnante qui émanait de lui. Une force irrésistible, comme l'attrait d'un rayon de lumière dans un logis sombre ; une puissance inébranlable qui avait agi sur mon esprit aussi nettement que sur celui des Albains et des Béothuks convertis. Le frère Comgan était fait du même métal que les apôtres du Christ et comme ceux-ci, pensai-je, il porterait avec succès la parole divine où qu'il aille, même dans ce coin reculé de la Terre qu'est l'île d'Alba.

CHAPITRE XIX

LA COMPAGNE

Tel que l'avait annoncé Gunni, le frère Comgan quitta Leifsbudir le lendemain et je n'eus pas l'occasion de lui reparler en privé. Il nous fit ses adieux lors d'une brève homélie prononcée devant les fidèles réunis dans la longue maison, s'adressant ainsi aux membres de l'expédition et aux Béothuks indistinctement. Sa bénédiction pour une traversée de l'océan réussie fut les seules paroles qui s'appliquaient spécifiquement à notre communauté, et j'en conçus quelque dépit. Je ne pus assister au dépouillement de la chapelle sans un petit pincement au cœur et regardai tristement l'Irlandais ranger le long crucifix, le livre saint et la belle bannière dans son coffre.

Gunni et Gudlaugson, quant à eux, jubilaient en surveillant le transport des bagages du frère Comgan vers la plage. À différents épisodes de notre aventure au Vinland, leur autorité s'était confrontée à celle du moine et ils lui en gardaient une certaine rancœur. Par contre, les adieux de Gunni avec le chef Nonosyim et Masduwit furent plus élaborés et, dans une certaine mesure, plus émouvants. En observant les trois hommes, en grande discussion près des canots, à l'heure du départ, je compris la solidité de leur amitié et l'admiration réciproque qu'ils se vouaient.

Cela me porta à m'intéresser à la jeune Oubee, qui était sans doute aussi digne de considération que ses semblables et qui méritait d'être traitée avec affection par notre clan, ne serait-ce que pour son courage de quitter définitivement sa famille et son pays, par attachement pour Neil. Elle se tenait bien droite, en retrait du groupe des hommes, la main dans celle de son nouvel époux et les yeux rivés sur son père, qu'elle n'allait plus revoir.

Derrière les jeunes mariés, les femmes s'étaient regroupées avec les enfants. Voyant le dédain dont Arabel faisait toujours preuve à l'endroit d'Oubee, je décidai de prendre celle-ci sous mon aile et de lui témoigner toute la sollicitude possible. Je m'avançai dans sa direction en lui souriant. Mon initiative fut immédiatement bien accueillie. Laissant la main de Neil, la jeune fille vint à moi et fit mine de tendre les bras vers ma petite Iseabail. Je la lui confiai sans hésitation. La joie que je lus sur le visage d'Oubee, alors qu'elle installait l'enfant sur son épaule, me révéla que je ne m'étais pas trompée sur son compte : à l'évidence, cette jeune personne deviendrait un membre attachant pour tout le clan Gunn de Helmsdale.

Quand les canots béothuks furent hors de portée de vue, nous nous tournâmes tous instinctivement vers le knörr, lequel, bien assis dans son lit de sable, trônait au milieu de la baie : plus rien ne nous empêchait maintenant de partir. Les cousins Ketilson s'y ruèrent en criant leur contentement, suivis par les enfants excités et par les autres hommes. Je vis Markus donner une bourrade affectueuse à Neil, et je me réjouis de leur amitié toute neuve. Ingrid et Arabel entourèrent complaisamment Oubee, qui portait ma petite Iseabail avec aplomb tout en lui tapotant le fessier, comme une mère expérimentée.

Gunni se glissa dans mon dos, m'emprisonna entre ses bras et me pressa amoureusement contre son torse. «Tu ne peux savoir à quel point j'ai hâte d'appareiller et de retourner chez nous, murmura-t-il. Le rôle de chef de Helmsdale m'est cent fois plus doux que celui de Leifsbudir.

— Toi qui étais si captivé par les terres à l'ouest et si désireux de t'y rendre, regrettes-tu maintenant notre voyage? lui dis-je, sur un ton amusé.

— Ce n'est pas dans ma nature de regretter une expédition : je suis trop viking dans l'âme pour renier l'attrait que la route des cygnes exerce sur moi et je suis satisfait d'avoir répondu à son appel. Il me fallait découvrir ce pays où se couche le soleil, mais c'est bien fini pour moi, la poursuite de l'or blanc de l'autre côté de l'océan, avec un papar exalté par la gloire de Christ. J'y cours de trop grands dangers… comme celui de perdre l'amour de l'unique compagne de ma vie…

— Je t'aime, Gunni. Sache que je n'ai jamais cessé de t'aimer et que cela ne s'arrêtera pas… pas encore», chuchotai-je, en me retournant dans ses bras. Le regard lumineux dont il m'enveloppa effaça instantanément tous les vilains souvenirs attachés à notre périple au Vinland, comme un coup de vent décoiffe les chardons mousseux.

Le premier mai 1028, dix-huit mois après son accostage sur l'île d'Alba, le knörr islandais, chargé d'or blanc, de pelleteries et de vivres à ras bord, leva l'ancre pour retraverser l'océan atlantique. À l'issue de son expédition invraisemblable au Vinland, le clan Gunn avait perdu des membres et en avait gagné d'autres : Arabel avait accepté Markus ; Elsie s'attachait Jon ; Karl avait pris place parmi les hommes d'armes du chef ; le jeune Neil ramenait une épouse indigène ; et, enfin, Moïrane avait donné une mignonne héritière à son mari.

Appuyée à la rambarde, dans l'ombre de la grande voile rayée rouge et blanc qui faséyait mollement, la jeune famille se serra sous la même cape pour regarder la baie de Leifsbudir s'éloigner au rythme saccadé des coups de rame de l'équipage. Derrière la longue maison, dans le pré verdoyant qui ondulait déjà sous les doigts du vent, la femelle renne se dirigeait lentement vers la forêt.

LEXIQUE

Alba : nom utilisé par les Nord-Européens pour désigner l'île de Terre-Neuve (Canada), aux environs de l'an mille.

Baudrier : support d'épée en cuir porté sur la hanche.

Bliaud : longue tunique féminine portée par-dessus la chemise de corps.

Bondi : homme libre exerçant le métier de fermier, de marchand, d'artisan ou de guerrier, dans la société scandinave.

Broch : tour de pierres sèches servant de lieu de défense ou de balise (Écosse).

Céans : immédiatement, tout de suite, là.

Chaut : du verbe chaloir, importer (*peu m'en chaut - peu m'importe*).

Complies : dernier des sept offices quotidiens dans la vie chrétienne, correspond à 21 heures.

Coqueliner : flirter.

Croft : maison de ferme.

Curragh : bateau de peaux cousues et huilées, entre 15 et 25 m de long.

Dépêcher : tuer, occire.

Dextre : côté droit, main droite.

Drakkar : nom donné par les Européens aux navires scandinaves.

Enferrer : traverser d'une lame.

Forcer : violer.

Gloutir : avaler, ingurgiter, manger.

449

Greenlandais: *(Groënlandais)* habitants du *Greenland* (nom donné au Groënland par Eirik Le Rouge).

Jarl: chef de clan, noble dans la société scandinave.

Knörr: navire scandinave, de cabotage ou de haute mer.

Leifsbudir: nom donné par le Groenlandais Leif Eirikson au campement qu'il érigea à l'Anse-aux-Meadows (Terre-Neuve), autour de l'an mille et qui fut vraisemblablement fréquenté durant une dizaine d'années.

Loch: lac, fjord ou bras de mer.

Markland: *(pays du bois)* nom donné par les Groënlandais à la côte du Labrador (Canada) et au détroit d'Hamilton, probablement très forestiers, en l'an mille.

Membrure: membres (ossature et muscles).

Mile: unité de distance équivalant presque au mile moderne (1 km = 621 miles).

Mormaer: grand propriétaire terrien et justicier (Écosse).

Navrer: blesser.

None: cinquième des sept offices quotidiens dans la vie chrétienne, correspond à 15 heures.

Nordreys: ensemble des îles Orcades, Shetland et Féroé (Écosse) sous contrôle norvégien, en l'an mille.

Norrois: langue parlée par les Scandinaves.

Normand: *(Norse)* nom donné aux Scandinaves par les Européens.

Odin: dieu de la sagesse dans la mythologie scandinave.

Papar: nom donné aux prêtres et aux moines chrétiens par les Scandinaves.

Picte: peuple formant l'une des composantes de la nation écossaise, autour du Ve siècle.

Pictland: nom donné aux hautes terres de l'Est de l'Écosse.

Prime: deuxième des sept offices quotidiens dans la vie chrétienne, correspond à 6 heures.

Runique: en rapport aux runes, l'écriture scandinave à 16 signes (lettres).

Sénestre: côté gauche, main gauche.

Sexte : quatrième des sept offices quotidiens dans la vie chrétienne, correspond à midi.

Skrealing : nom donné aux indigènes du Vinland (Canada) par les Groënlandais.

Stéatite : minéral de silicate et de magnésium dont les Scandinaves tiraient des objets d'utilité quotidienne.

Thing : assemblée judiciaire régionale dans la société scandinave.

Thor : dieu des tempêtes, des guerriers et du chaos, dans la mythologie scandinave. Un marteau à deux têtes est son signe distinctif.

Tierce : troisième des sept offices quotidiens dans la vie chrétienne, correspond à 9 heures.

Truchement : interprète, traducteur.

Umbo : pièce ronde en métal bombé au centre de la face extérieure du bouclier.

Vadmal : étoffe de laine grossièrement tissée, entrant dans la confection de vêtements, de couvertures et de voilures, servant d'unité de poids et de monnaie d'échange aux marchands scandinaves.

Vêpres : sixième des sept offices quotidiens dans la vie chrétienne, correspond à 18 heures.

Vêture : costume, habillement, ensemble des vêtements.

Vif : vivant.

Viking : navigateur, explorateur, marchand ou pirate scandinave.

Vinland : (*pays des vignes* ou *des prairies*) nom donné par les Groënlandais aux terres découvertes au Canada (englobaient la côte sud du Labrador, le golfe du Saint-Laurent, l'île d'Anticosti, les îles de la Madeleine, Terre-Neuve et les côtes nord du Nouveau-Brunswick et de la Nouvelle-Écosse).

Vit : pénis.

Yard : unité de longueur correspondant à environ un mètre.

TABLE

AUTRES TITRES PARUS
DANS LA MÊME COLLECTION

Dupuis, Gilbert, *La chambre morte*
Dupuis, Gilbert, *L'étoile noire*
Dussault, Danielle, *Camille ou la fibre de l'amiante*
Fauteux, Nicolas, *Comment trouver l'emploi idéal*
Fauteux, Nicolas, *Trente-six petits cigares*
Fortin, Arlette, *C'est la faute au bonheur*
    (Prix Robert-Cliche 2001)
Fortin, Arlette, *La vie est une virgule*
Fournier, Roger, *Les miroirs de mes nuits*
Fournier, Roger, *Le stomboat*
Gagné, Suzanne, *Léna et la société des petits hommes*
Gagnon, Madeleine, *Lueur*
Gagnon, Madeleine, *Le vent majeur*
Gagnon, Marie, *Des étoiles jumelles*
Gagnon, Marie, *Emma des rues*
Gagnon, Marie, *Les héroïnes de Montréal*
Gagnon, Marie, *Lettres de prison*
Gélinas, Marc F., *Chien vivant*
Gevrey, Chantal, *Immobile au centre de la danse*
    (Prix Robert-Cliche 2000)
Gilbert-Dumas, Mylène, *1704*
Gilbert-Dumas, Mylène, *Les dames de Beauchêne. T. I*
    (Prix Robert-Cliche 2002)
Gilbert-Dumas, Mylène, *Les dames de Beauchêne. T. II*
Gilbert-Dumas, Mylène, *Les dames de Beauchêne. T. III*
Gilbert-Dumas, Mylène, *Lili Klondike. T. I*
Gill, Pauline, *La cordonnière*
Gill, Pauline, *Et pourtant elle chantait*
Gill, Pauline, *Les fils de la cordonnière*
Gill, Pauline, *La jeunesse de la cordonnière*
Gill, Pauline, *Le testament de la cordonnière*
Girard, André, *Chemin de traverse*
Girard, André, *Zone portuaire*
Grelet, Nadine, *La belle Angélique*
Grelet, Nadine, *Les chuchotements de l'espoir*
Grelet, Nadine, *La fille du Cardinal. T. I*
Grelet, Nadine, *La fille du Cardinal. T. II*

Grelet, Nadine, *La fille du Cardinal. T. III*
Gulliver, Lili, *Confidences d'une entremetteuse*
Gulliver, Lili, *L'univers Gulliver 1. Paris*
Gulliver, Lili, *L'univers Gulliver 2. La Grèce*
Gulliver, Lili, *L'univers Gulliver 3. Bangkok, chaud et humide*
Gulliver, Lili, *L'univers Gulliver 4. L'Australie sans dessous dessus*
Hébert, Jacques, *La comtesse de Merlin*
Hétu, Richard, *Rendez-vous à l'Étoile*
Hétu, Richard, *La route de l'Ouest*
Jasmin, Claude, *Chinoiseries*
Jasmin, Claude, *Des branches de jasmin*
Jobin, François, *Une vie de toutes pièces*
Lacombe, Diane, *La châtelaine de Mallaig*
Lacombe, Diane, *Gunni le Gauche*
Lacombe, Diane, *L'Hermine de Mallaig*
Lacombe, Diane, *Nouvelles de Mallaig*
Lacombe, Diane, *Sorcha de Mallaig*
Laferrière, Dany, *Cette grenade dans la main du jeune Nègre est-elle une arme ou un fruit ?*
Laferrière, Dany, *Le goût des jeunes filles*
Lalancette, Guy, *Il ne faudra pas tuer Madeleine encore une fois*
Lalancette, Guy, *Les yeux du père*
Lamothe, Raymonde, *L'ange tatoué* (Prix Robert-Cliche 1997)
Lamoureux, Henri, *L'infirmière de nuit*
Lamoureux, Henri, *Journées d'hiver*
Lamoureux, Henri, *Le passé intérieur*
Lamoureux, Henri, *Squeegee*
Landry, Pierre, *Prescriptions*
Lapointe, Dominic, *Les ruses du poursuivant*
Lavigne, Nicole, *Les noces rouges*
Lazure, Jacques, *Vargöld. Le temps des loups*
Massé, Carole, *Secrets et pardons*
Maxime, Lili, *Éther et musc*
Messier, Claude, *Confessions d'un paquet d'os*
Moreau, Guy, *L'Amour Mallarmé* (Prix Robert-Cliche 1999)
Nicol, Patrick, *Paul Martin est un homme mort*
Ouellette, Sylvie, *Maria Monk*

Cet ouvrage composé en Garamond corps 14 a été achevé d'imprimer au Québec
le seize octobre deux mille huit sur papier Quebecor Enviro 100 % recyclé sur les
presses de Quebecor World à Saint-Romuald pour le compte de VLB éditeur.

100%